D0418607

Du même auteur :

Intimes Convictions, 2002.
Une mystérieuse fiancée, 2004.
Le garçon dans la lune, 2008.

Pierres de mémoire

COLLECTION DIRIGÉE PAR JOËLLE LOSFELD

The Publisher acknowledges the financial assitance of Ireland Literature Exchange (Translation Fund), Dublin, Ireland
www.irelandliterature.com
info@irelandliterature.com

Titre original : *The Memory Stones*

ISBN : 978-2-07-078999-3

Kate O'Riordan

Pierres de mémoire

Roman

Traduit de l'anglais (Irlande)
par Judith Roze

ÉDITIONS JOËLLE LOSFELD

Pour Paschale

À trois heures trente,
Un unique oiseau
Dans un ciel silencieux
Propose une phrase unique
De prudente mélodie.

À quatre heures trente,
L'expérience maîtrise
L'essai, et voici
Que le principe argentin
A tout supplanté.

À sept heures trente,
Élément ni instrument
Ne se voient
Le lieu est où fut la présence
Entre eux, la circonférence.

EMILY DICKINSON
(traduction de Claire Malroux)

1

Trois heures et demie du matin. Le téléphone sonne. Une naissance ou une mort.

Une tête se tourne, une main émerge de sous un oreiller. La lune projette son ombre grotesquement dilatée sur un mur blanc : la main est une tarentule suspendue au-dessus d'un téléphone tapageur. Deuxième sonnerie. Lulu jappe dans son panier au bout du lit. Nell est maintenant complètement éveillée. Elle a encore sept sonneries avant le déclenchement du répondeur. Un moment pour choisir l'acceptation passive – ce qui s'apprête à lui tomber dessus ne peut être que déplaisant – ou décider de se concentrer sur quelque chose de déjà connu, en guise de bouclier, de cotte d'armes. Elle prend le parti de se réfugier dans la journée qui vient de s'écouler. Un samedi. À Paris.

Troisième sonnerie. Et le temps s'est incurvé, enroulé sur lui-même, une journée englobée dans une bulle. Chaque seconde, chaque heure encapsulées, en équilibre sur sa langue comme un goût pas encore avalé. Elle pourra se raccrocher à ça, quand la tarentule aura frappé.

Samedi matin. Tandis que son bain coule, Nell donne à manger à Lulu dans la cuisine. Elle préférerait que le petit caniche ne porte pas ce ridicule nom de caniche, préférerait, à vrai dire, que Lulu ne soit pas un caniche du tout, mais elle n'a pas eu le choix : elle a hérité la vieille chienne, à son corps défendant, de son amie Meredith. Au départ, Lulu elle-même n'était guère impressionnée par sa nouvelle propriétaire. Elle boudait, montrait les dents et insistait pour traîner les bouclettes de son derrière incontinent sur les canapés couleur crème et le tapis persan du salon. Pendant un an, l'orpheline et sa maîtresse ont entretenu une aversion réciproque et, il est vrai, quelque peu mécanique. Meredith leur manquait à toutes les deux, après tout, et se voir ne faisait qu'alourdir leur deuil. Mais le passage du temps et la nécessité aidant, ainsi que le rapprochement naturel de deux femmes vieillissantes forcées de vivre sous le même toit, elles se sont habituées à cet arrangement. Un marché a été conclu. Nell nourrit, Lulu mange. Nell promène, Lulu gronde. Nell pomponne, Lulu aboie. Nell caresse la tête de Lulu tandis que Lulu frotte son derrière humide contre les coussins crème. À tout prendre, ce n'est pas une mauvaise affaire pour une vieille chienne affligée de la cataracte et d'un tempérament désobligeant.

Nell lisse les feuilles de plastique qui protègent ses canapés tout en évaluant le remplissage de la baignoire au bruit que fait l'eau en coulant. C'est une vieille baignoire en fonte, et ses robinets en laiton ne laissent échapper qu'un filet ; elle a encore plusieurs minutes devant elle. Elle ouvre les volets du salon pour laisser entrer un flot de lumière diffuse de septembre. La fenêtre donne sur un balconnet en fer forgé qui croule sous les pensées automnales. Cinq étages plus bas, la circulation du week-end s'écoule sans difficulté le long du boulevard Raspail. De l'autre côté de la chaussée, les vitrines de boutiques hors de prix reflètent une douce et discrète clarté. L'air est étonnamment vif pour la saison. Au-dessus des toits mansardés, le ciel est lumineux – une lumière ni blanche ni jaune, mais comme filtrée par un fourreau de gaze.

Lulu, repue et se léchant les babines, entre dans la pièce à pas feutrés, manifestement en quête d'une surface non protégée sur laquelle se frotter. Elle lorgne avec convoitise la méridienne en daim marron. Mais, même avec Lulu, il y a des limites. « Rêve toujours », fait Nell.

La pièce est spacieuse, murs à panneaux blancs, parquet couleur miel avec tapis persan aux tons assourdis de gris bleu et d'ivoire. Des canapés crème au design sobre font face à une table basse en ébène laqué placée devant une énorme cheminée en marbre gris. Sur la table, des lis blancs dans un vase en cristal taillé. Des rayonnages de livres tapissent discrètement l'un des murs. Celui d'en face est couvert de vieilles gravures de Paris dans des cadres noirs. Un lustre en cristal scintille et tinte au centre du plafond à corniche élaborée. Faire nettoyer ce fichu lustre coûte une petite fortune chaque année, mais il était dans l'appartement quand Nell l'a loué il y a douze ans et ne peut en être ôté, malgré toute l'envie qu'elle aurait de s'en débarrasser. Trop imposant, trop tape-à-l'œil dans cette pièce au décor neutre et minimaliste.

Après son bain, elle enfile des vêtements amples en jersey noir. Pantalon large et fluide, tunique à décolleté arrondi. Ballerines en vachette souple aux pieds. Elle se penche en avant et passe une brosse à soies dures dans ses cheveux blond cendré coupés aux épaules jusqu'à ce qu'ils crépitent et gonflent en un nuage d'électricité. Pliée en deux, elle éprouve une sensation d'inconfort, comme un grattement, une pensée qui tente de faire surface contre sa volonté. Si elle la laisse émerger, cette pensée la hantera jusqu'à la fin de la journée. Pour le moment, elle préférerait la tenir à distance. Une inquiétude vague, informe. Quelque chose d'analogue à l'inexplicable malaise qu'elle éprouve en se coupant les ongles des pieds.

Quand elle se redresse face au miroir, son visage conserve pendant quelques secondes une teinte rosée et un aspect rebondi qui gomment ses rides les plus profondes. L'espace d'un instant, elle croit revoir une jeune Nell. Elle est surprise d'être encore surprise par le travail furtif et inexorable de l'âge. Ne savait-elle pas que cela arriverait ? Ne *sait*-on pas, lorsqu'on est une jeune fille, que c'est ça qui finit par arriver ? Mais non, on ne le sait pas, pense-t-elle. Pas vraiment.

L'afflux de sang descend le long de son cou, faisant resurgir les crevasses et les sillons de son visage de quarante-huit ans. Rien ne les délogera. Pas plus que les ternissures de sa cornée ou l'imperceptible feston qui ourle une mâchoire au dessin plus aussi net qu'autrefois. Chaque année, un nouveau bataillon rejoint les troupes en marche sur son épiderme.

Le phénomène qu'elle observe sur son visage lui rappelle une pomme qu'un jour, par simple curiosité, elle a laissée se décomposer jusqu'au bout. D'abord, la surface s'est ramollie et couverte de plis minuscules tandis que le fruit prenait une teinte jaunâtre. Puis sont venues les taches de vieillesse. Enfin – troisième et dernier stade de macération – la peau s'est affaissée sur la chair réduite en purée et une croûte de cendre blanche est apparue autour de la tige. Un désir compulsif de goûter au fruit pourri l'a saisie. Elle a plongé un doigt dans sa texture humide et poisseuse et l'a léché. Un goût étonnamment sucré, fermenté.

La peau qui pend sur les os, les années qui tendent vers la putréfaction. De la purée. Ce jour-là, Nell s'est vue comme une pomme douée de raison. Même si elle ne doutait pas que son propre arrière-goût serait amer.

Femme et chien sortent sur le boulevard. La promenade n'a pas commencé que Lulu proteste déjà. Elle porte un manteau écossais sur mesure aussi ridicule que son nom et sa race, mais lui aussi faisait partie de l'héritage. Des Parisiennes menues aux carrés impeccables passent avec leurs animaux pomponnés. Les chiens arborent des manteaux et leurs maîtresses des châles coûteux qui, à première vue, semblent négligemment jetés sur leurs épaules mais, à y regarder de plus près, ont été soigneusement pliés, drapés et épinglés. Sur le boulevard Raspail, ce sont en général des femmes franchement riches. Tandis que leurs chiens s'arrêtent pour se flairer le derrière, elles font l'équivalent façon Parisienne : leur regard débute aux chaussures de l'autre femme, puis remonte rapidement en englobant le sac, l'état des ongles, le tour de taille, la marque de la veste et s'arrête enfin, paupières plissées, sur le visage pour une estimation sans pitié de son âge. Calcul éclair, nouveau battement de cils, puis quelques mots apaisants, enjôleurs adressés au chien, et les femmes passent leur chemin. Où que la petite bête choisisse de faire ses besoins, elles s'arrêtent, tapotent le sol du pied, contemplent fixement la vitrine la plus proche, se polissent les ongles. Les trottoirs sont jonchés de petites pyramides de crottes multicolores.

Nell n'autorise pas Lulu à faire où bon lui semble, même si celle-ci rechigne à obéir. De temps à autre, elle écarte les pattes de derrière et fait semblant de pousser, juste pour contrarier sa maîtresse. Mais elles savent toutes les deux que la chienne, malgré son cinéma, finira par se soulager au pied de son arbre habituel. Ces derniers temps, on a pu voir à la télé une série de pubs coups-de-poing recourant à la « psychologie inversée ». Ça commence par quelque chose comme : « Pourquoi vous soucier de l'endroit où votre chien fait caca ? Quelqu'un ramassera. » Puis on voit un fauteuil roulant passer dans la merde, ou un petit enfant laisser tomber une crotte dans son seau. Visuellement saisissant, sans aucun doute. Efficace, non, songe Nell en slalomant entre les pyramides. Des pyramides que Lulu meurt d'envie de renifler, si bien qu'elle gémit plaintivement.

Irritée par ses geignements incessants, Nell la prend sous le bras et emprunte une rue transversale. Lulu aime regarder son ancien logis. Ça la fait taire. Il y a là un vieux platane rabougri avec une grille métallique autour de la base où elle parvient à vider correctement ses boyaux.

En l'attendant, Nell contemple, tête levée, l'immeuble où vivait Meredith. Elle n'arrive pas à se défaire de l'impression que si elle regardait assez longtemps, assez intensément, elle verrait le profil aquilin s'encadrer dans la fenêtre ouverte du troisième étage. Simplement, Lulu serait sous le bras de Meredith et l'autre bras ferait signe à Nell de monter, des ronds de fumée fantomatiques couronnant fugacement la chevelure auburn. Les deux femmes se sont rencontrées quand Meredith a fait appel à Nell pour établir la carte des vins du café-bistro qui portait son nom sur la rive gauche. Les *bangers and mash*, *fry-ups* et autres *fish and chips* que servait l'établissement faisaient fureur auprès des Français. Mais Meredith tenait à proposer à ses clients britanniques des vins corrects et sans surprise à un prix exorbitant. Une femme d'affaires rouée. Entre elle et Nell s'est aussitôt nouée une de ces amitiés particulières qui semblent l'effet du destin, mais qui, en réalité, reposent sur tout un faisceau de facteurs arbitraires : hasard, circonstances, timing. L'Irlandaise et la femme du Yorkshire. À Paris.

Chaque jour, Nell passe devant l'appartement et son cœur tressaille de douleur à la pensée qu'elle n'entendra plus jamais la grosse Anglaise rougeaude lui crier de monter. *Ici tout de suite !* Avec un bouchon qui saute en bruit de fond et un verre déjà servi à son arrivée.

Et Meredith faisant les cent pas et buvant bruyamment au milieu de son premier monologue de la soirée. Feignant de s'énerver pour des choses qui ne la touchaient absolument pas. Timide à sa manière, pérorant pour mieux communiquer, pour éviter les silences.

Nell sortait de là en zigzaguant quelques heures après minuit. S'efforçait d'avoir l'air sobre. S'en tirait plutôt bien jusqu'au moment où elle s'emmêlait les pinceaux à l'angle du bâtiment. Imaginait Meredith pliée de rire derrière elle, dans l'encadrement de la fenêtre, et attendait son bruyant commentaire tout en s'appliquant à marcher relativement droit sur le trottoir. Des lumières s'allumaient et des têtes ensommeillées et furieuses surgissaient aux fenêtres, criant à Meredith de fermer sa grande gueule. Ce qui n'avait pour effet que de la faire brailler encore plus fort : *Vous ne comprenez donc pas, imbéciles, ce que cette femme a fait pour vous ? Les sacrifices qu'elle a consentis ? Les années d'étude et de voyages et de dévouement à son… Regardez, regardez, je vous dis ! Vous avez sous les yeux ce qu'il faut bien appeler un… un palais sur pattes. Cette femme-là a tout enduré pour prouver au monde ce qu'il soupçonnait depuis longtemps – à savoir que le vin rend SAOUL.*

Et ce rire tapageur, éraillé par la cigarette. Jusqu'à la fin, il est resté brave et provocant, même quand Meredith n'était plus qu'une ombre chauve perdue dans les plis de son lit d'hôpital. En léguant Lulu à sa meilleure amie, un des tout derniers jours, elle a ri si fort que cela s'est soldé par une violente quinte de toux. Ça correspondait bien à son sens de l'humour, de confier à Nell un caniche que celle-ci méprisait. Mais, après la mort de sa maîtresse, qui n'aurait pris en pitié la petite bête ? Pendant des semaines, elle a hurlé et jappé son chagrin. Nell l'a laissée se lamenter tout son saoul, malgré les plaintes amères de ses voisins du dessus et du dessous. En un sens, la chienne exprimait aussi sa douleur à elle. Passé un certain âge, on ne peut pas plus se permettre de perdre une amie chère que sa dernière dent saine. Rien ne vient combler le vide.

Elles poursuivent leur chemin vers le jardin du Luxembourg – l'un des seuls parcs à admettre les chiens dans cette ville qui en regorge. Son dessin est d'un rigoureux formalisme, avec des rangées d'arbres rectilignes, un kiosque à musique et un bassin central. Les plates-bandes obéissent à la même linéarité stricte. Celle-ci satisfait l'œil de Nell, de même que les larges et longs boulevards parisiens avec leurs immeubles d'égale hauteur – rarement plus de cinq étages. Ordre, aménagement soigneux, alignement uniforme : il y a dans cette ville une douce symétrie, soulignée par une horizontalité rigide, qui lui paraît rassurante.

Parfois, particulièrement les jours d'automne frais et feuillus, elle emprunte une large allée gravillonnée à travers les Tuileries avec un agréable sentiment qui est presque de propriété. Comme si elle était chez elle, et que ce qu'elle voit lui appartenait en partie. D'autres fois, rarement, le contraire la frappe avec force : pourquoi ici ? pourquoi maintenant ? Comme elles paraissent arbitraires, les circonstances qui conspirent à placer quelqu'un en un lieu plutôt qu'un autre. Un travail, de brèves vacances qui s'éternisent, une liaison, une correspondance manquée, une carte mal lue, une erreur de direction qui vous entraîne ailleurs.

Après un tour de bassin, les protestations de Lulu se font plus véhémentes. Elle jappe, gémit et ne cesse de s'asseoir, si bien que Nell est obligée de la traîner.

« Allez, Lulu. Le véto dit que tes pattes vont s'ankyloser, tu sais bien. Viens, fifille. Deux biscuits, qu'est-ce que tu en dis ? »

Mais Lulu ne bougerait pour rien au monde. Ses yeux bruns voilés envoient des vagues de haine frémissante le long de la laisse. Certains jours, Nell manque de patience pour cette bataille incessante, donc elle ramasse la chienne sans douceur et rentre d'un pas rageur en la tenant dans ses bras. Elles se chamaillent tout au long du trajet. Aujourd'hui, à l'évidence, Lulu est plutôt pressée d'aboutir à ce dénouement. Mais Nell sent toujours ce grattement, cette démangeaison sous la couche supérieure de sa peau, et plus tôt elle rentrera, plus tôt la chose fera surface. Et puis ça fait du bien, de temps en temps, de jouer un tour à cette galeuse de petite bête. De lui montrer qui commande *réellement*.

« Un vrai chien, dit Nell, reprenant sa rengaine favorite. Avec de vrais poils, pas des bouclettes. Avec une langue qui pendouille et une longue queue qui bat l'air. Voilà ce que j'aurais choisi. Si j'avais eu à choisir un chien. Un chien d'arrêt, peut-être. Ou un épagneul aux oreilles soyeuses. Tu es une emmerdeuse, Lulu. »

Celle-ci renifle dédaigneusement et regarde au loin.

« Très bien », fait Nell sèchement.

Et, prête à céder, elle se penche pour ramasser la récalcitrante lorsqu'elle l'entend pousser un petit jappement de triomphe. Alors elle se redresse et, avec agilité, envoie un très léger coup de pied dans le postérieur rivé au sol. Le couinement scandalisé qui lui répond est particulièrement gratifiant. Lulu se lève, de nouveau disposée à bouger.

« J'ai tout vu ! dit en anglais une femme qui vient vers elles en trottinant. Comment vous avez pu faire une chose pareille ? C'est comme ça que les Français traitent leurs chiens ? »

Nell rougit. Les gens regardent. Elle marmonne quelque chose en français, feignant de ne pas comprendre. Lulu lève vers l'Anglaise un regard éploré, tête penchée sur le côté. *Sauvez-moi. Sauvez-moi.*

« Pauvre petite bête », dit la femme, et elle se penche pour caresser la tête de Lulu.

Aux yeux de celle-ci, c'est un pas de trop vers l'intimité. Son museau noir pointu part comme l'éclair et, pour toute récompense, la femme reçoit un petit coup de dents sur le pouce.

Nell et Lulu passent leur chemin, la laissant se récrier toute seule. La chienne avance volontiers à présent. Elle lance un regard oblique à Nell, comme pour lui confirmer que leur pacte tient toujours. Son moignon de queue frétille même faiblement. Si Nell avait une queue, elle l'agiterait aussi. Mais, en cet instant, elle est avant tout préoccupée par la fournaise de son visage. Le fard que lui a fait piquer l'intervention indiscrète de la femme dure depuis plusieurs minutes et la chaleur qui s'échappe de chaque pore est à faire rôtir les oiseaux sur leurs branches. Elle porte les mains à ses joues, priant pour que le feu s'apaise. Un caniche en manteau, un visage cramoisi : la honte la submerge et elle s'assied sur un banc, tête baissée, pendant quelques instants. Lulu l'observe avec un brin de compassion.

Le pire, ce sont les bouffées de chaleur nocturnes. Nell se réveille avec la sensation que son corps tout entier est en feu. Les draps sont trempés de sueur. Elle les repousse et roule vers une portion encore sèche du lit, cherchant désespérément un coin de linge frais pour faire baisser sa température. Lorsqu'elle parvient à se rendormir, la fraîcheur prend le dessus et elle ne tarde pas à se réveiller glacée. Retour sous les draps et les couvertures jusqu'au moment où elle se re-réveille en eau. Il y a des nuits où elle ne parvient pas à glaner plus de deux heures de sommeil d'affilée. Suivies de matinées passées à tituber et à boire du café noir pour donner un coup de fouet à ses membres endoloris. Puis des litres et des litres d'Évian pour faire passer les dizaines de remèdes à base de plantes qu'elle ingurgite dans le vain espoir de rendre la ménopause supportable sans traitement hormonal substitutif. Mais elle est sur le point de rendre les armes. Un produit dérivé des glandes sudoripares de la jument – ou bien est-ce de la pisse de jument ? – semble un moyen bien dégradant de vous faire passer le cap ; et pourtant, par moments, cela lui paraît étrangement approprié. Le pied de nez final de la nature. Le rappel qu'aucun cycle ne peut s'achever sans un certain degré de souffrance, de renoncement et d'indignité urinaire.

Une fois son visage apaisé, Nell quitte le jardin avec Lulu. Elles descendent le boulevard Saint-Michel, traversent le premier bras de Seine bordant l'île de la Cité, puis atteignent le second pont. Là, un travesti noir de grande taille en jupe courte et bas résille vend des briquets jetables et des cartes postales disposés sur un plateau. En toile de fond, Notre-Dame. Le type reconnaît Nell.

« Bonjour, madame Irish. Comment allez-vous aujourd'hui ? Et la charmante Lulu ?

— Bien, merci, Simone. Et vous ? »

Il fait la grimace et se tapote la hanche gauche.

« Pas terrible. L'ostéoporose, je crois. Mes os fichent le camp. »

Nell pousse un soupir compatissant, choisit un briquet rouge et paie. Deux vieilles dames passent à côté d'eux. L'une d'entre elles émet un grognement désapprobateur. Le grognement se change en raclement de gorge et la femme crache ostensiblement aux pieds de Simone avant de poursuivre son chemin avec sa compagne. Simone les apostrophe par-derrière.

Quand il se tourne à nouveau vers Nell, ses yeux sont pleins de larmes.

« Vous avez vu ça ? Vous avez vu ça ? » répète-t-il plusieurs fois.

Oui, l'assure Nell, elle a vu ça. Mais il ne devrait pas faire attention. D'ailleurs, il est particulièrement en beauté aujourd'hui. Elle aime beaucoup cette jupe rouge. Rasséréné, il se penche pour caresser Lulu. Nell retient son souffle. Lulu gronde, mais ne mord pas. C'est un progrès.

Comme la chienne halète un peu, Nell la porte jusqu'au bout du pont. Nichée dans ses bras, Lulu tend le cou par-dessus le parapet pour observer les eaux saumâtres et maussades de la Seine. C'est cette image d'elle que Nell convoque lorsqu'elle est en voyage. L'arrière de la petite tête, oreilles légèrement dressées, l'emplit de tendresse. Elle dépose un baiser spontané sur les boucles du dessus et reçoit en échange un coup de langue. Un courant de gentillesse passe entre elles, comme entre deux vieux époux revenus de leurs guerres, deux généraux en retraite qui font ensemble le dernier bout du chemin. Cette douceur inattendue libère la crainte insistante que Nell a réussi à contenir toute la matinée : telle la sueur, elle perle à la surface. Nell imagine l'arrière de la tête de sa fille, le rose nacré de ses oreilles légèrement décollées, ses épaules osseuses haussées en permanence, comme en signe d'indifférence ou d'excuse – et ce n'est pas de la tendresse, mais une vive irritation qui la saisit à l'idée qu'elle va passer la journée à s'en faire pour Ali, maintenant que celle-ci a réussi à percer.

« Ah, Lulu, dit-elle en frottant son nez contre le museau levé de la chienne. Essayons de profiter du restant de la journée. On va être copines. On va bien se traiter. »

Lulu est fatiguée, donc Nell hèle un taxi qui les emmène chez Angelina, rue de Rivoli. La queue de la petite section pâtisserie s'étend déjà dehors. Les gens ressortent avec des cartons blancs délicatement ficelés. Cette partie est bien trop exiguë, comparée au reste du salon de thé. Mais, quel que soit le niveau de la demande, le nombre de gâteaux et de tartes à emporter reste le même. Le samedi, en général, tous les millefeuilles ont disparu à midi et, malgré la déception hebdomadaire des clients, la direction ne semble pas disposée à augmenter la production. C'est une des particularités de la vie parisienne qui amusent Nell autant qu'elles l'insupportent. Bien sûr, ils pourraient fabriquer suffisamment de millefeuilles pour satisfaire la demande, mais ça rendrait les choses trop faciles pour le client. Un appétit aiguisé est une récompense honnête, un désir inassouvi le plus beau des compliments. Nell déniche une petite table disponible et commande un chocolat chaud et un macaron à la serveuse âgée en tenue noir et blanc traditionnelle. Le service est toujours impeccable.

Le macaron est destiné à Lulu, qui se comporte de façon exemplaire. Comme si la petite bête savait ou pressentait que, chez Angelina, elle fait partie d'un tableau. Femme élégante et solitaire avec toutou miniature. Il y en a tant dans cette ville. Nell sent les coups d'œil des femmes plus jeunes qui lui inventent une histoire. Elle ne doit pas avoir l'air perturbée par quoi que ce soit. Les Français sont accros à la mélancolie, et bien plus curieux et moins égocentriques qu'on ne le dit. Elle chatouille donc Lulu sous le menton et sourit. Telle une impératrice, la chienne se laisse offrir de délicates bouchées de macaron.

Oui, dans une certaine mesure, Nell s'est volontiers glissée dans cette image stéréotypée d'elle-même. Désormais, ce n'est guère plus qu'une veste qu'elle endosse le matin. Un vêtement sûr, confortable et bien coupé, toujours prêt à rendre service. Mais à partir de quand l'habit devient-il votre vie ? Y a-t-il eu un jour où elle s'est aperçue en se réveillant que ce qu'elle portait avait fini par se confondre avec sa peau ?

Quelque part, dans les plus obscurs recoins de son imagination, elle s'est même dotée d'une histoire française parallèle. Des parents petits, grassouillets et remuants, un minuscule village dans la vallée de la Loire avec une église à flèche élancée et un lac à canards qui gèle en hiver. Elle s'est vue patinant sur ce lac – gracieusement, bien sûr, avec une écharpe rouge qui se dévide derrière elle et un manchon en laine d'agneau assorti. D'impeccables huit tracés en copeaux blancs dans son sillage. Une image parfaitement conforme à celle qu'elle offre en tant qu'adulte.

Une invention néanmoins. Jamais elle ne sera française. Si experte soit-elle dans l'art de former les voyelles, elle demeure par essence une étrangère. Après tant d'années passées ici, elle ne peut échapper à ce statut. Elle a à peu près le physique de l'emploi, avec ses faux airs de Deneuve : silhouette svelte et menue, yeux bleu marine enfoncés dans leurs orbites, paupières liftées il y a des années, lèvres pleines et bien dessinées, menton pointu, visage agréable – assez symétrique pour être joli, assez commun pour n'être pas menaçant. Mais, dès qu'elle ouvre la bouche pour parler, la dilatation de la pupille ou l'imperceptible mouvement de tête de son interlocuteur lui rappellent qu'elle est « d'ailleurs ».

Le chocolat est servi dans un pot accompagné d'un verre avec une anse en métal. Il est si épais qu'elle doit le boire à la cuiller. La sensation en bouche est explosive. Visqueux et cent pour cent pur, il glisse dans la gorge comme de la soie, revêtant les amygdales d'une couche mucilagineuse. Tout autour de Nell, derrière les piliers à volutes élaborées, sous le haut plafond couvert de dorures, des cuillers tintent en raclant le fond des verres. Des journaux bruissent, des doigts tambourinent sur de grands sacs de magasin luisants. Les conversations sont discrètes, les exclamations remplacées par les expressions faciales équivalentes. Sourcils arqués, moues dépitées, épaules haussées jusqu'aux oreilles. Des mains de femmes délicates comme des frondes de fougères tracent constamment des figures dans les airs. Des hommes en pardessus de laine marine exhibent un look mal rasé, cheveux en bataille à l'arrière du crâne, comme s'ils venaient de tomber du lit.

Nell sort un calepin et organise le restant de la journée. Elle aime que tout soit planifié, d'autant que sa mémoire n'est plus tout à fait aussi bonne qu'autrefois. Elle doit jeter un coup d'œil au projet de thèse de l'étudiante dont elle a accepté d'être le mentor pour l'Institute of Masters of Wine. Elle prend un étudiant sous son aile toutes les années où c'est possible. Cela lui coûte beaucoup de temps et d'efforts, sans contrepartie financière, mais c'est pour elle une manière de payer sa dette à un milieu professionnel auquel elle doit tout. C'est aussi l'occasion de se tenir informée des dernières évolutions de la viticulture, particulièrement en matière de cultures bio. Les recherches de l'étudiante en question portent sur une méthode de culture biodynamique encore relativement expérimentale.

Quand elle aura parcouru les grandes lignes du mémoire, Nell passera aux annotations et suggestions et enverra un mail à l'étudiante, laquelle se trouve avoir cinquante-cinq ans et en être à sa troisième tentative pour intégrer l'institut. Celui-ci ne compte que deux cent cinquante membres dans le monde, dont seulement quarante femmes. Nell a été parmi les plus jeunes, hommes et femmes confondus, à obtenir le titre convoité de Master of Wine, et l'une des rares créatures à réussir du premier coup les deux parties – théorique et pratique – de l'examen.

La suite de la journée sera consacrée à deux articles destinés à des revues d'œnologie qu'elle peut se permettre d'écrire tranquillement. On lui a demandé, pour la énième fois, une mise au point sur les avantages et désavantages de la filtration. Et il y a ce papier à finir sur les maladies et troubles physiologiques de la vigne. Plus tard, si elle en a le temps et l'envie, elle réfléchira à un itinéraire incluant à la fois les dégustations de la saison prochaine et une série de conférences qui, la dernière fois qu'elle a regardé, semblait passer par quasiment tous les États membres de l'Union européenne. Tous, sauf l'Irlande.

Elle n'a pas remis les pieds dans son pays depuis plus de trente ans.

Elle devine avant de pousser la porte qu'Henri est dans l'appartement. Elle sent l'odeur du tabac grillé. Il est dans la cuisine, en train de servir du vin. Les manches de son pull noir sont retroussées, le bas de son jean délavé saupoudré de poussière. On dirait qu'il arrive droit du Domaine. Il a repoussé ses cheveux en arrière, mais une mèche grêle d'un noir poivré se balance sur son grand front. Une bonne coupe s'impose. Une cigarette sans filtre pend au coin de ses lèvres et un serpent ondulant de fumée bleue le force à plisser les paupières. Il sourit et salue Nell en clignant ses yeux sombres. Lulu lui flaire les chevilles et le gratifie du jappement de rigueur, aussitôt suivi d'un regard dédaigneux ; puis elle se blottit dans son panier pour faire un petit somme.

« Non, tu ne t'es pas trompée, dit Henri en voyant l'air déconcerté de Nell. J'ai bien un week-end d'avance. » Il s'immobilise, bouteille en l'air, pris de doute. « Ça pose un problème ?

— Bien sûr que non. »

Mais elle ne se dirige pas tout de suite vers lui pour l'embrasser.

Henri continue à verser. Ça intrigue toujours Nell, cette façon dont les Bourguignons éludent la décantation, maniant leurs vins de façon presque cavalière par rapport aux connaisseurs d'autres régions. À Bordeaux, le millésime le plus jeune a droit au traitement complet, et les viticulteurs de là-bas ne l'accueillent jamais qu'en costume-cravate. Peut-être un héritage de l'influence que le formalisme britannique a exercé sur la région pendant des siècles. Au lieu de quoi, la première fois qu'elle a visité le domaine d'Henri, il a accueilli la compagnie en jean crotté et dû s'essuyer les paumes sur ses poches arrière avant de serrer les mains.

Nell approche son nez de la bouteille pour inhaler les premiers effluves. Ils sont si capiteux qu'elle a presque un mouvement de recul. Henri note son air surpris lorsqu'elle regarde l'étiquette. Pas un très bon millésime, a priori, et, à dix ans, un peu vieux pour un bourgogne ordinaire. Elle remue le liquide rubis clair dans le ballon. Même la profondeur de sa couleur la surprend. Le bouquet est intense, à la fois suave et épicé, avec un substrat végétal humide presque jusqu'au pourrissement – des peaux de banane en décomposition. Elle hume à nouveau le vin, pensant s'être méprise sur sa complexité aromatique.

« Je sais, fait Henri, qui tente de dissimuler son enthousiasme pour ne pas l'influencer. Cinq ans au plus – c'est ce que tout le monde se disait. Il n'était même pas particulièrement robuste au bout de deux. Mais quelque chose, je ne sais plus trop quoi – tu me connais, hein –, me faisait penser : Donnons-lui sa chance. Je n'avais égrappé que partiellement cette année-là, les rendements étaient bas, la terre bonne, les barriques neuves – j'attendais *plus*. Et il y avait quelque chose… quelque chose au nez qui ne perçait pas vraiment en bouche. Donc j'ai mis une caisse de côté. À titre d'expérience, si tu veux, de test personnel. Vas-y. Dis-moi que j'avais raison. »

Il attend, tête penchée sur le côté. Nell goûte et avale aussitôt la première gorgée. Puis elle en prend une autre et fait circuler le liquide dans sa bouche pendant quelques secondes. Il y a des couches et des couches de fruits noirs et rouges. Une bonne acidité, pas trop de tanins, quelque chose de doux et de soyeux dans la texture. Ses yeux s'élargissent de plaisir. Henri sourit, tire une dernière fois sur sa clope, la jette dans l'évier et goûte à son tour. Il hoche la tête avec une tranquille modestie.

« Je suis vraiment étonnée, dit Nell. Exceptionnel. »

Elle aère une autre gorgée qui s'écoule entre ses dents. Le vin a une très belle longueur en bouche.

« Si bon que ça, hein ? »

Henri plisse le coin des lèvres, heureux du compliment. Elle aime la manière dont il hume le parfum du vin – avec rudesse. Il n'en fait pas tout un plat, ni gestes recherchés ni maniérismes du visage. Elle a vu un peu de tout, depuis les petits numéros de claquettes jusqu'aux raclements de gorge frénétiques. Chaque producteur déterminé à ce que *ce* vin, cette coupe de nectar qu'il lui tend, lui procure une expérience gustative si inoubliable qu'elle s'arrachera les cheveux et versera d'amères larmes de regret sous prétexte que les bonnes choses ont une fin. Elle n'a approché de cet état que deux fois – les deux grâce à un vin d'Henri.

Il a toujours été d'une exigence fanatique concernant son produit, parfois à son propre détriment : certaines années, il n'hésite pas à sacrifier une bonne partie de la récolte pour que ne soit vendu sous son nom que le vin de la plus haute qualité. En ces temps de surproduction massive, Nell estime que la personnalité, la concentration et le caractère de bien des bourgognes et des bordeaux sont en danger. Acidification abusive, collage et filtration excessifs ont compromis trop de vignobles. Quand elle goûte un vin aussi bon que celui-ci, elle retombe amoureuse d'Henri comme au premier jour.

« On a quelque chose à fêter ? demande-t-elle en faisant tanguer son verre et en observant les larmes qui adhèrent lourdement à la paroi.

— Le fait que je sois venu dès ce week-end. Mais c'est une erreur, je crois. »

Nell balaie la remarque d'un petit rire et ses lèvres effleurent celles d'Henri. Mais sa contrariété est visible à la façon dont elle évite de prolonger le contact. Elle doit encore se remettre de la légère déception qu'elle a éprouvée en comprenant qu'elle pouvait dire adieu à son après-midi soigneusement planifié. Ce à quoi elle aspirait – le silence tremblant d'un appartement vide et bien rangé – a fait place au bruit, à la fumée et à l'agitation.

« J'aurais dû appeler », dit Henri, dont les yeux couleur lignite trahissent la propre déception.

Et voilà qu'elle se sent désolée pour lui. Désolée d'être une créature si indépendante, si attachée à ses petites habitudes, qui n'admet d'intrusion que sur invitation. Désolée de n'être pas plus conforme à ce dont il a besoin et à ce qu'il mérite. Désolée, aussi, qu'il ait besoin de ce qu'il ne mérite pas. Non, pas le coup de foudre. Plutôt deux pathologies qui se rencontrent. Sa croix à lui, c'est de toujours courir après des femmes qui répugnent à partager leur intimité. Sa croix à elle, d'avoir besoin de la partager quand même. Elle l'embrasse de nouveau et, cette fois, laisse sa bouche s'attarder sur la sienne. Elle lèche une croûte de vin sur sa lèvre inférieure.

« Je préfère ça, dit Henri en se collant contre elle, déjà en érection.

— Tu auras un méchant mal de crâne demain.

— Ah bon ? » Il baisse les yeux vers sa braguette. « Oh, oui. Le Viagra, tu veux dire. Tu ne devrais pas te moquer d'un pauvre vieil homme, Nell. »

Mais il a parlé en riant. Ça le trouble parfois, cet aspect police d'assurance, dicté, il y a deux ans environ, par un problème de prostate.

« Et tu t'es baladé avec ça toute la matinée ? Depuis le Domaine ? J'espère que le train n'était pas plein.

— Tu sais bien que ça ne marche pas comme ça. Je t'ai vue et… » Il ouvre les mains au niveau de son aine.

« Je suis flattée.

— Tu devrais. »

Nell coupe du fromage pour le manger avec le vin. Elle a un goût de quetsche au fond de la bouche. Et une pointe d'eucalyptus.

« En fait, je suis monté pour voir Marie-Louise », dit Henri.

Marie-Louise est l'aînée de ses deux filles. Nell la voit comme une perpétuelle étudiante. Vingt-huit ans, étudiante à la Sorbonne. Actuellement en linguistique. Précédemment en philosophie. Enceinte de sept mois.

« Quel est le problème cette fois ?

— Elle s'est fait plaquer. Encore.

— Oh, je suis désolée.

— Hier soir, elle pleurait au téléphone. Sanglotait, plutôt. Je lui ai promis de venir aujourd'hui et de passer la soirée avec elle.

— Tu es un bon père.

— Alors sois gentille avec moi. Je ne peux pas rester longtemps et je vais devoir affronter une fille au cœur brisé. » Il sourit et attire Nell contre lui. « Tu veux faire l'amour ?

— Non, dit-elle en lui rendant son sourire. Mais j'accepte de coucher avec toi.

— Quelle générosité.

— Tant que tu ne réclames rien d'acrobatique.

— Non, non. Respire. »

Dans la chambre, ils se déshabillent sans hâte. Il n'y a ni trac ni panique de son côté à lui : il a pris son Viagra. C'est Nell qui éprouve un petit pincement d'appréhension. Par les temps qui courent, elle ne sait jamais si les parois de son vagin se lubrifieront suffisamment ou resteront aussi sèches que du papier de verre. Autre argument en faveur du THS.

Voilà quinze ans qu'ils se sont rencontrés dans la petite propriété d'Henri près de Beaune. Nell a su qu'ils auraient une liaison presque dès l'instant où il a essuyé ses mains sales à l'arrière de son jean et escorté son groupe vers la cave. Bien sûr, elle ne pouvait pas prédire que, quinze ans plus tard, ils dépenseraient encore de grandes quantités de sueur, de sperme et de temps libre en une tentative pour tomber amoureux. Non, le mot « tentative » est injuste. Ils sont amoureux. Pas toujours en même temps, cela dit.

« Je veux la quitter. Je veux être ici avec toi, dit Henri en ôtant négligemment une chaussette.

— Mais non. Ce n'est pas ma faute si tu as une femme horrible.

— Elle est horrible, concède-t-il avec une grimace.

— Je ne parlais pas sérieusement», fait Nell avec franchise.

Elle a rencontré la femme d'Henri à plusieurs reprises. Celle-ci est indiscutablement froide. Elle est parfaitement au courant de l'existence de Nell, et l'existence de Nell ne la dérange pas le moins du monde. Pour Lucienne, cette femme aux yeux éteints et à la bouche de chérubin, Nell représente une affaire réglée une fois pour toutes et qui ne lui coûte rien. Nell couche avec son mari, pas Lucienne. Lucienne a des droits sur le Domaine, pas Nell. C'est une liaison typiquement française.

«Tu ne pourrais pas vivre ici, en ville.

— Traduction : tu ne veux pas de moi.

— Ce n'est pas ça. Ne me dis pas que tu n'aurais pas la nostalgie du Domaine, de la grande maison, même de ton horrible femme. Il doit bien te rester des sentiments pour elle.

— En effet. Inavouables, pour la plupart. Mais tu me manques. C'est peut-être l'âge. Je n'ai pas envie de mourir seul.

— Ne dis pas de bêtises. Comment veux-tu que ça arrive ? Tu as deux filles qui t'adorent et une femme prête à tout endurer pour ne pas rester seule. Alors pourquoi compliquer les choses ?

— Compliquer ? »

Il a craché le mot.

«Ce n'est pas ce que je voulais dire, fait Nell au bout d'un moment, voyant que ses yeux brillants réclament toujours une réponse.

— Si», répond-il doucement, avec une note de défaite dans la voix.

Elle se tourne vers lui, frappée par ce ton vaincu. Henri fixe le sol. La chaussette noire qu'il a dans la main pendouille ridiculement, comme pour manifester son soudain abattement. Prise de remords, elle effleure doucement les muscles noueux de ses épaules. La peau, jaunâtre, semble tannée en permanence. Il a un beau visage buriné, avec de petites poches de peau fripée qui ressortent quand il sourit. Un profond sillon vertical barre son front. Ce n'était pas grand-chose, ce verbe «compliquer»; pourtant, il semble sincèrement perturbé.

Elle a un petit sursaut d'amour – un amour tendre et familier envers celui qui en est venu à personnifier le sens de ce mot, et qui pourtant, lorsqu'il n'est pas là, peut ne rien représenter du tout. Le néant absolu de l'amour quand la part de douleur et de regret est passée. Son aérienne légèreté quand il devient aussi indiscernable qu'un souffle l'est d'un autre. Nell regarde Henri et sait qu'elle l'aime. Nell regarde Henri et sait qu'elle est passée près de le détester. Restent la familiarité, les récriminations occasionnelles et le bien-être durable qui découle des attentions mutuelles.

« Arrête de bouder.

— Non. J'aime bien bouder.

— Eh bien, c'est soit ça, soit notre partie de jambes en l'air. Qu'est-ce que tu choisis ? »

Henri envoie valser la chaussette et allonge Nell en travers du lit. Elle inspire profondément, nez dans le creux de son cou. La texture est à la fois fumée, huileuse et amère au goût, comme la peau d'une noix. L'irritation causée par l'arrivée inopinée de son amant achève de se dissoudre et elle le serre fort contre elle, heureuse qu'on soit samedi après-midi et qu'il la tienne dans ses bras.

Henri prend son temps, parcourant son corps des mains, se collant contre elle pour prouver son désir. Une main s'agrippe à sa fesse tandis que l'autre va et vient sur ses seins, malaxant, pinçant les mamelons qui durcissent à contrecœur. Nell attend qu'une chaleur humide s'empare de son entrejambe, mais c'est le désert de Gobi là-dedans. Une partie d'elle-même voudrait s'écrier : « Vas-y, entre et qu'on en finisse. Ne t'en fais pas pour moi. »

Elle songe à aller chercher la vaseline dans la salle de bains quand Henri prend sa lèvre inférieure entre ses dents et la mord plus fort qu'il n'en avait l'intention. Elle pousse un cri. Aussitôt, il roule sur le côté.

« Désolé.

— Non, c'est moi qui suis désolée. »

Nell lisse les cheveux ébouriffés de son amant. C'est vrai qu'elle est désolée. Elle ne sait pas si elle doit rire ou pleurer de son air triste et rejeté – alors que l'hommage au Viagra se dresse toujours sur son bas-ventre, un peu moins fièrement il est vrai. Il touche sa lèvre enflée.

« La machine se déglingue », dit-elle en embrassant doucement le bout de ses doigts. Mais, même s'il ne le dit pas, il sait que le problème n'est pas seulement physique.

Il fut un temps où elle entendait les traditionnelles portes en fer forgé de l'ascenseur se fermer, entendait le pas familier d'Henri sur le palier – et où, à la simple idée de le voir, elle commençait à se sentir mouillée. Ils discutaient, buvaient du vin, se frôlaient délibérément tout en préparant un repas qu'ils n'étaient même pas sûrs de manger. De brûlants élans de désir la parcouraient tandis qu'ils échangeaient des sourires lourds d'impatience. Il y avait un plaisir à différer le plaisir. La soirée s'étendait devant eux, pleine de promesses.

Ce n'est plus arrivé depuis un petit bout de temps. Certains jours, quand Henri est là, elle parvient à faire abstraction de sa présence et se comporte comme si elle était seule. Il ne dit rien, mais son regard l'accuse en silence. Il sait. Il sait forcément. Et son consentement tacite l'incite à se montrer cruelle : elle reste encore plus longtemps dans son bain, derrière la porte fermée à clé, alors qu'elle la laissait toujours ouverte autrefois. Du lundi au jeudi, elle ressent son absence et pense à lui avec tendresse ; le vendredi, comme par un fait exprès, une irritation lasse étouffe toute impatience à la pensée que, bientôt, il arrivera pour le week-end, fera intrusion dans son appartement et dans sa vie, attendant d'elle quelque chose – même si elle se demande quoi. Ces derniers temps, elle lui a si peu donné.

Soudain, elle glisse au bas de son torse court et ferme et le prend dans sa bouche. Une perle de liquide séminal se dépose entre sa langue et son palais. Le goût ferrugineux du sang provenant de sa lèvre fendue se mêle à la goutte salée qui enfle sur sa langue. La saveur la ramène à la vie, et avec elle, enfin, vient la lubrification, comme un riche sirop suintant des rives d'un cours d'eau depuis longtemps asséché. Elle remonte le long de son torse pour qu'il puisse la sentir aussi, laissant une longue traînée rouge sur sa poitrine, son cou et jusqu'à sa bouche. Il hésite, craignant d'être repoussé, puis roule rapidement au-dessus d'elle. Il se raidit pour la pénétrer, mais, au lieu de la résistance qu'il attendait, il ne rencontre qu'une douce liquéfaction. Ses épaules se détendent.

Quand il s'est retiré et répandu sur son ventre, elle fait pénétrer le liquide visqueux jusqu'à ce que des particules d'exfoliation roulent sous ses doigts. Avec ses cycles capricieux, il est encore trop risqué de le laisser jouir en elle, mais, si elle ne peut accueillir le concentré de protéines à l'intérieur, elle peut au moins laisser sa peau assoiffée le boire.

Henri dépose un baiser sur son front, se lève et se pavane plutôt qu'il ne marche jusqu'à la salle de bains, suivant sa turgescence provocante comme un chien tout content d'aller se promener. Il note le coup d'œil attentif de Nell et émet un grognement de satisfaction. Elle a remarqué. Tout va bien. Il n'est pas encore mort.

Nell lisse les draps, ouvre les deux fenêtres et se rallonge sur le lit, savourant une légère brise intermittente qui filtre à travers la mousseline blanche. La chambre donne sur une petite cour avec, en son centre, une fontaine à chérubin. Quelques arbres fruitiers rabougris entourés d'une grille en fer. Un tricycle abandonné dans un coin envahi par l'herbe. Dans les appartements d'en face, elle distingue des silhouettes qui commencent à préparer le dîner. Un chien aboie plusieurs fois et quelqu'un lui crie de se taire. Des cloches d'église sonnent à proximité. Des ombres commencent à se mouvoir sur le mur du fond.

Il y a ça, se dit Nell. Une fin d'après-midi somnolente et rassasiée en perspective. Un souffle de vent à travers la mousseline. Un air de septembre corsé de promesses. Un bon pressentiment enfantin, une sensation d'inexplicable excitation et de joyeuse anxiété. Le parfum d'un homme sur ses draps – un homme qu'elle a momentanément rendu heureux. Le souvenir des étreintes moites de deux amants d'âge mûr dans les plis de son ventre. À vingt-huit ans, ce n'aurait peut-être pas été suffisant ; à quarante-huit, c'est une félicité quasi insoutenable.

Elle forme le vœu que sa fille et sa petite-fille connaissent un jour la même chose. Henri revient et lui demande pourquoi elle sourit.

« À cause de toi. »

Il approche un doigt de sa lèvre blessée. « Ça fait mal ?

— Oh, atrocement. »

Mais il y a quelque chose qui cloche. Une discordance qu'elle n'arrive pas tout de suite à saisir.

« Henri ?

— J'étais sérieux tout à l'heure. En parlant de quitter Lucienne.

— Mais elle...

— Non. Elle n'a pas du tout eu l'air surprise. »

Nell s'assied, bras autour des genoux.

« Tu lui as *parlé* ? Quand ?

— Hier soir. Après le coup de fil de Marie-Louise. Ça faisait longtemps que ça me travaillait. Trop longtemps. Et le plus étrange, c'est qu'elle me regardait avec un petit sourire en coin, comme si elle attendait ce moment ; elle avait presque l'air soulagée. Je ne serais pas du tout étonné d'apprendre qu'elle a quelqu'un de son côté. Bien sûr, elle va d'abord vouloir régler l'aspect financier. Elle est comme ça. » Il hausse les épaules de façon exagérée. « Donc tout compte fait, je crois que ça peut se passer de façon plutôt responsable et amicale.

— Mais le Domaine ?

— On a même parlé de ça. Il restera propriété commune. Elle garde la maison, bien sûr, mais c'est moi qui continuerai à diriger. C'est mon nom sur les bouteilles, après tout. Elle ne peut pas me prendre ça, mais c'est vrai que les choses auraient pu se corser si elle avait décidé de se montrer vindicative. Je peux louer de quoi me loger dans un domaine voisin – acheter un peu plus tard, quand j'aurai eu le temps de chercher – ou bien partager mon temps entre ici et là-bas. » Il regarde Nell et ajoute : « Ça vaut d'ailleurs pour toi aussi. »

Pendant quelques instants, Nell ne trouve rien à dire. Elle déglutit avec effort.

« Mais...

— C'est la troisième phrase que tu commences par "mais".

— Pourquoi tu ne m'en as pas parlé tout de suite ?

— À cause de la tête que tu as faite quand tu m'as trouvé ici en rentrant. Ta mâchoire. » Il tire une mine d'enterrement. « Parce que je voulais attendre qu'on ait fait l'amour. Pour qu'on se sente plus proches ou quelque chose comme ça. Oh, je ne sais pas. Ces temps-ci, Nell, c'est dur de savoir, avec toi. »

Sa réponse l'attriste, mais ne la surprend pas. Lui aussi doit se colleter avec des sentiments contradictoires. Il n'y a que les nouveau-nés, songe-t-elle, qui n'aient pas à se colleter avec des contradictions. Que les nouveau-nés qui puissent être impitoyables à ce point.

« Pas d'explosion de joie, donc ? demande-t-il avec un triste sourire d'autodérision.

— Ça fait beaucoup d'un coup.

— Pas tant que ça, dit-il en se levant. Je vais chercher le vin. »

Sa déception est palpable dans l'atmosphère de la pièce. Il passe un peignoir que Nell garde pour lui sur une chaise près du lit.

Tandis qu'il s'occupe du vin, elle se rallonge et contemple le plafond. Chose absurde, le seul sentiment sincère qu'elle parvienne à éprouver est de la colère. Et une panique croissante. Les murs sont vastes, l'air frais pénètre par les fenêtres ouvertes et circule dans la chambre, il y a de l'espace autour d'elle et pourtant, elle a la gorge sèche et nouée. Elle inspire profondément, deux fois, trois fois, jusqu'au moment où l'emballement de son cœur et une myriade de points lumineux dansant devant ses yeux l'avertissent que l'hyperventilation n'est pas loin.

Un feu brûle dans l'énorme foyer lorsqu'elle entre sans bruit dans le salon. Henri tient la bouteille par le goulot. Il n'a pas conscience qu'elle est là à regarder son dos voûté, son bras libre appuyé devant lui sur le manteau de la cheminée. Ses doigts se crispent sur le marbre froid, leurs articulations blanchissent, puis sa main se détend et le sang afflue de nouveau. Un instant, Nell croit le voir frémir mais, quand il se retourne, ses yeux brillent et il affiche un sourire forcé. L'un de ses doigts tapote l'espace vide qui a remplacé sa photo parmi les cadres posés sur la cheminée.

Après la révélation qu'il vient de lui faire, elle n'a pas le cœur de lui avouer que la photo est tombée deux soirs plus tôt et que le verre s'est brisé en mille morceaux. Sur le moment, elle a songé à la remplacer par un portrait de lui plus récent, mais elle n'a pas encore pris le temps de s'en occuper.

« Le cadre s'est cassé et j'ai ôté la photo. Je la garde dans un tiroir près de mon lit. »

Elle l'a jetée.

Henri hoche la tête, une ombre d'amertume au coin des lèvres. Il soulève la photo d'Ali, qui sourit d'un air gêné à l'objectif avec la petite Grace tout aussi mal à l'aise dans les bras. Comme si elles savaient toutes les deux que c'est à cela que doivent ressembler les portraits d'une mère et de sa fille, mais, pour une raison ou pour une autre, n'y arrivaient pas tout à fait.

« Ali ne m'a pas appelée le week-end dernier non plus, dit Nell en lui prenant le cadre des mains. Je n'arrête pas d'essayer, mais ils n'ont toujours pas réparé ce foutu téléphone. J'ai laissé des dizaines de messages sur son portable.

— Tu crois qu'elle a recommencé à prendre quelque chose ? »

Il fait toujours ça, songe Nell avec une pointe d'irritation. Épingler ses pires craintes au mur sans préambule et les laisser se tortiller là, nues et à vif, avant qu'elle ait eu le temps de sortir la ouate.

« Elle ne touche plus à ça depuis des années. Je n'ai aucune raison d'imaginer le pire.

— Sauf que tu l'imagines. Parce que tu n'arrives pas à la joindre.

— Ce n'est sans doute rien, dit Nell, sur la défensive.

— Tu pourrais appeler ce voisin. Lui demander de faire passer un message.

— C'est un vieux monsieur. Je n'aime pas le déranger.

— Mais il va boire au pub quoi qu'il arrive, d'après ce que tu m'as dit. Pourquoi ça le dérangerait ? Appelle-le, dis-lui que tu es juste un peu inquiète – avec raison, après tout : la ligne téléphonique d'un pub devrait fonctionner. Demande-lui de parler à Ali pour toi.

— Je l'ai déjà fait une fois. Elle l'a ressenti comme une intrusion. Ali a des périodes de silence, Henri. Elle est comme ça. Je ne veux pas qu'elle soit désagréable avec ce pauvre vieux, d'autant que je n'ai pas d'autre recours en cas d'urgence.

— Peut-être que tu devrais…

— Peut-être que tu devrais me dire pourquoi maintenant, Henri », le coupe-t-elle brutalement, n'adoucissant le ton qu'in extremis.

Il remplit leurs verres et lui tend le sien. Elle n'a jamais fait de forcing, ne lui a jamais demandé de quitter sa femme. Et ça fonctionnait parfaitement, non ? Pourquoi ce coup d'éclat maintenant ? Elle a conscience que ses yeux expriment tout cela en silence et s'en veut mortellement. Ils savent l'un comme l'autre depuis des années que ce n'est pas Henri qui se cache derrière l'existence de sa femme, mais Nell. Il avale une longue gorgée en gardant les yeux baissés sur son verre pour masquer le léger dégoût que lui inspire sa duplicité.

« La semaine dernière, dit-il en lui tournant le dos, je suis allé faire des courses avec Marie-Louise. Elle voulait s'équiper pour faire de l'appartement un vrai foyer, un vrai petit nid pour le bébé. On a passé une journée formidable, comme au bon vieux temps – avant qu'elle se mette en ménage avec ce crétin qui n'arrête pas de lui briser le cœur. Et je crois que, pour la première fois, j'ai pris conscience que j'allais être grand-père très bientôt. J'ai essayé d'imaginer comment ce serait. Ce tout petit être venant me rendre visite et moi toujours coincé dans la même vie, dans le même mensonge. Des grands-parents gagas qui supportent à peine d'être dans la même pièce. J'ai pensé : Non, je ne peux pas faire ça. Et j'ai dû dire quelque chose tout haut parce que Marie-Louise s'est mise à secouer la tête en riant, à dire que je devenais sénile. On est allés aux Galeries Lafayette acheter un grille-pain, des couverts, ce genre de choses, et là, j'ai remarqué que tout était garanti à vie. Ne me demande pas pourquoi, mais ça m'a rendu triste. J'avais cette pauvre cuiller dans la main et je voyais mon visage gris dans la partie creuse, tordu et déformé comme dans un miroir de fête foraine – on aurait dit qu'elle se moquait de moi, cette cuiller. Garantie à vie pour qui ? Quelle vie ? J'ai cinquante-trois ans. On appelle ça un âge moyen, mais qui vit jusqu'à cent six ans ? Alors j'ai pensé : Qui est ce vieux type qui tient une cuiller ? Elle est où, sa garantie ? Et ça m'a poursuivi pendant le restant de la journée. Et puis, hier soir, j'ai entendu Marie-Louise, cette même Marie-Louise qui me prenait le bras en riant quelques jours plus tôt, pleurer toutes les larmes de son corps parce que le crétin l'avait encore quittée. Ça sert à quoi dans ces cas-là, les couverts garantis à vie ? »

Henri marque une pause et allume une cigarette en protégeant la flamme avec sa main ; le geste est si familier que Nell sent son cœur se serrer. Il souffle la fumée, crache un brin de tabac qui est resté collé au bout de sa langue.

« Après avoir raccroché, je suis allé trouver Lucienne dans le jardin. Elle a dû deviner à mon visage ce que j'allais dire. La façon dont elle s'est assise aussitôt, mains sagement posées sur les genoux, l'une par-dessus l'autre, comme elle fait souvent, et ce sourire mesuré sur ses lèvres – juste ça, mais pas plus. Je lui ai dit : "Je te quitte." C'est tout. Au bout d'un moment, elle a hoché la tête et tapoté le banc pour que je m'asseye à côté d'elle. On est restés assis sans rien dire pendant... une heure, peut-être plus longtemps, les étoiles apparaissaient dans le ciel. Et puis on s'est mis à parler de la meilleure façon de procéder. Comment faire le partage, quand le dire aux filles. Comme si on discutait de l'organisation d'un enterrement. Une de ces discussions qu'il faut avoir, même si personne n'a envie de parler. Ensuite, je l'ai embrassée sur la joue et j'ai été me coucher. »

Il remplit leurs verres à moitié vides en prenant soin de ne pas verser le dépôt en suspension au fond de la bouteille.

« Donc de mon côté, c'est réglé, ajoute-t-il avec une petite grimace. Le reste dépend de toi.

— Emménage la semaine prochaine si tu veux. »

Nell a conscience que son sourire est figé, trop éclatant, comme de la lumière réfléchie par de l'eau stagnante. Mais elle n'a pas eu le temps de se préparer. *Seulement quinze ans.*

« Non.

— Non ?

— Écoute, Nell, je n'ai pas fait ça pour te forcer la main ni rien. Pour forcer les choses entre nous. S'il y a eu un déclencheur, c'est cette fichue cuiller. » Il glousse et lève la main avant qu'elle ait pu répondre. « N'en parlons plus pour le moment. Regarde, j'ai aussi trouvé quelque chose pour toi, en faisant les courses avec Marie-Louise. »

Nell suit le regard d'Henri jusqu'à une petite boîte carrée posée sur une étagère près de la cheminée.

« Non, ce n'est pas une bague, fait-il doucement en voyant son air interloqué. S'il te plaît. Je ne suis pas complètement idiot. »

Elle ouvre le paquet avec précaution, dénouant la ficelle et dépliant l'épais papier de façon qu'il conserve sa forme. Une manière de différer, mais aussi celle dont elle déballerait n'importe quoi – en étant attentive à la structure du réceptacle. La symbiose arbitraire du contenant et du contenu. Le papier qui retient l'empreinte d'un objet depuis longtemps disparu. Un crâne vidé de ses pensées. Une peau renfermant un cœur réduit au silence.

« Attention, c'est fragile », lance Henri tandis qu'elle extrait un petit cube blanc du paquet.

Sous plusieurs couches de papier de soie froissé, elle découvre un bouchon à vin en argent surmonté de cristal étincelant. Elle le pose dans le creux de sa main.

« Il est magnifique.

— J'ai pensé qu'il te plairait, fait Henri en souriant. Je l'ai aperçu chez un antiquaire et ça m'a paru le parfait antidote aux garanties à vie. »

Il n'a pas besoin de le dire : si elle le souhaite, ce sera son cadeau d'adieu. Nell caresse le délicat filigrane qui s'enroule autour du cristal.

Elle se dirige vers la fenêtre et tient le bouchon dans la lumière déclinante. Il s'enflamme, dardant des rayons fracturés qui semblent traverser ses doigts. On devine un début de crépuscule derrière le rose pétale du ciel. Un mince croissant de lune scintille sur la ville, timide et tremblant, comme s'il était entré en scène trop tôt. Quelques tardifs reflets de soleil arpentent les étages supérieurs des immeubles d'en face, illuminant la pierre beige clair. Le grès blanchi de Paris, çà et là barbouillé de noir par la circulation. De hautes croisées rapprochées, six carreaux chacune, agrémentées de grilles noires ouvragées. Des toits hérissés de fenêtres mansardées qui surgissent au hasard, comme entassées l'une sur l'autre. Une sensation de vibration, de flux et de reflux entre les toits. Les passants qui circulent sur le boulevard Raspail, les voitures qui glissent sur la chaussée : visibles ou non, tous se mêlent en une impression de mouvement continu. Pourrait-elle vraiment contempler tout cela sans inclure Henri dans le tableau ?

Derrière elle, il parle doucement à sa fille sur son portable.

« Il faut que j'y aille », dit-il quand Nell se retourne. Il est pâle. « Elle pense que c'est peut-être les douleurs qui commencent.

— Pour le bébé, tu veux dire ?

— Oui. En même temps, elle dit qu'avoir tant pleuré lui a peut-être donné de fausses contractions. Je ferais mieux d'aller vérifier, en tout cas. Je crois que je ne l'ai jamais entendue dans un tel état. Je le tuerais, ce salaud. »

Nell comprend qu'il est soulagé de cette diversion. À présent, il va pouvoir se doucher et s'habiller en vitesse. Avec détermination. Comme s'il était un père préoccupé parmi d'autres, un samedi parmi d'autres, volant au secours d'une fille éplorée parmi d'autres. Et non un homme qui vient de dire à sa maîtresse qu'elle était libre de le quitter.

Ils terminent le vin avant son départ. Son visage est crispé et tiré. Nell ouvre la bouche pour dire quelque chose, n'importe quoi, mais la referme bien vite en voyant son regard d'avertissement. Qu'elle lui parle quand elle aura eu le temps de réfléchir ; pour l'instant, il est suffisamment accablé par sa réaction, ou sa non-réaction. Qu'elle lui parle quand elle saura ce qu'elle veut.

« Tu passeras demain avant de repartir ? demande-t-elle finalement d'un ton neutre et léger, acceptant de jouer le jeu de l'ellipse.

— Bien sûr. »

Mais elle n'y arrive pas.

« Henri…

— Non, fait-il sèchement. Non, Nell.

— Je suis désolée, dit-elle, insistant.

— Pour quoi, au juste. »

Mais ce n'est pas une question. Parce que Henri est un homme doux et accommodant, peu rancunier de nature, il ne dresse pas la liste de ses froideurs envers lui ces deux dernières années. Les longs bains entamant le temps précieux qu'ils avaient ensemble, les journaux lus en silence de la première à la dernière page, puis relus, de façon tout aussi exhaustive, le dimanche matin ; sa façon de fredonner en se détournant de lui, comme s'il n'était pas debout à l'attendre. Comment trouverait-elle les mots pour lui expliquer ce qu'elle-même ne comprend pas tout à fait ? Qu'il attend quelque chose qui n'existe pas. *Il n'y a rien de plus. Tu as déjà eu tout ce qu'il y a.*

La voix d'Henri fend le silence.

« Qu'est-ce qui pourrait arriver de pire, hein ? demande-t-il d'un air un peu triste. Tu me quittes. Je te quitte. Ça ne marche pas. Quoi ?

— Ça. Tout ça. Peut-être. Je ne sais pas. Je ne sais pas, Henri. »

Elle l'appelle alors qu'il se dirige vers la porte. Il s'immobilise. À la façon dont ses épaules se contractent, elle comprend qu'elle a tout gâché.

« Je t'aime vraiment », dit-elle, se détestant.

Henri se retourne lentement. La lueur qui brille dans ses yeux semble à des années-lumière de distance.

« Le pire, dit-il, c'est que je le sais. Au revoir, Nell. »

Sixième sonnerie. La main de Nell entoure le combiné. Le soulève. « Allô ? » Instinctivement, elle répond en anglais. Parce qu'elle sait que c'est le voisin de sa fille qui appelle d'Irlande. Parce qu'elle sait que la circonférence du temps s'est refermée sur elle et que la bulle mousseuse de sa journée encapsulée a éclaté sur sa langue. Elle est certaine qu'on peut arrêter le temps, mais pas pour longtemps.

Et elle est certaine que sa fille est morte.

2

« Tout va bien, madame ? »

L'imposante hôtesse d'Aer Lingus scrute Nell d'un œil soucieux. Celle-ci n'a pas desserré les mains de ses accoudoirs depuis Heathrow, où elle a pris ce vol de correspondance pour Cork. L'hôtesse s'imagine que c'est la peur de voler ; Nell se demande s'il existe quelque chose comme la peur d'atterrir, et si cette paralysie en est la manifestation. Elle tente de sourire d'un air rassurant, mais son visage est aussi pétrifié que ses mains.

« Très bien », parvient-elle à articuler.

L'hôtesse observe son visage figé, son tailleur noir impeccable, et fait une autre supposition.

« Je suis désolée. C'est pour… (légère inclinaison de la tête)… un enterrement ?

— Non. Ma fille est vivante. Elle est vivante », répond Nell à toute allure.

L'hôtesse paraît perplexe. Elle serre l'épaule de Nell dans sa main, puis passe son chemin.

Son voisin de première classe jette à Nell un coup d'œil furtif, puis replonge la tête dans son journal. Elle a conscience que son comportement doit paraître étrange, à tout le moins, mais elle ne le maîtrise pas pour l'instant – pas plus que tant d'autres choses.

« Allô ? a-t-elle dit.

— C'est toi, Nell Hennessy ?

— Oui, Paudie. Je savais que ce serait toi. Dis-moi tout. Sans ménagement.

— Ça m'ennuie d'appeler à cette heure impossible…

— C'est Ali. Dis-moi tout, Paudie. S'il te plaît.

— … mais tu m'as dit d'appeler à n'importe quelle heure du jour ou de la nuit si y avait…

— Est-ce qu'elle est morte, Paudie ? S'il te plaît.

— Morte ? Mon Dieu non. Oh, je suis désolé. Je lui avais bien dit, à Julia, qu'on ferait mieux d'attendre le matin. Ça va lui glacer le sang, que j'ai dit. »

Nell n'a presque rien entendu après le « non » ; elle tenait l'écouteur sur sa joue pour apaiser la bouffée de chaleur.

« Nell, tu es là ?

— Oui, Paudie, je suis là. Oui, j'ai imaginé le pire, mais tout va bien maintenant. Je sais que tu n'appellerais pas à cette heure si tu n'étais pas vraiment inquiet.

— Bon, eh ben voilà. Julia et moi, on a gardé un œil sur ce qui se passait là-haut, comme on t'avait promis, et… T'as entendu parler du gars qui habite la caravane ?

— Quel gars ? Sur le terrain d'Ali ?

— Donc t'en as pas entendu parler. C'est bien ce que je pensais. Ce gars-là, c'est comme qui dirait un genre de hippy. Ou *new age*, qu'on dit maintenant. Ce genre. Ali lui a donné un bout de champ pour sa caravane, et il a un poney. Il est censé louer, mais je crois pas qu'il lui donne de l'argent. Bref, on a commencé à se faire un peu de bile sur lui, sans plus, tu sais. Y a quelque chose de louche chez ce gars-là. Enfin, c'est ce que je trouve. Au départ, il venait boire quelques bières au pub tous les soirs, mais il restait dans son coin, même s'il était normalement poli quand on lui parlait. Et puis, c'est comme s'il leur avait mis le grappin dessus, à Ali et Nick et la petite. Je saurais pas comment t'expliquer ça au juste. C'est des petites choses. Un soir, il était derrière le bar à servir ; le soir d'après, il payait plus ses bières, et le jour d'après, on le voyait faire les commissions pour eux au magasin. Nick était pas très vaillant ces derniers temps, et je crois qu'Ali s'est un peu mise à compter sur ce gars – Adam, qu'il s'appelle. Simplement, j'ai l'impression que ça a tourné au vinaigre.

— Au vinaigre ? »

Silence. Nell croyait voir Julia gesticulant furieusement derrière son mari, brûlant de prendre l'appareil. Maintenant qu'il s'était résolu à appeler en pleine nuit, il devait tenir à faire le compte rendu le plus modéré possible, de peur de passer pour quelqu'un qui exagère ou parle sans réfléchir. Il devait minimiser sa propre anxiété de façon à laisser Nell juger par elle-même.

« Julia dit que je devrais tout te raconter, a-t-il repris, confirmant les soupçons de Nell. Y a quelques jours, elle était là-bas dans la cuisine et Ali lui a dit qu'elle songeait à donner un peu de terre à ce gars, Adam, pour qu'il puisse construire. Donner ? a dit Julia. Tu peux pas faire ça, elle a dit, et alors Ali s'est mise à pleurer comme une Madeleine, là, d'un coup, dans la cuisine. Julia s'est dit qu'y avait anguille sous roche. Il te menace ? elle a dit. Parce que si c'est le cas, t'as le droit de lui envoyer les Gardaí[1] direct. Juste à ce moment-là, il est entré dans la cuisine et Julia dit qu'un air de terreur – y a pas d'autre mot, qu'elle dit – est passé dans les yeux d'Ali. Qu'elle tremblait de la tête aux pieds à l'idée qu'il les avait peut-être entendues. Quand Julia est rentrée et qu'elle m'a raconté ça, j'ai dit : On va laisser passer quelques jours et voir comment les choses évoluent, et si on aime pas ce qu'on voit, eh ben, on appellera Nell ou les Gardaí ou qui tu voudras. Donc j'ai continué à aller boire mes deux-trois bières là-haut tous les soirs et cet Adam servait au bar, parfaitement aimable et tout. Alors j'ai pensé que peut-être, avec Nick mal en point, peut-être qu'Ali… Eh ben, c'est une fille émotive parfois, hein ? Avec toute l'affection que j'ai pour elle, tu comprends. »

Il s'est interrompu une nouvelle fois, craignant d'avoir offensé Nell.

« Je comprends. Continue, Paudie.

— Et alors, ce soir ou plutôt ce matin, y a une heure à peu près, Julia était ici, dans la cuisine, en train de se faire une camomille parce qu'elle arrivait pas à dormir, et en ouvrant la porte de derrière pour faire sortir le chat, elle a entendu un grand raffut là-haut, dans la maison. Assez fort pour arriver jusqu'à nous. Elle est venue me chercher aussi vite qu'elle a pu et on est sortis tous les deux. Au départ,

1. Agents de la police irlandaise. *(Toutes les notes sont de la traductrice.)*

j'entendais rien du tout, donc on allait rentrer quand j'ai entendu Ali crier. Une fois. Et puis une autre. Ça faisait froid dans le dos, Nell, y avait vraiment de la peur dans ces cris-là. Monte voir ce qui se passe, m'a dit Julia, donc j'ai mis mon manteau et on était dehors en bas du chemin, moi prêt à y aller, quand Ali elle-même est descendue en courant. Elle était en chemise de nuit, sans chaussures, et elle gueulait tout ce qu'elle pouvait. On y comprenait rien, mais je suis sûr d'avoir entendu le mot "fusil" au milieu. Julia me dit de te dire que de son côté, elle jurerait pas avoir entendu ce mot-là.

— Je ne doute pas que tu aies bien entendu, Paudie. Qu'est-ce qui s'est passé ?

— On a réussi à la calmer un peu et elle a accepté d'entrer pour boire une tasse de thé, au moins. On l'a laissée tranquille jusqu'à ce qu'elle soit prête, et puis on a commencé à lui poser des questions. J'ai demandé : Qu'est-ce qui se passe là-haut ? C'est ce gars qui te menace ? C'est quoi, cette histoire de fusil ?

— Continue.

— Eh ben, elle pleurait toujours mais plus doucement, plus calmement. Et puis elle a voulu tout faire passer pour une blague, elle s'est mise à rigoler, à essayer de nous empêcher de poser d'autres questions. Mais Julia s'est pas laissé faire et elle l'a prise par les épaules et l'a secouée comme un prunier. Arrête ça, qu'elle a dit, t'es pas dans ton état normal. Si, répond Ali, tout va bien maintenant. Mais je dois te dire, Nell, qu'à ce moment-là elle m'avait l'air tout sauf bien. Ses yeux étaient bizarres.

— Bizarres ? Vitreux, tu veux dire ? Avec les pupilles dilatées ?

— Attends une seconde. »

Paudie a fait une courte pause pour consulter Julia, puis est revenu en ligne avec un grognement de confirmation.

« Oui, c'est ça. C'est bien comme ça qu'on décrirait ses yeux.

— Et tu l'as raccompagnée là-haut, Paudie ? Attends, laisse-moi te rappeler. Je ne devrais pas te faire utiliser ton téléphone pour ça.

— Tu veux bien te taire ! À quoi ça sert, un téléphone ? Bon, donc j'en étais où ? Ah oui. Oui, j'ai commencé à la raccompagner vers la maison. Julia est restée en bas du chemin pour le cas où je l'appellerais à l'aide ou quoi – c'est ce qu'on avait convenu dans le feu de l'action. Ali était beaucoup plus calme pendant le trajet, et très gênée. Je vais appeler les Gardaí, que j'ai dit. Là, elle s'est arrêtée net et elle m'a pris les deux mains. Tu peux pas faire ça, Paudie, elle a dit. Et on a commencé à se chamailler là-dessus jusqu'au moment où elle m'a dit qu'y avait ce truc partout dans la maison – elle se souvenait même pas exactement où – et qu'elle pouvait pas se permettre de laisser entrer les Gardaí. Faut que je te dise, Nell, que j'ai pas tout de suite saisi de quoi elle parlait, et puis j'ai fini par comprendre quand elle a dit "marijuana". C'est illégal ici, tu sais.

— Oui, je sais. Ici aussi.

— En tout cas je me suis dit qu'elle avait peut-être raison. Je voulais pas que Nick et elle se retrouvent au tribunal à cause de moi. Alors j'ai pensé : Je vais aller évaluer la situation et voir ce que Nick a à dire. Comme tu sais, c'est plutôt un gars posé, pas le genre à perdre ses nerfs ou quoi. »

Pas le genre à grand-chose, a songé Nell – mais elle a tenu sa langue.

« Mais il était pas bien ces derniers temps, comme je te disais. Bref, donc on passe par l'arrière et on entre dans la cuisine. Y a une drôle d'odeur partout et ce qu'on peut appeler une preuve, j'imagine, dans un cendrier sur la table. Ali est complètement calme maintenant et je me dis : Elle était sous l'effet de la drogue, pas la peine d'aller chercher plus loin. Rien à voir avec cet Adam. Nick est descendu – maigre comme un écouvillon de carabine, Nell, je te jure. Et son visage, la couleur de la cendre. Je lui ai expliqué pourquoi j'étais là et il m'a remercié de m'être occupé d'Ali et de pas avoir appelé les Gardaí. Il lui a préparé une tasse de thé et il l'a fait asseoir. C'était juste un mauvais trip, il a dit. Comment ça ? j'ai demandé. Ce qu'elle a fumé, il a dit. Moi, pour tout t'avouer, j'ai été drôlement soulagé d'entendre ça. Les cris, les histoires de fusil et tout ça, ça m'avait flanqué une sacrée frousse. Bon, alors je vais rentrer, que j'ai dit. Ils m'ont remercié encore une fois tous les deux, et les choses auraient pu en rester là. Mais en sortant je l'ai vu, appuyé contre la véranda.

— Vu quoi ?

— Un fusil de chasse. De mes yeux vu. Et je m'y connais assez pour savoir qu'il était armé et prêt à tirer. Je me suis retourné pour regarder les deux et ils étaient dans les bras l'un de l'autre, donc j'ai décidé de garder mes réflexions pour moi jusqu'à ce que je t'aie parlé. Attends pas le matin, m'a dit Julia, parce qu'elle me connaît et qu'elle sait que j'aurais tendance à ruminer ça tout seul plus longtemps qu'il faudrait. Donc me voilà qui t'appelle avant que la lumière du jour me fasse voir les choses différemment. Même si ça vaudrait peut-être pas plus mal. J'espère que t'es pas fâchée.

— Absolument pas, Paudie. Je te remercie du fond du cœur. Je ne sais pas ce qui se passe au juste, mais ça ne sent vraiment pas bon. »

Nouvelle pause.

« Je viens de répéter ce que t'as dit à Julia et on est bien soulagés que tu nous prennes pas pour deux vieux imbéciles qui cherchent juste à passer le temps avant de casser leur pipe.

— Vous seriez même un peu plus inquiets que vous ne voulez bien l'avouer, pas vrai ?

— T'as pas complètement tort.

— Et je suis désolée, vraiment désolée, que vous soyez toujours obligés d'appeler pour les mauvaises nouvelles.

— Tu veux parler de ta mère ? Ça fait déjà un moment. Nell, pourquoi t'as pas pu venir à l'enterrement, ça regarde que toi. On t'a jamais jugée et on veut que tu le saches. On a que des bons souvenirs de la jeune fille que t'étais.

— J'ai beaucoup changé depuis. » Petit rire métallique.

« Ah ça, comme nous tous.

— Ce que tu es en train de dire, si je te comprends bien, c'est que le moment est venu de rentrer ?

— Un peu.

— Je réserverai un vol ce matin. Il est possible que je n'arrive pas avant demain.

— On peut venir te chercher si tu veux. T'arriveras par où ?

— Cork, sans doute. Mais inutile de venir, merci. Je louerai une voiture.

— Bon. Alors on se réjouit de te voir ici tantôt. Encore désolé pour l'heure. Et une bonne nuit à toi.

— Bonne nuit, Paudie. Et merci mille fois. »

Le pilote les informe qu'ils volent à trente mille pieds et entameront bientôt leur descente sur Cork. La température, très douce, y est de dix-sept degrés ; l'ouest de l'Irlande bénéficie encore de conditions estivales, contrairement au reste de l'Europe, qui connaît dans l'ensemble un froid précoce. Le reste de l'Europe. Ces mots, prononcés sur le ton de l'évidence, résonnent longuement dans l'esprit de Nell. Elle a quitté l'Irlande en 1970, à une époque où celle-ci faisait géographiquement partie de l'Europe, mais n'était en fait qu'un petit chiffre trois projeté dans l'océan Atlantique – prochain arrêt : l'Amérique.

Elle sait que les choses seront différentes. Ce qu'elle se demande, c'est ce qui sera pareil. Le Tigre celtique, le Riverdance, le Bailey's, la Guinness starisée, les pubs dans la presse française pressant les diplômés de rentrer travailler *au pays* : rien de tout cela ne lui a échappé. En feuilletant *Cara,* le magazine de bord, elle voit se dessiner l'image qu'Ali a tenté de lui décrire. L'image de cette nouvelle Irlande. Des clichés sur papier glacé montrant des jeunes gens à l'air huppé et décontracté. Des sociétés d'informatique en quête d'assistants techniques, de grands chantiers immobiliers dans les villes satellites de Dublin – et celles-ci vont jusqu'au Leitrim maintenant, observe Nell avec étonnement. Des vêtements celtiques, des bijoux celtiques, du verre celtique, des bars celtiques. Un article sur la gestion du stress. De magnifiques photos teintées d'îles bordant la côte ouest. Des résidences secondaires au Portugal. Des sociétés d'investissement offshore. Un pays qui se vend fièrement. Un pays en vente.

Tout autour d'elle en première classe, des cadres d'entreprise aux visages étonnamment jeunes et résolus. Des écrans slalomant à toute allure entre les feuilles de calcul. Pas d'excitation particulière à l'idée de se retrouver en terre irlandaise. Juste un voyage d'affaires parmi d'autres, peut-être un saut chez eux si l'agenda le permet. Nell a l'étrange impression d'être une réfugiée.

Après le coup de fil de Paudie, elle a arpenté sa chambre pendant plusieurs minutes, tentant d'extrapoler pour deviner ce qui se passait réellement chez sa fille. Elle n'avait pas exprimé sa pire crainte – qu'Ali soit retombée dans l'héroïne. Mais quid de ce fusil ? Peut-être qu'Ali et Nick faisaient les imbéciles et que, sous l'effet de la drogue, ça avait mal tourné ; peut-être qu'Ali avait menacé Nick, ou l'inverse. Et quid de cet inconnu, Adam ? Que penser de son intrusion dans leur vie ? À l'évidence, Paudie et Julia se méfiaient infiniment plus de lui qu'ils n'avaient voulu le laisser paraître.

Comme se rendormir semblait inenvisageable, elle s'est assise dans la cuisine avec une cafetière pleine en attendant une heure décente pour appeler Henri. Lorsqu'un rai de lumière matinale a traversé les volets du salon, elle a composé son numéro de portable. À la quatrième sonnerie, il a répondu d'une voix ensommeillée. Il l'a écoutée rapporter ce qu'avait dit Paudie en acquiesçant gravement. Quand elle lui a demandé s'il pensait qu'elle devait y aller, il a dit oui sans hésiter. Bien sûr, il y serait allé immédiatement s'il s'était agi de sa fille. Il ne l'a pas dit, mais c'était sous-entendu. Ce non-dit a rappelé à Nell l'existence de Marie-Louise. Mon Dieu, Henri était-il grand-père ? Non, l'a-t-il informée en riant. Juste de fausses contractions, mais elle était nettement plus calme à présent. Le petit ami et futur père avait appelé et une réconciliation semblait se profiler. Autre non-dit : *jusqu'à la prochaine fois*.

Restait la question de Lulu. La vieille chienne n'était pas en état de faire le voyage, quand bien même on l'aurait autorisée, venant de France, à entrer en Irlande. Nell a omis d'ajouter qu'elle n'était pas sûre de valoir beaucoup mieux. Henri se mettait en route.

À son arrivée, elle avait réservé un vol pour le lendemain. La caféine la rendait fébrile. Le devant de son kimono de soie pêche était maculé de taches brunes, sa tasse ayant vacillé sur le trajet de la soucoupe à ses lèvres. Lulu frottait tranquillement son derrière sur le bord du tapis persan.

Henri est allé droit au but : « Donc tu penses que c'est l'héro ou quelque chose de nouveau, hein ?

— Ça y ressemble en tout cas. Je pars demain aux aurores.

— Peut-être que le fournisseur est ce fameux Adam, a dit Henri, allumant une sans-filtre et inhalant profondément. Il reste du café ?

— Non, j'ai tout bu. Je vais en refaire.

— Je m'en occupe. » Puis, se dirigeant vers la cuisine : « Tu trembles, Nell. »

Elle l'a suivi et a passé les bras autour de sa taille. Il avait raison : elle tremblait, et plutôt violemment.

« Tu as peur ? » a-t-il demandé tout en moulant du café.

La cigarette pendue à ses lèvres lui faisait plisser les paupières. Son odeur matinale – sueur torpide, vieil ail, tabac, whiskies nocturnes, savon – pénétrait dans les narines et la bouche de Nell ; elle pouvait la conserver sur sa langue un moment. Un goût aussi apaisant que le lait chaud. Aussi familier que sa propre salive.

« Je suis terrorisée. »

Henri a tiré sur sa cigarette et souri. La cendre s'allongeait dangereusement. Un petit mouvement de tête bien rodé et elle est tombée, intacte, sur le plan de travail ; un geste de la main et elle a disparu.

« Tout va bien se passer. Ça fait trop longtemps que tu remets ça. Tu le sais.

— Trente-deux ans… C'est le moins qu'on puisse dire. »

Soudain, Nell a resserré son étreinte par-derrière et s'est collée contre Henri, posant sa joue sur le tissu rafraîchissant de sa chemise. Un instant, elle a eu l'illusion qu'elle pouvait réellement pénétrer en lui, se frayer un chemin parmi le sang, le foie et les poumons et aller se réfugier près de son cœur, dans le sillon de son cœur, comme l'homme blotti dans le creux d'un croissant de lune. Elle aurait voulu s'excuser pour la veille, s'excuser de ne pas s'être jetée dans ses bras en apprenant qu'il quittait sa femme. Mais elle savait trop bien que, quel que fût l'avenir de leur relation, elle ne pourrait jamais reprendre ce moment. Elle ne pourrait jamais l'effacer de leur mémoire.

« J'ai cru qu'elle était morte, Henri. Ali. Ne me demande pas pourquoi, mais j'en étais certaine. Absolument *certaine*, quand j'ai décroché ce téléphone. Je me suis dit : Le voilà, le coup de fil que j'attendais, le coup de fil que je redoutais tant.

— Tu veux que je vienne avec toi ?

— Oui. Mais non. Je ne sais pas.

— Comme tant d'autres choses, visiblement, a-t-il fait avec un sourire ironique. Bon, j'imagine que tu te passeras de davantage de café ? C'est bien ce que je pensais. Mange quelque chose à la place.

— Je suis trop anxieuse. »

Henri a posé sa tasse et écarté les bras. Nell est entrée dans le cercle et a mis la tête sur son épaule.

« À propos d'hier…

— On en parlera comme il faut à ton retour, l'a-t-il coupée avec douceur. Ça ne marche plus vraiment depuis quelque temps, hein ? Entre nous, je veux dire. Depuis la mort de Meredith – avant, même. Depuis qu'elle est tombée malade. Ça s'est fait progressivement.

— Quoi ?

— Je ne sais pas comment appeler ça. » Il a réfléchi un moment. « Retrait. C'est le seul mot qui me vienne.

— Retrait, a répété Nell, tournant et retournant le mot dans sa tête, y cherchant des failles, mais il sonnait à peu près juste. Est-ce que c'est ça que je fais – me mettre en retrait ? On dirait une tortue qui rentre sous sa carapace. »

Henri a levé les mains, doigts écartés, embrassant d'un geste la cuisine étincelante et le salon blanc par-derrière. Salon qu'il s'était efforcé de rendre plus convivial en y laissant traîner des tasses de café, des verres de vin vides, des cendriers débordants, des journaux éparpillés sur le sol – tout ça pour le retrouver immaculé quand il revenait de la salle de bains. Nell, s'est-il un jour écrié, exaspéré, ces trucs-là sont juste le signe que quelqu'un vit ici. On se croirait dans le hall d'un funérarium de luxe. Un peu de désordre n'a jamais fait de mal à personne ! Nell passait le restant de la journée à tenter d'ignorer une tasse de café oubliée sur le manteau de la cheminée. Et échouait lamentablement.

Elle a senti le rire d'Henri avant de l'entendre – un gloussement venu du fond de sa gorge.

« Quoi ?

— Rien, rien. »

Mais, inexplicablement, il y avait entre eux plus de légèreté.

Un peu plus tard, elle a préparé en fredonnant des œufs brouillés pour le petit déjeuner. Ils ont mangé sans un mot, en se serrant les mains sous la table comme de jeunes amants. Nell se sentait prête à affronter tous les désastres qui pouvaient l'attendre en Irlande. Elle se faisait mille promesses concernant sa manière d'être avec Ali. Cette fois, ce serait différent. Cette fois…

« Je veux que tu sois sûre, a déclaré Henri, interrompant le fil de ses pensées. Quand tu reviendras. À propos de nous deux. C'est compris ?

— Tu crois que je resterai absente longtemps, pas vrai ? Tu n'as aucune raison de penser ça. »

Il a eu un petit sourire énigmatique.

« Nell, on ne repasse pas en coup de vent au bout de trente-deux ans. Les choses que tu as laissées derrière toi seront toujours là-bas, au même endroit. »

Elle a été un peu étonnée de l'entendre formuler de façon si succincte ce qu'elle avait passé sa vie d'adulte à comprendre – et encore, sans y parvenir tout à fait.

« Mais reviens-moi. Reviens-moi sans faute », a-t-il ajouté. Puis, se détournant avant qu'elle puisse répondre : « Bon, je vais y aller avant de devenir effroyablement sentimental. J'emmène Lulu, bien sûr. Elle me rappellera sa maîtresse.

— Une vieille chienne galeuse ? Avec la cataracte ? Je vais chercher son panier et ses petites affaires. Tu connais la routine.

— Lait au coucher, croquettes le matin, coup de pied au cul si elle n'avance pas. Oui, je crois que je connais la routine. Et, oui, je prendrai bien soin de cette vieille Lulu. »

Nell a effleuré sa joue des lèvres et est allée préparer les affaires de Lulu. La chienne l'observait avec des yeux éloquents, flairant la trahison tout autour d'elle.

Les roues se posent dans un cahot. Elle a oublié de jeter un coup d'œil par le hublot avant d'atterrir pour tester sa réaction aux vallons verdoyants du pays natal. À présent, sur sa droite, elle ne voit plus que l'aéroport. Et il s'étend à n'en plus finir, tout en vitres fumées et en métal rutilant. Un panneau CORK AIRPORT, un panneau WELCOME HOME. Elle sent sa gorge se serrer.

À l'intérieur, après une étrange halte auprès des services de l'immigration – dont les agents, à l'évidence, trient les voyageurs en fonction de la couleur de leur peau et de leur apparence plus ou moins irlandaise –, le hall d'arrivée offre un spectacle aux mille splendeurs. Tout paraît neuf et étincelant de propreté – « moderne cher », dirait volontiers Nell. Petit, cosy et bourré de fric, doivent penser les nouveaux venus.

En attendant ses bagages, elle se fait la réflexion qu'elle se tient sur le sol irlandais pour la première fois depuis des décennies. Elle devrait éprouver quelque chose de fort, de poignant même, mais le fait est qu'elle n'éprouve rien. Rien d'autre qu'une sensation d'arrivée. Un nouveau voyage qui s'achève. Rien sur le voyage qui s'annonce.

Elle débouche dans le hall principal face à une rangée de visages impatients. Leurs yeux la scrutent brièvement, puis se détournent pour survoler les autres arrivants, et elle a la même réaction étrange, irrationnelle que chaque fois qu'elle arrive quelque part : l'espoir que, pour une raison inconnue, inexplicable, quelqu'un sera venu la chercher finalement – aussitôt suivi d'un petit pinçon, tout aussi inexplicable, de déception.

Un peu plus loin, il y a un bassin avec des carpes koï orange et argent. Des ascenseurs de verre naviguent silencieusement entre les niveaux. Un Jack Charlton en bronze se tient assis dans le bassin, où l'inscription « Merci de ne pas jeter de pièces » est partiellement masquée par des pièces de diverses provenances. Nell se dirige vers le stand de location de voitures. Elle ne peut réprimer un sourire à la vue des gens qui fument un peu partout malgré les panneaux d'interdiction. Les choses n'ont peut-être pas tant changé que ça. Soudain, elle s'arrête net au milieu du hall. Elle n'arrive pas tout de suite à identifier ce qui l'a troublée. Elle tourne la tête de côté et d'autre, observant – ou bien est-ce écoutant ? Alors elle comprend : les voix, bien sûr – tout le monde a l'accent irlandais. Depuis des années, ce n'était plus qu'un phénomène isolé : un homme dans un bar, une jeune femme criant sur un boulevard, l'interview d'un musicien à la télévision.

Dans ces moments-là, elle avait l'impression d'appartenir à une tribu. Maintenant que toutes les voix se mêlent et se ressemblent, il n'y a plus de sentiment d'appartenance, juste la conscience vague d'être arrivée dans un pays où les gens parlent comme ça. Autant dire n'importe où.

Le jeune homme qui tient le stand lui propose toute une gamme de services complémentaires qu'elle refuse l'un après l'autre. Juste la voiture pour l'instant, merci. Une carte ? Non, je sais où je vais. (Ça, songe-t-elle en son for intérieur, c'est peut-être tenter le sort un peu effrontément.) Alors bonnes vacances. Merci, c'est gentil.

Voilà qui est fait. L'arrivée. Pas si terrible que ça, finalement. Elle sort sous le soleil.

Elle trouve la voiture sans trop de difficulté et quitte l'aéroport, puis, au rond-point, prend à droite sur la route principale, en direction de l'ouest. Au bout de cinq minutes, elle s'aperçoit qu'elle a choisi l'itinéraire le plus long possible. Tout son corps tendait vers l'ouest, alors qu'il y a sans doute une bonne route rapide entre le comté de Cork et le Kerry maintenant. Tant pis : elle va se diriger vers la mer, puis traverser l'ouest du comté en suivant la côte et franchir les collines pour pénétrer dans le Kerry. La route sera d'autant plus jolie, et d'autant plus longue, avant d'affronter la colère d'Ali. Nell ne s'est pas annoncée, pensant qu'elle en apprendrait peut-être davantage si elle leur tombait dessus par surprise. Mais Ali sera certainement furieuse contre son espionne de mère.

Devant elle, la chaussée s'élargit pour former une belle route à quatre voies. Une pancarte attire l'attention sur l'aide financière apportée par l'Union européenne. Ali lui a déjà parlé de ça, comme de bien d'autres choses. En fait, se dit Nell en jetant des coups d'œil à droite et à gauche, sa fille l'a globalement bien préparée aux changements. Le gigantisme de certaines maisons familiales modernes ne la surprend pas. Pas plus que les voitures haut-de-gamme, élégantes et presque neuves, qui foncent dans sa direction. Jusqu'ici, la seule chose qu'Ali n'ait pas mentionnée, c'est le côté propret. Ça, ça la surprend. Il faut dire qu'Ali elle-même n'a pas dû connaître autre chose. Les maisons bien entretenues, les jardins soignés, les fleurs aux fenêtres et devant les pubs, tout ça lui paraît bizarre au départ. Pour le reste, elle attend toujours que quelque chose la frappe. Elle baisse la vitre et hume l'air, en quête d'étrangeté ou de familiarité – elle se sent prête à affronter l'une comme l'autre. Mais il n'y a rien. Juste une femme au volant – n'importe où. Les champs sont prodigieusement verts. C'est tout.

Au bout d'une heure, elle fait halte dans un pub au bord de la route et commande une soupe et un sandwich. L'intérieur de l'établissement est impeccable. L'odeur de pub qu'elle attendait n'est pas au rendez-vous. Une femme potelée et aimable lui apporte son déjeuner à table. La soupe est fraîche et faite maison – rien à voir avec la Royco en poudre que sa mère servait autrefois –, le sandwich confectionné avec du bon jambon maigre et du pain à croûte épaisse. Elle boit un verre de Murphy's, joue avec une grille de mots croisés pour éviter de faire la conversation et commence à se détendre un peu. Ali ne sera peut-être pas si furieuse que ça. Elle aura une idée de ce que ce voyage a coûté à sa mère. Elle en aura plus qu'une idée – et elle sera folle de rage. Nell soupire, termine son sandwich, paie et reprend la route.

Ce voyage, elle a déjà failli l'entreprendre une fois, après le premier coup de fil nocturne de Paudie – celui qui a suivi l'attaque d'Agnes. C'est ta mère, Nell. Je suis désolé d'avoir à te le dire, mais elle a eu un problème. Un problème ? Oui, une attaque. Mauvaise, Nell. Tu m'avais dit d'appeler si y avait quoi que ce soit. Merci, Paudie. Je serai là demain.

C'était il y a dix ans. Nell a réservé un avion. Jeté quelques affaires dans un sac, été jusqu'à Roissy, vomi violemment dans les toilettes près de la porte d'embarquement, titubé jusqu'à un téléphone, appelé Paudie : l'état d'Agnes s'était amélioré pendant la nuit. Elle était chez elle, dans son lit, sous la bonne garde de Hannah, sa sœur cadette, qui venait d'arriver de Galway. Le pire semblait derrière elle. Nell a remercié d'une voix entrecoupée, est passée en courant devant la porte d'embarquement et a regagné son appartement. Appartement où Agnes avait séjourné à maintes reprises en le trouvant très chic, vraiment, et devait-elle en déduire que Nell ne comptait plus jamais remettre les pieds au pays ? Bientôt, répondait Nell à chaque fois. Et Agnes déplaçait son épingle à chapeau et prenait acte du mensonge de sa fille en hochant la tête avec une petite moue. À Paris, elle ne sortait jamais dans la rue sans son chapeau.

Hannah a téléphoné à quatre heures du matin. Agnes était morte dans son sommeil une demi-heure plus tôt, succombant à une seconde grosse attaque. Une mort aussi paisible que possible, si on voulait voir les choses du bon côté. Nell pouvait-elle prévenir Ali ? Et quand pouvait-on les attendre pour l'enterrement ?

Une stupeur comme elle n'en avait jamais connu s'est emparée de Nell. Pendant plusieurs heures, elle est restée assise sur son lit, raide comme un piquet. Pas une larme, pas un souvenir, pas une once de chagrin, pas même le pressentiment du chagrin. Elle restait là, immobile, attendant que quelque chose lui revienne – la dernière fois qu'elle avait vu Agnes, des images de son enfance, n'importe quoi. Mais la seule chose que son esprit parvenait à produire, c'était une vision d'Agnes morte. Elle voyait le grand corps solide couché sous un drap blanc. Les cheveux permanentés et teints en auburn, d'un roux délavé vers le haut, blancs à la racine. La peau d'une pâleur cireuse, tachée de rouille, les plis et les rides du large visage pendant mollement sur les os. Elle voyait les yeux bleus vitreux de sa mère fixant le néant au-dessus d'elle. Des cernes bruns brillants tout autour, deux points bleu-noir dans le coin interne, de part et d'autre du nez bulbeux. Des perles aux oreilles. Un crucifix en or niché dans les sillons de sa gorge. Une veste d'intérieur en flanelle rose tendue sur ses larges épaules. Ses mains noueuses et couvertes de taches jointes sur sa poitrine et tenant quelque chose. Quelque chose que Hannah, certainement, lui aurait glissé entre les doigts. Un rosaire ? Nell a fermé les yeux pour se concentrer sur l'image. Non, pas un rosaire, mais une petite photo. Agnes, jeune, grande et arrogante, coiffée d'un impressionnant chapeau à plume et flanquée de ses deux petites filles. Nell et Bridget. Deux gamines en robes blanches bouffantes avec des nœuds en satin. Levant des yeux pleins de respect et d'admiration vers cette femme qui garde les siens fermement fixés devant elle. Cette femme qu'elles appelaient Mammy.

C'est Ali qui a appelé Nell un peu plus tard le matin. Elle était retournée vivre à Oxford à l'époque et venait de téléphoner à Hannah pour prendre des nouvelles de sa grand-mère. Sa voix, d'abord éraillée par le choc, est devenue stridente pour reprocher à Nell de ne pas l'avoir prévenue. Je la vois morte, a dit Nell lorsque sa fille a cessé de hurler pour reprendre haleine. Je la vois morte. Mais je n'arrive pas à y croire. Je n'y arrive pas. Eh bien, c'est pourtant vrai, a fait Ali d'une voix plus douce au bout de quelques instants. Nell ? Nell ? Tu es là ?

S'il te plaît, Ali. Elle ne *peut pas* être partie.

Nell a mis un moment à s'apercevoir que sa fille s'égosillait toujours au bout du fil. Nell ? Tu es en état de choc, tu comprends ? Appelle Henri ou Meredith. Demande-leur de venir et de préparer ton sac. Réserve un billet d'avion. D'accord ? Reste en mouvement. Reste dans l'action. Je pars pour Heathrow maintenant. Je t'appellerai de là-bas. D'accord ?

D'accord.

Comme elle savait Henri en déplacement pour deux jours, elle a composé le numéro de Meredith. Puis reposé le combiné avant la première sonnerie. Elle a jeté un regard autour d'elle en pensant : sac, billet, billet, sac. Billet, billet, billet. Fait plusieurs vaines tentatives pour appeler Meredith, mais, chaque fois, s'est dérobée à la dernière seconde. Ça l'aurait obligée à le dire. À prononcer les mots qui mettraient irrévocablement fin à sa mère.

Son cerveau était en panne. C'était la sensation la plus étrange qu'elle eût jamais connue. Pas totalement déplaisante, au demeurant. Comme si elle avait implosé, s'était affaissée sur elle-même à la manière d'un trou noir dont ni lumière, ni matière, ni pensée ne pouvaient s'échapper. Quand enfin elle a sombré dans un profond sommeil, ce n'est pas d'Agnes qu'elle a rêvé, mais de sa sœur Bridget.

Une série de rêves étranges et pénétrants, vivement éclairés – trop, comme en technicolor. Le plus étrange, c'est qu'elle était adulte alors que sa sœur aînée était encore une petite fille. Elles grimpaient en haut d'Eagle Rock. La silhouette indistincte d'Agnes les suivait à distance. Bridget portait une écharpe rouge autour du cou. Dans cette image aux teintes criardes, l'écharpe enserrait son cou comme un serpent écarlate et flamboyant. La Nell d'aujourd'hui avait le temps d'observer combien sa sœur était jolie – à couper le souffle – tandis qu'elle escaladait les rochers, s'élançait vers le sommet en se retournant vers elle pour lui crier *Viens, viens*. L'écharpe se déroulait et s'envolait dans son dos, ondulant voluptueusement dans le vent avant de retomber. Bridget elle-même avait disparu derrière la crête. Nell se penchait pour ramasser l'écharpe, qui traçait un S sinueux dans l'herbe haute. Elle l'agitait dans les airs en appelant l'étourdie. Mais Bridget restait invisible. Elle enroulait alors l'écharpe autour de son cou et se mettait à courir sur les traces de sa sœur. Chaque fois, le rêve s'achevait juste avant qu'elle n'atteigne le sommet. Chaque fois, il lui épargnait la suite.

Elle se réveillait, allait faire pipi et boire un verre d'eau, puis se laissait retomber sur le lit. La petite lumière rouge du répondeur clignotait furieusement. Elle n'avait pas entendu le téléphone sonner. Lorsqu'elle se redressait et posait les pieds par terre pour aller voir, elle restait comme paralysée, mains cramponnées au matelas.

Quand Henri et Meredith sont arrivés, finalement alertés par Ali, elle avait perdu toute notion du temps. Plus de deux jours s'étaient écoulés. En les voyant, elle s'est mise à pleurer, et ses sanglots l'ont arrachée à sa catatonie. Des sanglots houleux, lancinants, qui la laissaient endolorie. Henri et Meredith se relayaient pour la tenir dans leurs bras, lui faire manger quelques cuillerées de soupe, lui caresser la tête. Henri a eu une conversation téléphonique avec Ali, qui était sens dessus dessous. Il a tenté de lui expliquer dans quel état ils avaient trouvé Nell, qu'il était hors de question qu'elle aille où que ce soit. Mais Ali réclamait sa mère à cor et à cri. Elle était incapable d'entendre raison. On enterrait Granny demain. Nell devait être là. Ali avait besoin d'elle à ses côtés. Elle ne pouvait pas faire ça toute seule. Quand Henri, patiemment et pour la énième fois, a repris ses explications, elle s'est mise à répéter : Je veux ma maman. Je veux ma maman.

Ç'a été la seule et unique fois où Ali a parlé de Nell comme de sa maman. Et la seule et unique fois où Nell n'a pu voler au secours de sa fille quand celle-ci avait besoin d'elle. Avait besoin, mais, bien souvent, ne voulait pas d'elle : Ali était si fragile. Cette fois, c'est Nell qui était fragile, la peau de son visage tendue sur ses pommettes comme un drap propre et empesé tiré sur un matelas. Rien à voir avec la femme sûre d'elle et indépendante qu'Henri et Meredith connaissaient. Elle les entendait parler d'elle à voix basse.

Je ne suis jamais rentrée, a-t-elle dit un peu plus tard, alors qu'ils avaient calmé Ali de leur mieux et réussi à la nourrir un peu. C'était tout ce qu'elle voulait. Et je n'ai pas pu le faire. Pourquoi ? Pourquoi est-ce que je n'ai pas pu faire ça pour elle ? Je ne peux même pas le faire aujourd'hui. C'est affreux. Ne plus jamais avoir l'occasion. Jamais.

Henri a dû mettre quelque chose dans son café, car elle a dormi. Le jour déclinait de nouveau lorsqu'elle s'est réveillée et, clignant des yeux dans la pénombre, l'a vu affalé dans le fauteuil près du lit. À peine plus qu'une silhouette, tête penchée sur le côté, joue reposant dans la paume de sa main. Lui aussi s'était endormi. Elle l'a fixé un long moment, regardant sa poitrine se soulever et s'abaisser doucement. De temps en temps, il tressaillait et ses yeux se fermaient plus fort, accentuant la courbure de ses longs cils. Une mèche de cheveux sombres est tombée en avant sur son front. Le sommeil fait de nous des enfants, a pensé Nell. Depuis quand il était assis là, à respirer, veiller, prendre soin d'elle, elle n'aurait su le dire. Sans doute depuis le matin. Elle a songé qu'elle ne l'aimerait jamais autant qu'en cet instant. Cet instant où l'amour passe un cap qui devient précieux dans les moments difficiles. Quand vous vous souvenez que quelqu'un vous a aidé à traverser telle ou telle épreuve, à surmonter quelque chose qu'il ne comprenait pas tout à fait. Que vous ne compreniez pas tout à fait vous-même. Henri et elle étaient ensemble, à leur manière, depuis cinq ans.

Il a cligné des paupières et ouvert les yeux, désorienté d'abord, se demandant où il était ; puis il a vu Nell éveillée et plus calme et il lui a souri. C'est fini, a-t-elle dit. Je vais mieux maintenant. C'est fini.

Une lumière vaporeuse d'après-midi d'automne finissante baigne les haies et transforme les collines lointaines en tertres indistincts.

Les haies sont des livres d'histoires fourmillant de personnages qui luttent pour se faire une place au soleil. Nell apprécie la familiarité de ce spectacle. Des fuchsias sauvages déversent leurs clochettes rouges à jupons violets sur les prunelliers, les aubépines, le torilis, les sorbiers enlacés par des ronces dégoulinant de mûres luisantes. Fougères, thym sauvage, pissenlits et montbretias orange vif jaillissent dans l'herbe, menaçant d'éclipser la route étroite qui serpente devant elle. Elle a traversé une série de petites villes de l'intérieur – maisons et boutiques joliment peintes dans le centre, affreux pavillons tape-à-l'œil avec colonnades et jardins d'hiver en périphérie. Elle a longé le gouffre de l'Atlantique et ses voiliers flânant à la surface comme des papillons blancs, dépassé de vastes ports et des îles allongées couvertes de champs circulaires. À présent, la route s'élève parmi les collines. Les bois chutent abruptement derrière elle et la roche apparaît.

Croûte glaciaire gris de granit, couverte de lichens, plissée comme une draperie. Hautes herbes brûlées ici et là, couchées par le vent. La pierre est labourée de stries profondes et sinueuses, comme si un géant ou un ours immense s'était fait les griffes sur chaque surface plane. Le soleil déclinant joue dans les failles et les crevasses, luisant sur les arêtes, sombrant dans les creux obscurs, mettant en relief volutes et sillons. Même dans ce qui tient lieu de champs, le granit affleure largement, comme si on avait écorcé la terre par endroits. Comme des articulations noueuses jaillissant d'une tombe. Nell reconnaît mieux le paysage à présent; pourtant, il ne fait que glisser derrière les écrans vidéo que sont les vitres de la voiture, somptueux, gris et vert – austère. Il fut un temps où rien d'autre n'existait pour elle. Où ce lieu était tout et partout.

Et puis, à la seconde où son oncle d'Oxford lui a fait goûter son premier saint-émilion, elle s'en souvient parfaitement : le monde s'est ouvert sous son palais. Une gorgée de vin peut évoquer le flamboiement d'une journée d'été, la texture d'une fine poussière sous ses pieds, l'angle du soleil de l'après-midi sur les rangées de vignes chargées de fruits pleins, ronds et mûrs. Le chapeau de paille jaune pâle de la fille du vigneron. Le moment et le lieu, les caractéristiques du paysage, même les ombres projetées sur la campagne par des nuages de passage – les détails les plus infimes ressuscités en un instant par une saveur ou un parfum. De cette façon, Nell peut se remémorer de vastes poches de géographie, des sections entières de l'atlas ; mais les rochers qu'elle voit au-dehors ne lui évoquent rien. Alors elle s'aperçoit que, depuis tout à l'heure, elle observe tout avec des yeux plissés, ne laissant pénétrer le passé qu'avec parcimonie, comme par la fente d'une enveloppe.

Elle a maintenant atteint le sommet ; la route s'aplanit avant de redescendre en pente douce. Sur sa gauche s'étend une vallée ridiculement verte parsemée de maisons – il y en a partout, des maisons – et scellée dans le lointain par une nouvelle paroi rocheuse. On entrevoit le miroitement d'un lac de montagne. La voiture pénètre dans un étroit tunnel, si grossièrement taillé qu'on le croirait creusé à la main – ce qui n'est sans doute pas loin de la vérité. Au milieu, une ouverture dans la voûte indique à Nell qu'elle vient de quitter le comté de Cork pour pénétrer dans le Kerry.

Le ciel vire au violet pâle. Nell est de plus en plus inquiète de la réaction d'Ali. Elle décide de penser plutôt à Grace. Elle n'a pas vu sa petite-fille depuis près de six mois. Celle-ci aura changé, et, à sept ans, les changements sont considérables. Chaque fois qu'elle lui rend visite à Paris, Nell s'attend à une enfant et en découvre une autre. Il y a la Grace timide et presque renfrognée ; la Grace impulsive, délicieusement fofolle et infiniment curieuse ; l'enfant pensive et mélancolique qui raisonne avec la plus étrange et distordue des logiques. L'un des sacs entreposés dans le coffre regorge de cadeaux : vêtements, poupées, « choses à fabriquer » – tout ce sur quoi Nell a pu mettre la main avant de foncer à l'aéroport, et qui disparaîtra dans le même néant que les cadeaux précédents. Où vont les choses, Nell n'en a pas la moindre idée ; quant à Ali, elle se contente de hausser les épaules de son air distrait et irrité.

Dernière ligne droite avant la maison. L'atterrissage remonte maintenant à plusieurs heures et un ciel doux et tendre se dissout au-dessus de la voiture. Enfin, Nell s'autorise à penser à Henri. La façon dont il a évité son regard en partant. Le muscle qui palpitait sur sa joue droite, proclamant haut et fort ce qu'il ne pouvait dire. Elle pense à lui maintenant à cause du sentiment de solitude qui l'a gagnée lorsqu'elle a vu surgir devant elle cette petite route perdue. Les lèvres d'Henri ont effleuré sa joue sans s'y attarder. Lulu, de même, était étrangement peu communicative ; posée sur le bras replié d'Henri, elle semblait pourtant parfaitement consciente qu'un changement se préparait et qu'elle était au premier chef concernée. D'habitude, il y a des protestations. La famille du concierge a déjà hébergé la chienne quand Nell partait en voyage. Lulu s'en est toujours parfaitement bien portée, mais ça ne l'a pas empêchée de mettre en scène un petit drame des adieux chaque fois que Nell procédait à son transfert. Geignements accusateurs, regards chagrins, froideur dédaigneuse quand Nell se penchait pour lui chuchoter à l'oreille qu'elle serait de retour bientôt. Mais, cette fois, c'était comme si Lulu sentait une différence, comme si elle savait que ce n'était pas un départ comme les autres. Nell jurerait avoir vu de la tristesse dans les yeux voilés de la chienne lorsque, perchée sur le bras d'Henri, elle lui a lancé un dernier long regard.

Elle sent la culpabilité l'étreindre en repensant à ce moment, car elle a bien conscience que, depuis quelques heures, elle est soulagée d'être seule – une femme dans une voiture, sans chien ni homme ni émotions en pagaille. Savoir qu'un sentiment est bas et honteux n'empêche pas de l'éprouver. Elle se demande si chacun porte en soi un monde caché, un lieu où il ne cesse de se trahir et de trahir les autres et dont il ne mentionne jamais l'existence. Pas vraiment un lieu, plutôt un vide, un gouffre béant entre ce qu'il avoue et ce qu'il passe sous silence. Jamais elle n'a rencontré quelqu'un d'aussi incorrigiblement sincère qu'Henri. Rares sont les pensées qui lui passent par la tête et qu'il ne formule pas. Elle a maintes fois tenté d'égaler sa franchise, mais elle sait qu'elle renferme des abîmes de ténèbres bourbeuses sur lesquelles elle préfère glisser sans regarder.

Elle traverse un petit village qui serpente le long de la route : deux rangées de maisons parallèles, quelques magasins, deux pubs et une église blanche un peu en retrait. Si l'on excepte les jardinières aux fenêtres, les façades plus propres, la chaussée et les trottoirs plus lisses, rien ne semble avoir beaucoup changé. Elle balaie la rue du regard pour le cas où Ali serait dans les parages. Quelques centaines de mètres plus loin, elle perçoit l'odeur de la mer devant elle. Elle met son clignotant à droite et emprunte un chemin juste assez large pour une voiture. Tout du long, des niches ont été ménagées dans la haie pour le cas où quelqu'un viendrait en sens inverse.

La maison de Paudie et Julia surgit sur sa droite. Un étage, murs de pierres irrégulières passés à la chaux, géraniums orange à chaque fenêtre. Absolument ravissante, avec une porte d'entrée en bois peinte en rouge. Nell sourit : elle est en train de devenir une touriste. Il lui semble percevoir un mouvement à l'intérieur, mais elle décide de laisser le couple tranquille jusqu'au lendemain.

Un peu plus loin, le chemin s'élargit légèrement à l'approche d'un carrefour ; deux voies secondaires se détachent de cette modeste artère principale. Au milieu se dresse, austère dans sa solitude, le Hennessy's Public House. Nell arrête la voiture et le contemple un moment. Quand elle est partie, la maison était d'un blanc sale. À présent, elle est jaune. Les fenêtres ont été remplacées : quatre fenêtres à guillotine à l'étage, deux grandes fenêtres panoramiques pour le salon et le bar du pub, de part et d'autre de la porte d'entrée qui, elle, n'a pas changé – moitié bois peint en bleu, moitié verre opaque. À la fenêtre du salon, de gais rideaux à carreaux bleus et jaunes. À l'étage, des voilages propres que Nell juge de bon augure. Naturellement, des jardinières fleuries auraient été les bienvenues.

Un écriteau vertical posé à même le sol propose des soupes et des sandwichs – à qui ? se demande Nell. Il ne doit pas y avoir beaucoup de clients de passage. Sa mère servait à manger aux habitués, mais qu'Ali ait choisi de faire une annonce doit signifier qu'un nouveau marché est apparu. L'endroit paraît plutôt bien tenu et Nell en éprouve un immense soulagement. Elle s'aperçoit seulement maintenant qu'elle s'attendait presque à une scène de mauvais western de série B. Amarantes, toits défoncés, enseigne qui se balance en grinçant dans le vent, voire – pour être totalement honnête – quelques coups de feu dans le lointain.

Elle passe la première et va s'approcher doucement quand Grace sort de la maison. Nell reste bouche bée. La gamine a beaucoup grandi et est d'une maigreur effrayante. Ses jambes grêles, qui émergent d'un short de l'année dernière, sont couvertes de marques rouges. Son débardeur fin laisse voir des épaules osseuses. C'est le soir pourtant ; il ne fait pas assez chaud pour sortir sans manches. Observation aussitôt confirmée par le frisson de Grace, qui entoure son corps de ses bras. Ses cheveux pendouillent, mous et ternes ; Nell les a toujours connus si brillants. Elle attend de voir ce que sa petite-fille va faire – jouer, sauter à la corde, aller quelque part ? Mais non : elle reste là, tête légèrement baissée, visage renfrogné. Ses pieds taquinent un paillasson râpé posé à l'entrée du pub, le soulevant avec la semelle de ses sandales. Pas de chaussettes non plus, note Nell, malgré la température. Le haut du corps de Grace se balance de droite à gauche ; elle garde les bras croisés et les mains posées sur ses épaules. Il y a dans la posture de l'enfant quelque chose de si profondément, si intrinsèquement malheureux que Nell doit prendre un peu de temps pour se calmer. Nonobstant les voilages et la peinture jaune pimpante, quelque chose ne tourne pas rond dans cette maison.

Un vieil homme sort du pub, lourdement appuyé sur une canne. Il s'arrête pour dire quelque chose à Grace, mais celle-ci ne lève pas la tête. Il lui tapote le sommet du crâne et se dirige laborieusement vers l'étroit sentier qui descend à gauche du bâtiment. Nell se souvient de lui : il habite une maisonnette en bas du chemin, près d'une crique de galets en forme de croissant. Quand elle est partie, c'était un homme grand et droit qui jouait du mélodéon au pub les soirs de week-end. Un instant, elle a l'impression d'avoir fait une « avance rapide » dans la vie de quelqu'un d'autre.

Grace scrute la voiture immobile dans la pénombre qui s'épaissit. Elle s'interroge, mais ne reconnaît pas encore sa grand-mère. Nell baisse la vitre et s'apprête à l'appeler quand Ali sort à son tour. Elle aussi est maigre à faire peur ; même vues de loin, ses pommettes hautes et émaciées saillent de façon troublante. Elle porte une salopette en jean éclaboussée de peinture qui pend comme un sac sur sa frêle carcasse. Ses cheveux sont coupés en brosse courte, ce qui fait ressortir les rides de son front. Elle a l'air en colère ; ses jambes remuent nerveusement tandis qu'elle gronde sa fille. Grace ignore ses remontrances et s'écarte légèrement en lui tournant le dos. Ali la prend par les épaules et la force à se retourner. Elle crie à présent. Nell sent qu'il faut qu'elle se manifeste. Ali sera furieuse si elle pense que sa mère l'a épiée. Elle accélère légèrement et la voiture se remet en mouvement. Ali et Grace tournent la tête dans sa direction. Ali plisse les yeux pour tenter de distinguer le conducteur et sa bouche forme un O lorsqu'elle reconnaît sa mère.

Grace accourt. « Nan ? Nan, c'est toi ! »

Nell freine brusquement, bondit hors du véhicule, soulève Grace et la fait tournoyer haut dans les airs. Elle lui couvre le visage de baisers. « Mon chou. » Dans ses bras, l'enfant est anguleuse et désarticulée, légère comme un tas d'os blanchis et sans moelle.

« Mais tu ne viens jamais ici, Nan.

— Eh bien, cette fois j'y suis, Gracie.

— Pour combien de temps ? Pour longtemps ? »

Grace serre si fort le cou de sa grand-mère que celle-ci manque s'étrangler – ou bien est-ce l'angoisse qui lui noue la gorge ? Elle tousse. Ose un regard vers Ali par-dessus la tête de l'enfant.

« Bonjour, Ali chérie. J'espère que cette petite surprise ne va pas se retourner contre moi. »

Ali, qui jusqu'ici est restée en retrait, hésitante, franchit l'espace qui les sépare à grandes enjambées. Elle paraît sur le point d'éclater en sanglots. Ses yeux gris sont creusés et triangulaires. Une veine sombre barre son front. Nell n'a jamais vu personne qui colle autant à son crâne. Ali passe un bras derrière Grace pour étreindre sa mère ; sa main s'immobilise comme une plume dans les airs et, finalement, lui touche légèrement l'épaule.

« Salut, Nell.

— J'y suis arrivée, fait celle-ci, tout sourire. J'y suis enfin arrivée. Tu as l'air en forme, chérie.

— Merci. Toi aussi. »

Silence timide, rompu par Grace qui pousse un cri joyeux en se dégageant des bras de sa grand-mère.

« Je parie que tu as apporté des cadeaux, dit-elle, inspectant déjà la voiture.

— Peut-être. Mais il va d'abord me falloir des baisers. Des tonnes de baisers avant les cadeaux. »

Un sourire indulgent aux lèvres, Nell et Ali feignent d'être absorbées par la petite danse impatiente de Grace autour de la voiture. Leurs corps se sont légèrement inclinés l'un vers l'autre, comme des plantes vers la lumière, mais il reste entre elles une poche d'air turbulent, de maladresse. Nell inspire profondément, prend sa fille par les épaules et l'attire vers elle. Ali résiste un instant, puis pose sa tête tondue dans le creux du cou de sa mère et se met à pleurer. Nell lui caresse le dos de bas en haut.

« Ça va aller. Quel que soit le problème, on va le régler. Je t'en prie, ne m'en veux pas d'être venue comme ça.

— Paudie t'a appelée, hein ?

— Oui. Oui, il m'a appelée. Il se fait du souci pour toi. Mais tu vas bien. Je le vois. Même si… enfin… même s'il y a un petit problème, je vois bien que tu t'en sors parfaitement. »

Nell n'ose ouvrir la bouche trop grand de peur que le noir du mensonge ne se voie sur sa langue.

« Nick est malade, dit Ali en reculant d'un pas et en se pinçant le bout du nez.

— C'est un souci, c'est sûr », fait Nell d'une voix posée et compréhensive tandis que ses yeux vont et viennent entre sa fille et sa petite-fille.

Mais que diable s'est-il passé pour que vous ayez une tête pareille ?

« Le docteur Bennet a lâché l'affaire, il ne trouvait rien de concret, donc Nick est allé faire des examens à Cork. Ils n'ont rien trouvé non plus, mais ils disent que c'est peut-être un syndrome de fatigue chronique. Il n'a aucune énergie – ce qui s'appelle *aucune*. Il mange à peine et n'a qu'une envie, dormir toute la journée. Ensuite, il ne peut pas fermer l'œil de la nuit. Ça va te faire un choc de le voir. »

Pas autant que de te voir toi, ma petite fille, songe Nell en arborant un sourire rassurant.

« On pourrait peut-être arranger un rendez-vous avec un spécialiste pendant mon séjour…

— Il n'y a pas de spécialistes du SFC, la coupe Ali durement. Tu ne pourras rien faire qu'on n'ait pas déjà essayé.

— Je suis sûre que vous faites tout votre possible», répond Nell d'un ton égal, et elle coche mentalement la case «terrain miné numéro 1». Elle va devoir se montrer plus vigilante que jamais pour ménager la susceptibilité exacerbée d'Ali.

«O.K., je laisse tomber, s'exclame Grace. Ils sont où, ces cadeaux ?

— Les baisers d'abord.

— Combien, exactement ? demande Grace en s'approchant mine de rien.

— Je ne sais pas. Qu'est-ce que tu en penses, Ali ?

— Dix me paraît pas mal.

— Eh bien, dix alors.»

Nell s'assied sur ses talons, ferme les yeux et fait la bouche en cul de poule. Grace s'acquitte consciencieusement de ses baisers, pousse un cri perçant après le dixième et presse ses lèvres contre la joue de sa grand-mère pour un nouveau numéro dix passionné. Elles basculent toutes les deux sur le côté et Nell chatouille sa petite-fille jusqu'à ce que celle-ci l'implore d'arrêter. Tout en chatouillant, ses doigts explorent le corps de Grace : profonds sillons entre les côtes, méchantes piqûres de puces, croûtes partout sur le crâne.

«Bon, dit-elle en se levant. Et maintenant, les cadeaux. Tu me donnes un coup de main pour les bagages, Ali ?

— Je vais devoir te mettre dans la vieille chambre de Granny.

— C'est parfait.» Nell sent son cœur chavirer. «Écoute, tout ça doit te paraître si brusque, je n'avais pas réfléchi aux aspects pratiques. Est-ce que ce serait plus simple pour toi si je prenais une chambre quelque part, ne serait-ce que pour quelques nuits ? Ça te donnerait le temps de t'organiser.

— Pour faire quoi, au juste ? demande Ali avec une pointe d'irritation. Un lit est un lit. Pas besoin d'y passer des années. Un matelas à retourner, une paire de draps et de couvertures et basta. Tu vas devoir nous prendre comme on est, tu sais.»

C'est exactement ce qui me fait peur.

« Bien sûr », répond Nell, souriante, non sans remarquer que son ton lénifiant ressemble à celui qu'Henri emploie parfois avec elle.

Elle empoigne un de ses sacs et se dirige vers la porte d'entrée.

« Non, passe par l'arrière, ordonne Ali. Tu n'as pas envie de parler aux gens tout de suite, j'imagine. »

Nell hoche la tête et emboîte le pas à Grace, qui fait le tour de la maison en caracolant joyeusement. De fait, elle redoutait le moment d'entrer dans le pub.

« Ça doit te paraître très étrange, après toutes ces années, lance Ali dans son dos.

— Oh, je ne sais pas. Tu m'avais bien préparée.

— Préparée ?

— À ce que j'allais trouver. Les changements.

— Dans le pays, tu veux dire ? Ouais. Mais le pub n'a pas tant changé que ça, si ?

— Il a l'air soigné et bien tenu.

— Ça, c'est l'extérieur », glousse Ali – un peu amèrement, selon sa mère.

Trois pensées convergent dans l'esprit de Nell. Premièrement : Granny est Granny et elle est toujours Nell – pas Maman. Deuxièmement : sans nécessairement se l'avouer, Ali s'attendait à son arrivée, si elle ne la souhaitait pas activement ; à présent, elle n'est plus trop sûre de ce qu'elle souhaite. Troisièmement : l'accent irlandais d'Ali, adossé à son anglais d'Oxford, est délicieusement doux et chantant.

Une main effleure brièvement son épaule, comme pour épousseter de la neige.

« Je suis contente que tu sois là, Nell. Ne me fais pas changer d'avis. »

Surcharge du circuit : un million de réponses traversent l'esprit de Nell et se bousculent en un cyberbouchon sur le chemin de sa gorge. Elle est contrariée par l'avertissement, mais heureuse d'être la bienvenue, même si cela ne doit pas durer.

« Bien sûr », dit-elle en marchant dans une crotte de chat déjà écrasée par la sandale de Grace.

3

Tout chez Grace regarde vers le haut. Ses yeux marron rebiquent juste à l'extrémité ; son nez est légèrement retroussé au-dessus d'une parfaite bouche d'amour qui s'achève des deux côtés par un petit pli vertical. Quand elle prend l'air malicieux, l'effet lutin n'en est que plus réussi. La seule chose qui ne remonte pas, ce sont ses cheveux coupés à hauteur d'épaule, de différents tons de brun et raides comme des spaghettis.

Nell se concentre sur le caractère ascendant des traits de l'enfant parce que tout vaut mieux que de contempler l'état de la cuisine. Elle a eu peine à retenir une exclamation lorsqu'elles sont entrées en passant par la petite véranda à l'arrière de la maison. La véranda elle-même était déjà peu engageante, à moitié écroulée, avec des flaques d'eau de pluie stagnante sur le sol et, dans les coins, des monceaux de torchons et de vêtements pourrissants, sans doute jetés là dans la vague et irréaliste intention de les mettre à sécher, puis abandonnés à leur sort. Ali a traversé rapidement en marmonnant quelque chose sur le désordre, qu'elle avait été débordée récemment, qu'il ne fallait pas faire attention, le jour du ménage était demain. Le jour du ménage était toujours demain, voilà ce que Nell déduisait de ce premier aperçu.

« J'ado-o-ore, fait Grace en brandissant une Barbie Jewel Girl. Elle a des trucs à coller dessus, des diamants et tout. »

Depuis qu'elle fourrage dans son abondante moisson de cadeaux, il y a des choses qu'elle ado-o-ore et des choses qu'elle aime bien. Ses yeux pétillent.

« Je ne voulais pas juste une nouvelle Barbie à habiller, dit Nell. Tu préfères quand elles font des choses, je me souviens.

— Si c'est juste pour les habiller, je ne vois pas trop l'intérêt, dit Grace de la voix d'adulte qui étreint le cœur de Nell chaque fois qu'elle l'utilise. On peut mettre des habits à n'importe quelle vieille poupée.

— Exactement », fait Nell, qui prend son courage à deux mains pour inspecter la cuisine.

Les murs empestent l'humidité. Des bouquets de moisissures blanches fleurissent sur le plâtre écaillé. Dans un coin, celui-ci est si effrité qu'il laisse voir des lattes en bois. La peinture jaune, décolorée, n'est plus qu'un lointain souvenir. Les carreaux de terre cuite qui couvrent le sol, pour la plupart écornés et fendus, sont luisants de graisse. L'évier en céramique est maculé de vieilles taches de thé et encombré par plusieurs jours de vaisselle – tasses ébréchées, verres opaques. Il y a d'autres vêtements froissés entassés sur les chaises, le sol et le grand fourneau noir. À laver, peut-on raisonnablement supposer – sûrement pas à repasser. Une fine poussière provenant du plafond, craquelé comme le lit d'une rivière à sec, parsème la table en formica. Il règne une puissante odeur de vieux chou, de linge souillé et de vêtements sales en train de sécher. Bonté divine : sur un buffet, une planche à découper en bois avec des croûtes de pain, une barquette de margarine bon marché et des volutes de couenne de jambon jaunissante – il s'agit certainement du coin sandwichs. De quoi filer une bonne intoxication alimentaire aux naïfs clients du pub. Sur le fourneau trône ce qu'on ne peut appeler autrement qu'un chaudron et qui contient probablement la soupe. Nell se promet de ne jamais regarder à l'intérieur.

Une image de Jésus montrant Son sacré cœur dans Sa poitrine ouverte pend de travers à un clou branlant. Dans un autre coin, un petit autel à la vierge Marie couvert de poussière et éclairé par une lampe de chevet rouge. Empilés sur une chaise à trois pieds, quelques livres sur la vie des saints, une bible et un vieux catéchisme datant de l'époque où Nell était écolière. Elle note qu'un verre de whiskey qu'elle avait repéré près de l'évier a disparu.

Elle prend soin, tout en regardant autour d'elle, de garder les paupières baissées et la tête immobile. Grace en revanche, à qui rien n'échappe ou presque, promène ses regards en tous sens, tentant de visualiser la pièce comme si elle y entrait pour la première fois. Elle a bien conscience que ce qu'elle voit n'est pas normal. Il lui suffit sans doute d'aller chez les autres pour s'en convaincre. Nell se jure de rester stoïque. Si elle veut survivre plus d'une semaine dans ce taudis, il lui faudra tenir sa langue et n'exprimer que des opinions modérées – quand elle y sera invitée. Elle entreprendra Grace avec discrétion et subtilité, parce que Grace n'a rien d'une imbécile et flaire un interrogatoire à mille lieues. Sans compter que sa mère veille au grain.

Grace est capable de neutraliser une série de questions avec la rapidité d'un exocet. Elle ne sait jamais trop ce qu'elle est censée cacher – généralement pour le compte de sa mère –, mais elle sait qu'elle est censée cacher quelque chose. Pour ne pas prendre de risques, elle cache tout. À Paris, il est arrivé à Nell de voir une expression douloureuse passer sur son visage lorsqu'elle lui posait une question directe. Il fallait à Grace une force de dissimulation presque surhumaine pour contrer les pouvoirs de persuasion de sa grand-mère. Tentatives de corruption, câlins, longues causeries avant de dormir, rien n'y faisait : ses lèvres de chérubin restaient hermétiquement closes et Nell passait ensuite des heures à s'accuser d'être une vile manipulatrice.

Lors de la dernière visite de Grace, il y a six mois, elle a fait vœu de ne pas lui poser la moindre question tendancieuse. Juste les choses habituelles, sur l'école, les amis et ainsi de suite. La pauvre enfant ne devait pas se sentir diminuée sous prétexte qu'elle ne faisait pas les révélations attendues. Nell voulait une relation avec Grace en tant que telle, et non comme simple intermédiaire pour accéder à Ali. Grace a fini par sentir qu'elle pouvait baisser la garde et lui faire confiance et elles ont passé leurs meilleures vacances ensemble.

Nell voit l'enfant détailler ses ongles rouges soignés, sa bague en émeraude, son bracelet en ambre. Un furtif coup d'œil vers le haut, et Grace a enregistré les brillants cheveux blond cendré de sa grand-mère, ainsi que le gloss rose qu'elle se passe parfois sur les lèvres et son tailleur noir à la coupe impeccable. Nell est plus que jamais déterminée à se taire aussi longtemps que possible. Elle se penche pour prendre le vieux catéchisme.

« Je n'arrive pas à croire qu'ils utilisent encore ça, après toutes ces années. »

Grace tressaille, mais se reprend aussitôt et soulève sa Barbie pour montrer les bijoux qu'elle a collés dessus. Ses yeux bruns ont de nouveau cet air hanté, cet air qui signifie *Je ne dirai rien*. Nell est stupéfaite d'avoir déjà fait un faux pas alors qu'elle ne se savait pas en terrain glissant.

Un bruit de rideau se fait entendre et le crissement des anneaux en laiton sur la tringle en métal lui rappelle si fort son enfance qu'elle se redresse d'un coup sur son siège. Une lourde étoffe brochée isole la cuisine du bar. Ali franchit l'ouverture et referme le rideau derrière elle. Un instant, un bourdonnement de voix a pénétré dans la pièce.

« Désolée, dit Ali à sa mère tout en observant Grace. C'est ton premier soir, mais je ne peux pas fermer le pub. Il n'y a personne pour m'aider aujourd'hui.

— Le dénommé Adam ?

— Parfois il vient, parfois non. »

Ali ne pose pas de questions sur ce qu'a raconté Paudie. Elle a sans doute ses propres hypothèses.

« Tu devrais peut-être mettre en place quelque chose de plus systématique », commence Nell, puis elle se mord la lèvre. Deuxième faux pas.

Ali rassemble des tas de vêtements et en fait une grosse pile puante dans un coin, comme si elle était revenue juste pour ça. Elle hausse les épaules sans se retourner.

« Ça nous plaît comme ça. Simple, tu vois. Rien de systématique, justement. » Elle jette un coup d'œil par-dessus son épaule avant d'ajouter : « Bien sûr, ça ne va pas être facile pour toi.

— Oh, je m'y ferai, répond Nell d'un ton léger. Maintenant que je suis de retour, j'ai tout intérêt à m'y faire. »

À son tour, Ali se mord la lèvre. Elle paraît honteuse.

« Je vais monter voir si Nick est réveillé. Il ne va pas en croire ses yeux. »

Et elle s'élance vers l'escalier qui conduit de la cuisine à l'étage. Ses mouvements ont toujours eu quelque chose de désespéré, songe Nell. Comme si elle s'attendait à rencontrer un obstacle à chaque pas et devait se dépêcher de tout faire avant de perdre le fil, de perdre de vue l'objectif, ce qui, pourtant, lui arrive sans cesse à mi-chemin. Comme pour donner raison à sa mère, elle s'arrête au milieu de l'escalier et se penche par-dessus la rampe.

« Le dîner, dit-elle, luttant pour ordonner une foule de pensées disparates. Tu dois avoir faim. Je nous préparerai un bon petit plat dans une minute, d'accord ? »

L'idée d'absorber quoi que ce soit qui ait été préparé dans cette cuisine donne la nausée à Nell. Mais Ali regrette d'avoir été sarcastique et ses yeux luisent de remords ; visiblement, elle meurt d'envie de faire à manger à sa mère. Ses jambes tressautent nerveusement. Nell est submergée de pitié pour ce tissu de contradictions, ce nœud de terminaisons nerveuses à vif qu'est sa fille.

« Je mangerais quelque chose avec plaisir », dit-elle en souriant. Elle s'apprête à proposer de cuisiner – Ali sait à peine faire cuire un œuf – mais elle se reprend juste à temps. Sa fille est une femme de trente-deux ans. Elle est sur son territoire. Nell le lui a cédé, dans son intégralité, il y a deux ans environ. « Quand tu seras prête, dit-elle finalement. Rien ne presse. »

Du coin de l'œil, elle voit les épaules de Grace se détendre.

Ali monte les dernières marches en courant, puis crie à sa fille d'en haut : « Grace ? Tu veux bien me remplacer une minute, chérie ? »

Grace pose sa Barbie et se glisse en silence de l'autre côté du rideau.

Elle a sept ans. Sept ans et elle fait le service au pub.

Cette époque-là devrait être révolue depuis longtemps. Celle des enfants derrière le bar. Nell a l'impression d'avoir pénétré dans un reflet déformé, un pastiche de son propre passé. Il ne manque plus qu'une sinistre musique de manège en fond sonore et l'image de la cuisine qui se trouble avant le flash-back. Elle laisse choir sa tête dans ses mains. Il va lui falloir une force herculéenne pour ne rien dire, même après ce soir. Elle s'approche du rideau sur la pointe des pieds et jette un coup d'œil par l'interstice. La salle est peu éclairée et elle distingue à peine deux silhouettes accoudées au bar. Perchée sur un cageot en plastique renversé, Grace tire une pinte de Guinness avec le savoir-faire d'une experte. Sa langue pointe sur le côté tant elle est concentrée. Lorsque les pas d'Ali résonnent dans l'escalier, Nell referme le rideau et retourne s'asseoir.

« Il est réveillé, dit Ali, et, un instant, elle paraît rose de plaisir. Donne-lui juste une minute pour se raser, il veut se faire beau pour toi. » Elle tire une chaise vers la table et s'assied, laissant le formica entre sa mère et elle. « Eh bien, Nell, et toi, comment ça va ? »

Le truc le plus vieux du monde : questionner le questionneur.

« Pas trop mal, mis à part cette saleté de ménopause.

— Tu es en avance, non ? Ce n'est pas autour de cinquante ans normalement ?

— Ça peut commencer plus tôt. D'ailleurs… »

Nell laisse sa phrase en suspens. Ali oublie que sa mère *a* autour de cinquante ans. Elle a tendance à traiter Nell comme une grande sœur moralisatrice. La bûcheuse, la sage, par opposition à son côté rebelle. Elle rapproche bruyamment sa chaise.

« Et quels sont les symptômes – je veux dire pour toi en particulier ? »

Donc c'est moi qui joue la patiente, songe Nell.

« Pour moi ? » Elle soupire longuement. « Des bouffées de chaleur, surtout la nuit. Parfois, j'ai l'impression de frôler la combustion spontanée.

— Il y a plein d'énergie cinétique là-dedans, dit Ali en hochant la tête. Tu pourrais l'utiliser. Tu sais, en faire quelque chose. Continue.

— Euh… Des sautes d'humeur, je suppose. Je me surprends à m'émouvoir pour des choses qui ne me faisaient ni chaud ni froid. Je suis parfois un peu larmoyante. Et fatiguée. Je ralentis, Ali. J'ai davantage envie de me coucher le soir et davantage de mal à me lever le matin. »

Nell ne prend pas la peine d'ajouter, parce que Ali l'a déjà compris, qu'elle se sent parfois vidée de toute force vitale.

« Est-ce que ce changement… ces changements te font peur ?

— Un peu.

— Ça doit être bizarre pour toi de perdre le contrôle.

— Je n'ai pas dit ça. »

Nell a le sentiment angoissant qu'Ali est en train de mémoriser cette conversation. Désormais, si elle se sent blâmée ou critiquée par sa mère, elle aura beau jeu d'inverser les rôles et de se défendre en incriminant son humeur changeante.

Elle surprend le coup d'œil involontaire de Nell en direction du rideau.

« On n'a pas l'habitude d'utiliser les services de Grace au pub, si c'est ce que tu penses. Elle adore ça, mais c'est seulement de temps en temps. Ce n'est pas la place d'une enfant. Comme tu le sais toi-même.

— Je n'ai jamais aimé ça, dit Nell. Grace est peut-être différente.

— Elle est différente. C'est elle qui veut y aller. Toi, tu étais obligée, non ?

— Eh bien, j'étais obligée d'aider ma mère, si c'est ce que tu veux dire. Il n'y avait que nous. Ça ne laissait pas trop le choix.

— C'est exactement ce que fait Grace : elle m'aide. »

Ali tend le bras pour prendre un paquet de cigarettes, en sort une, l'allume et expulse un épais nuage de fumée vers le plafond fissuré. Nell remarque le léger tremblement de ses doigts.

« Le sexe ? » fait Ali.

Nell hausse les sourcils.

« Ces changements, ils ont une incidence sur ta vie sexuelle ?

— À certains égards, répond Nell avec un sourire pincé.

— Comment va Henri ? »

Nell scrute ses ongles rouge écarlate.

« En fait, il vient de m'annoncer qu'il quittait sa femme.

— Eh bien, c'est une nouvelle formidable. » Ali tend le bras par-dessus la table, serre la main de Nell, puis la tapote gauchement. « Non ?

— Je nous trouvais bien comme on était.

— Tu vous trouvais, dit Ali en soulignant le "tu", une ébauche de sourire au coin des lèvres.

— Ali, pourquoi tu n'as pas fait réparer le téléphone ? »

La main d'Ali bat en retraite. Ses épaules montent et descendent comme des ailes tandis qu'elle réfléchit. Finalement, elle regarde sa mère droit dans les yeux pour la première fois depuis son arrivée.

« Je ne sais pas, dit-elle en soupirant. Il y a beaucoup de choses que je ne sais pas. C'est pour ça que tu es là ? Dresser la liste de tout ce que je ne sais pas ?

— Je suis là parce que je t'aime. Et je veux qu'on profite du temps qu'on a ensemble. Essayons de ne pas nous juger. Je ne suis pas une espionne. Je ne suis pas l'ennemi.

— C'était censé être... » Ali cligne des yeux, contemple autour d'elle la cuisine décrépite. « Je pensais que ce serait le paradis. Je fous tout en l'air. Je le vois dans tes yeux.

— Si je peux aider, est-ce que tu me laisseras faire ? »

Nell chuchote presque, ne prononçant le mot « aider » qu'avec circonspection.

« Peut-être », répond Ali après un temps de réflexion. Sa bouche forme un sourire amer. « Mais tu sais comment je suis. »

Elle se lève d'un bond, à sa manière à elle – comme si elle venait de recevoir un coup de dent. Deux grandes enjambées vers le pub, puis elle rebrousse chemin, prend la tête de Nell à deux mains et plonge en avant pour lui embrasser le front.

« Merci d'être venue, marmotte-t-elle d'une voix rauque. On va bien s'entendre, hein ? Tu vas rester un peu. »

C'est un début, songe Nell. Son front la picote à l'endroit où Ali l'a embrassée. Ni tambour ni trompette, donc. Pas de nuées de gloire. Juste l'idée que leur sincère plaisir d'être ensemble, accompagné d'efforts concertés de leur part, suffira peut-être à effacer le souvenir d'autres visites, en d'autres lieux, où les choses ne se sont pas très bien passées. Ça va aller, se dit Nell. Je vais faire confiance à Ali. Ce qu'elle déteste par-dessus tout, c'est la suspicion permanente. Certes, la suspicion n'était pas sans fondement les autres fois, avec la drogue. Et, après tout, c'est ce qui a amené Nell – un coup de fil à trois heures du matin pour vous avertir que votre fille se balade en hurlant au milieu de la nuit, en chemise de nuit et sans chaussures : qui ne serait pas pour le moins curieux d'en savoir davantage ? Qui ne serait pas un peu inquiet ? N'empêche – Nell sent encore le « mouah » humide de sa fille sur son front.

Elle gravit l'escalier le cœur plus léger. L'affreuse cuisine ne lui paraît plus si terrible. Elle a vu Ali en Grace, Grace en Ali et elle-même en chacune. Doucement, doucement. Jour après jour. Heure après heure. Elle forcera cette maison à livrer ses secrets.

Nick est allongé à la lueur d'une bougie. Les yeux de Nell survolent rapidement le papier peint fleuri qui pèle, le lit métallique dont l'un des coins repose sur une pile de livres, les rideaux tirés qui sentent le renfermé. La tête émaciée de Nick disparaît presque dans les plis des oreillers crasseux sur lesquels il s'appuie. Nell a beau être prévenue, elle a peine à retenir un cri en le voyant si affaibli. Ses cheveux bruns, autrefois forts et épais, sont maintenant clairsemés et givrés de blanc. Des rides profondes barrent son front. De longs sillons sur ses joues également, accentués par sa tentative de sourire. Ses dents semblent trop grandes pour sa bouche. Deux points minuscules luisent à l'emplacement de ses yeux, si enfoncés dans leurs orbites que Nell doit s'approcher pour les voir.

« Bonjour, Nell, dit-il en se redressant tant bien que mal. Ça alors, c'est un jour à marquer d'une pierre blanche. »

Il n'a pas pris l'accent irlandais comme Ali. Curieusement, son anglais modulé de diplômé d'Oxford fait vieillot et affecté ici.

« Nick. »

Nell s'approche encore un peu et pose doucement ses fesses sur le lit. Elle doit se tordre le cou pour lui parler, mais l'avantage, c'est qu'elle peut se détourner de temps en temps au prétexte de se frotter la nuque ou de soulager son dos.

« Je fais peur à voir, hein ? dit Nick en souriant. Inutile de prétendre le contraire.

— Je ne peux pas te mentir, répond Nell. Ça fait combien de temps ?

— Moi ? Que je suis malade, tu veux dire ? » Nick tousse et crache dans une cuvette. « Pour tout t'avouer, j'ai l'impression que ça fait des lustres. Mais plus précisément, je dirais quelques mois. »

Nell se tourne vers lui et se risque à l'examiner pour de bon. Nick a toujours été un peu un mystère. Depuis des années qu'il est avec Ali, elle n'éprouve pour lui ni affection ni antipathie particulières. Il a toujours été une sorte d'accessoire de sa fille, toujours été... là. Depuis une éternité. De son côté, il n'a pas non plus fait beaucoup d'efforts pour apprendre à la connaître. Les rares fois où il est venu à Paris avec Ali et Grace, il s'est montré parfaitement amical, agréable et facile à vivre. Il n'a jamais cherché à imposer son opinion sur quoi que ce soit à qui que ce soit. À supposer qu'il ait jamais eu une opinion arrêtée. Meredith l'aimait plutôt bien. Henri l'aime bien. Il n'y a jamais rien eu à ne pas aimer.

Ali a toujours soutenu que Nick était une vedette à Oxford. En physique. Elle était tombée amoureuse de son cerveau, disait-elle. Nell ne pouvait qu'en croire sa parole. Les conversations oiseuses et décousues de Nick ne faisaient rien pour confirmer ses dires. Et ce perpétuel sourire absent. Rien ne semblait l'atteindre. La première fois que Nell l'a rencontré, il a souri à ses tentatives de conversation polie. Souri, sans y répondre, à ses questions timides. Souri, par la suite, à ses diatribes occasionnelles – et, elle le reconnaît maintenant, sans grande conviction – sur la façon dont ils menaient leur vie, le gâchis de leurs talents, leur laisser-aller. Jusqu'au jour, des années plus tard, où elle a compris que ce n'était pas son sourire, mais son regard vitreux d'héroïnomane qui était si impénétrable.

Au fond d'elle-même, elle sait qu'elle a sans doute trop blâmé Nick pour l'addiction d'Ali à l'héroïne et sa conversion passionnée, frénétique à toutes les tendances *new age*. Elle sait qu'elle l'a tenu pour responsable quand Ali a plaqué ses études à Oxford. Une brillante carrière en littérature anglaise abandonnée – patatras – au profit de gros pulls en laine rayés, de chiens galeux et d'une cavalcade de caravanes sillonnant la Grande-Bretagne. Des années de communication sporadique, de lettres réclamant de l'argent avec des adresses de retour situées dans d'obscurs hameaux d'Écosse ou du pays de Galles, et même une fois sur une île des Hébrides. Que cherchaient-ils donc ? Qu'espéraient-ils trouver dans ces mornes avant-postes ?

Et puis, finalement, le coup de fil que Nell attendait. Ali était prête à se poser. Elle était clean, libérée de l'emprise de la drogue après une période sous méthadone, et s'apprêtait à retourner à Oxford – la ville, pas la fac – en compagnie de Nick. Fini la bougeotte. Cela étant, s'est-elle empressée d'ajouter, ils n'hésiteraient pas à reprendre la route s'il s'avérait que la sédentarité ne leur convenait pas. Et le boulot ? a demandé Nell. Le mot émaillait toutes leurs conversations. Petit soupir d'irritation au bout du fil. Oh, oui. Le boulot. Il y en aurait, des boulots. Puis un rire bref. Nell croyait voir le coup d'œil que sa fille lançait à Nick pour lui signaler qu'une fois de plus, *ce mot-là* avait été prononcé.

Une période de relative normalité a suivi. Nell a pu garder l'œil sur Ali et Nick par l'intermédiaire de son oncle et de sa tante d'Oxford. Leurs rapports étaient généralement encourageants. De fait, il y avait des boulots. Il y en avait même pléthore. Ali semblait les collectionner comme d'autres collectionnent les timbres. Il y avait toujours un patron pour la rendre malheureuse en exigeant qu'elle se conforme à des règles absurdes. Se conformer n'était pas le fort d'Ali. Puis le coup de fil pour annoncer à Nell qu'elle était enceinte. La vraie surprise, c'était le temps que ce coup de fil avait mis à venir.

Nell s'est rendue à Oxford pour la naissance, qui a eu lieu à domicile au terme d'un long travail. Ali refusait les analgésiques de peur de retomber instantanément dans l'addiction. Nell a marché de long en large avec elle ; c'était à peu près tout ce qu'elle pouvait faire. Ali refusait qu'on la touche, même pour un simple massage du dos. Elle était terrorisée, les yeux ronds comme des soucoupes de douleur et d'étonnement quand les contractions la prenaient. *Pourquoi tu ne m'as pas dit ?* Telle était l'accusation silencieuse que Nell croyait lire dans son regard. Si on disait vraiment les choses à sa fille, a-t-elle songé, l'espèce humaine s'éteindrait.

La souffrance d'Ali a ressuscité le souvenir de cette autre longue nuit, à Oxford, où Nell lui avait donné la vie. À coup sûr, ses yeux devaient refléter le même étonnement outré. Comment était-il possible de survivre à une chose pareille ? Elle avait l'impression qu'on la coupait en deux. Sa tante et son oncle faisaient tout leur possible pour l'aider à se détendre mais, de même qu'Ali, elle ne supportait pas l'idée qu'on la touche. Pas d'autre foutu verre d'eau, non. Mais *oui*, je respire. Mais *oui*, je pousse. Nell ne voulait qu'une seule chose : sa mère.

« Tu devrais être à l'hôpital, dit-elle.

— Ils ne trouvent rien d'anormal. Et puis, je préfère rester ici avec mes femmes. »

Nell peut à peine le regarder. Elle se détourne et se masse la nuque. La pièce est sombre et oppressante. Elle songe à lui proposer d'ouvrir la fenêtre pour laisser entrer un peu d'air – ce ne serait pas du luxe – mais elle décide de s'abstenir. Il faut qu'elle veille en permanence à ne pas marcher sur les plates-bandes d'Ali. Nick surprend son regard oblique vers la flamme vacillante de la bougie.

« J'ai les yeux larmoyants en fin de journée, explique-t-il. Avec les bougies, c'est plus facile.

— Quand est-ce que tu es sorti pour la dernière fois ?

— Oh, ce matin. C'est le matin que j'ai le plus d'énergie, donc je sors généralement faire un tour.

— Tant mieux. Un peu d'air frais ne peut pas te faire de mal.

— Nell, dit Nick en poussant sur ses mains pour se redresser. Il y a des moments où tout fait mal. Je ne peux pas t'expliquer. Ce n'est pas une douleur précise. Plutôt une sensation globable de… eh bien, de souffrance, j'imagine. Et avec elle vient la fatigue. Je pourrais dormir des jours entiers. Il faut que je me force à me lever, pour Ali et pour Grace.

— Il y a des moments de mieux ?

— Oh, oui. Parfois, je me sens bien pendant des semaines. Marrant, non ? Qu'un type comme moi aille choper ce qu'on a appelé la maladie du yuppie[1]. Parmi tant d'autres. »

Nell prend une profonde inspiration, gonfle les joues, expire.

« Dis-moi, Nick, s'il te plaît, je préfère le savoir dès maintenant : est-ce que tu prends quelque chose ? Et Ali ?

— Je savais que tu penserais ça. Je l'ai su à la seconde où Ali m'a dit que tu étais là.

— Donc ? »

1. *Yuppie disease* : expression utilisée pour désigner le syndrome de fatigue chronique.

Laborieusement, Nick se redresse un peu plus. Il secoue la tête.

« Non. Enfin, pas grand-chose en tout cas. Un peu d'herbe. On la fait pousser nous-mêmes dans le jardin, précise-t-il non sans fierté.

— Et quoi d'autre ? »

Nell pense aux jambes tressautantes d'Ali, à ses propos décousus, à ses gestes incohérents. Ça pourrait être le speed – ou ça pourrait juste être Ali. Sa fille n'a jamais été quelqu'un de calme, de posé. Elle a toujours été en quête d'une réalité plus intense, ou au contraire plus ouatée.

En ouvrant les yeux dans son lit à Paris, Nell a souvent imaginé le réveil simultané de sa fille dans telle ou telle caravane stationnée dans tel ou tel village. Ses yeux clignant dans la lumière d'un jour nouveau, puis s'écarquillant d'horreur. *La réalité !* Son bras se tendant vers quelque chose – n'importe quoi. *Sortez-moi de là au plus vite !*

Nick a détourné le regard. Nell attend.

« De temps en temps, d'autres trucs, bredouille-t-il finalement. Rien de bien méchant. Je t'en prie, ne t'inquiète pas. On ne mène pas une vie de junkies ici, si c'est ce que tu penses. »

Nell est déjà fatiguée de s'entendre dire ce qu'elle pense et ce qu'elle ne pense pas. C'est trop facile, cette façon qu'ils ont de l'utiliser pour colmater les brèches entre eux. Nick la regarde à nouveau, et ses yeux sont implorants. Il lui demande de ne pas les juger, Ali et lui, mais aucun d'entre eux ne songerait à la traiter avec les mêmes égards. Nick ne s'est jamais soucié de son opinion auparavant. Quelque chose irrite Nell, mais elle n'arrive pas à mettre le doigt dessus. Il est trop direct avec elle.

En même temps, elle voit bien qu'il est las de se battre et au bout du rouleau. Peut-être que cette nouvelle franchise est sa façon à lui d'appeler à l'aide. Il paraît vieux et ratatiné. Nell éprouve un élan de quelque chose dont elle n'aurait jamais songé à associer le nom avec celui de Nick : la compassion. Il n'est pas le genre d'homme à inspirer de la compassion ; jusqu'ici, il a montré trop peu de lui-même pour le justifier.

« Quel genre de trucs ? insiste-t-elle avant qu'il ne rentre à nouveau dans sa coquille.

— Elle fait quelques mélanges. Je suppose que tu as entendu parler de l'autre nuit. Chez Paudie ?

— Oui. C'est pour ça que je suis là.

— C'était juste… On a essayé ce champignon. Ali a fait un mauvais trip.

— Je vois. Et cette histoire de fusil ?

— De quoi ? » Nick regarde par-dessus l'épaule de Nell en fronçant les sourcils d'un air perplexe, comme s'il tentait de se remémorer un détail anodin. « Là, je ne peux pas t'aider », dit-il finalement. Puis : « Nell, je ne suis pas fier de te raconter tout ça. »

Tout *quoi* exactement ? songe Nell. Il ne fait que confirmer ce qu'il sait qu'elle sait déjà. En l'enrobant de façon à avoir l'air coopératif. La compassion s'évanouit en un clin d'œil ; elle pourrait le frapper. Elle serre le poing sur la satinette poussiéreuse de l'édredon hors d'âge qui couvre le lit.

« Non, je ne pense pas qu'il y ait de quoi être fier », dit-elle.

Le ton pincé de sa propre voix lui fait horreur. Elle leur en veut du plaisir qu'ils semblent prendre à l'enfermer dans ce rôle. La duègne de Paris, drapée dans son indignation. Nom d'un chien, Nick est un homme de trente-cinq ans. Nell décide de ne pas se laisser avoir par ses bonnes vieilles manœuvres de diversion. Et leur santé ? Et leur avenir ? Et leurs responsabilités – et Grace ? Elle sent qu'il attend, mais elle laisse le silence s'attarder dans la pièce.

« Tu as déjà fait la connaissance d'Adam ? demande finalement Nick, dont le visage s'éclaire à ce nom.

— Nan. » Voilà qui est un peu dur.

« Il va te plaire. Il a été… En fait, ce type est une bénédiction pour Ali et moi.

— Vraiment ? » Trop dur.

« Tu le croiseras peut-être un peu plus tard. Il passe généralement dire bonsoir, voir si on a besoin de quelque chose. »

De champignons magiques ? pense Nell. Et pourtant, Nick a paru sincèrement heureux, si ce n'est soulagé, de la voir. Elle décide de l'absoudre pour le moment. Elle est entrée dans cette chambre trop chargée de bagages – des bagages qu'elle se sait pressée de jeter aux pieds de n'importe qui d'autre qu'Ali.

« Ne sois pas trop dure avec nous, Nell. Je t'ai toujours vue comme quelqu'un de très raisonnable.

— Ah oui ? » Petite grimace. « En même temps, pour quelqu'un qui a des intentions raisonnables, je peux me comporter de façon totalement déraisonnable.

— Le fait de ne jamais être rentrée ? »

Nell hoche la tête. La question silencieuse de Nick flotte dans les airs.

« Je ne sais pas, Nick. Il y a plein de raisons. Et aucune. Tu sais que j'ai déjà essayé d'expliquer à Ali. Mais il n'y a rien de *raisonnable* dans ce qu'on éprouve pour l'endroit d'où l'on vient, si ? J'ai juste attendu trop longtemps et c'est devenu cet énorme voyage que je ne pouvais plus entreprendre. Je crois que chacun a besoin d'inventer une version de lui-même avec laquelle il peut vivre. Pour moi, c'était ailleurs.

— Pour moi aussi, fait-il doucement.

— Nick… »

Nell est interrompue par un grattement à la porte.

« Ça doit être un des chats.

— *Un des ?* Vous en avez combien ?

— Personne ne sait au juste. Sauf Grace. Elle collectionne les portées. On retrouve des chatons partout. Au grenier, dans les toilettes hommes du pub. Pendant des semaines, elle a insisté pour nettoyer ces toilettes tous les matins avant d'aller à l'école. Aucun client n'a eu le courage de nous dire qu'il y avait toute une tribu de chats là-dedans. »

Nell imite le sourire attendri de Nick, secoue légèrement la tête d'un air extasié. Une portée de chatons. Dans les toilettes hommes. Adorable. Et Grace qui récure tout ça chaque matin. Nell sait à quoi ressemblent ces toilettes le matin. Et ce n'est pas joli-joli. Pas très sain. Pas très Weetabix.

« Je ferais mieux de te laisser te reposer, dit-elle brusquement en se levant.

— Nell, tout va bien, vraiment. Essaie de ne pas trop t'en faire.

— Je ne trouve pas qu'Ali ait l'air si bien que ça, Nick.

— Elle est fatiguée – quoi de plus normal, avec moi dans cet état. Et puis, elle veut à tout prix faire marcher le pub. Je veux dire, en faire un endroit vraiment spécial, où les gens viendraient de loin. C'est son rêve, tu sais.

— Je ne comprends vraiment pas pourquoi, Nick. Mais chacun son truc. » Nell ouvre la porte et un chat tacheté couvert de croûtes se glisse à l'intérieur. Par-dessus son épaule, elle ajoute : « S'il ne tenait qu'à moi, je démolirais cet endroit pierre après pierre. »

« Adam est arrivé. Il s'occupe du pub », dit Ali d'un ton joyeux.

Elle s'affaire autour du fourneau, manches retroussées. Nell en profite pour faire une rapide vérification. Pas de traces de piqûre. Gros soulagement.

« Je peux t'ai... faire quelque chose ? » demande-t-elle.

Ali jette de la margarine dans une casserole de patates bouillies, ajoute du lait et écrase le tout frénétiquement.

« J'ai les choses bien en main. Je rajouterai le chou et le bacon vers la fin. Qu'est-ce que tu en dis ? Chou et bacon pour ton premier soir ? »

Ali se retourne, presse-purée en l'air, grand sourire éclairant sur son visage émacié.

« Formidable.

— Assieds-toi. Détends-toi. »

Nell s'assied. Grace s'approche furtivement et, en remuant le popotin à la manière d'un canard, se hisse sur les genoux de sa grand-mère. Elles jouent avec sa Barbie un moment. Grace fait semblant d'être absorbée par le jeu, mais a en permanence un regard en coin braqué sur Ali. Ses yeux sont avides de sa mère.

« Grace, va demander à Adam de te donner du vin pour Nan. Dis-lui une des bonnes bouteilles miniatures – la plus chère. Et pendant que tu y es, rapporte un Power's pour moi.

— En fait, dit Nell, je boirais bien un café.

— Le café est mauvais pour la santé, la gourmande Grace en quittant ses genoux. Les amphétamines aussi. »

Nell se demande à quoi ressemble l'enfer, si ceci est le purgatoire.

Le repas est infect. Le bacon est aqueux et luisant de graisse, le chou n'a plus ni couleur ni saveur, les pommes de terre empestent la margarine bas de gamme. Mais Ali observe avec satisfaction chaque bouchée qu'avale sa mère, exploit auquel celle-ci parvient en inondant la nourriture d'un médiocre cabernet sauvignon – lequel lui paraît moins médiocre et insipide de seconde en seconde. Ali sirote son whisky tout en picorant.

À plusieurs reprises, le rideau a légèrement bougé et Nell a cru qu'elle allait voir surgir le providentiel Adam, mais, pour l'instant, il ne s'est pas montré. Elle a juste entendu une voix grave et profonde, assourdie par le rideau, qui était peut-être la sienne.

Quand elles ont terminé, Ali bondit sur ses jambes et vide leurs assiettes – celle de Nell est couverte de petits tas de gras bien nets – dans des écuelles métalliques. Pour les chats, explique-t-elle. Puis les assiettes rejoignent la haute pile déjà entassée dans l'évier.

« Laisse-moi m'en occuper, dit Nell.

— Pas la peine, fait Ali, tout sourire. Je les laverai toutes à la fois. Demain matin. Parle-nous. Raconte-nous ce que tu deviens. Où est-ce que tu es allée cette année ? Non, attends ! On va s'installer dans le boudoir. Grace, tu nous apportes un seau de charbon, mon chou ? »

Voilà bien longtemps que Nell n'avait pas entendu le mot « boudoir ». C'est ainsi que sa mère appelait la petite pièce à une fenêtre qui jouxte la cuisine. Elle y entre à la suite d'Ali et est soulagée de constater que cet endroit-là, au moins, a l'air habitable. Les murs ont été repeints en blanc – et assez récemment. Le vieux tapis d'Axminster a été ôté, le parquet poncé et ciré. Des tableaux et des photos sont accrochés sur le pan de mur qui surplombe le poêle en fonte noir d'origine. Le rebord de la fenêtre est couvert de bougies et de bâtonnets d'encens. Ali les allume tous et démarre un feu de petit bois en attendant le charbon de Grace. Des courtepointes en patchwork et des carrés de crochet multicolores sont disposés sur le canapé et les deux fauteuils. Une commode trapue fait office de table basse.

« C'est agréable ici », dit Nell.

Ali regarde fièrement autour d'elle. Son visage baigne dans la lueur mouvante des bougies, qui donne une teinte rosée à sa pâleur cireuse et anime ses traits anguleux. Nell ne se l'avoue pas facilement, mais elle a souvent regretté que sa fille ne soit pas plus séduisante ou, en tout cas, ne se mette pas davantage en valeur. Elle n'a jamais vu Ali avec le moindre soupçon de maquillage. C'étaient toujours les jolies copines de l'école qui soulignaient leurs yeux ou faisaient ressortir la forme harmonieuse de leurs lèvres. Ali fuyait les embellissements, comme si elle voyait déjà des sourcils dédaigneux, ou entendait un chœur silencieux : *Et quand elle se maquille...* Reste que, comme pour obéir à des règles propres, elle avait toujours les cheveux brillants et soyeux et le sourire étincelant. Une beauté naturelle. Réponse de la fille ordinaire aux frivoles artifices de la jolie fille. Ou peut-être pied de nez de la fille ordinaire à sa jolie maman. Les années d'errance, cela dit, avaient mis fin aux beaux cheveux et aux dents blanches.

« Tu vois ? lui dit Ali, interrompant le fil de ses pensées. On ne s'en sort pas si mal que ça. On finira par refaire toute la maison. Mais, pour le moment, il faut s'en tenir à une pièce à la fois. Je suis trop impatiente parfois. Ça ne fait que deux ans qu'on est là et la première année a été un peu, euh, déstabilisante pour nous. Je ne le pensais pas vraiment, tout à l'heure, quand j'ai dit que je foutais tout en l'air. La vérité, c'est que j'ai une entreprise à gérer en plus du reste. »

Une entreprise. La fierté qu'elle perçoit dans la voix de sa fille prend Nell à la gorge. Donc voilà ce que c'est pour Ali – du sérieux. Au lieu de : Qu'est-ce que vous faites dans la vie ? Oh, je me shoote à l'héro, je prends du speed, ce qui me tombe sous la main – c'est maintenant : Moi ? Je fais du business, chef d'entreprise, en fait.

Nell sent une bonne partie de ses appréhensions, de sa méfiance et de ses soupçons retomber. Elle est arrivée armée de scepticisme. Depuis qu'elle est entrée par la porte de derrière, elle n'a pu s'empêcher de douter de tout ce que disaient Ali ou Nick. Dans son anxiété, elle a envisagé toutes les possibilités, sauf celle qu'ils puissent aller plutôt bien en effet, malgré les luttes quotidiennes de l'existence. Ali touche encore à des substances illicites de temps à autre, mais ce n'est pas de l'héroïne et ce n'est pas tous les jours. Nick est souffrant, mais, de son propre aveu, il lui arrive de se sentir bien pendant des semaines. Ils sont tous trop maigres, mais l'épouvantable cuisine d'Ali suffit peut-être à l'expliquer. La maison est un vrai bourbier, mais, à vrai dire, la crasse ne les a jamais dérangés. Et il y a une entreprise à gérer.

Nell se promet de ne plus préjuger de rien. Elle acceptera tout ce qu'ils lui disent ou choisissent de lui raconter, à moins que, et jusqu'à ce que, leurs paroles se révèlent mensongères. Elle se promet de continuer à se faire cette promesse alors même qu'elle y manque. Elle ne peut pas plus pour l'instant.

« Demain, il faut que tu me montres le pub, dit-elle. Les changements que tu as faits.

— Il n'y en a pas tant que ça, répond fièrement Ali. C'était l'idée, tu vois : le garder comme il était du temps de Granny.

— Mais Hannah…

— Oh, oui, elle l'a géré à sa manière après la mort de Granny. Dans l'ensemble, je ne suis pas fan de ce qu'elle a fait. Mais à sa décharge, elle n'a jamais eu envie de reprendre cet endroit. Elle avait l'impression qu'on la percevait juste comme la sœur d'Agnes. Tu sais, une pâle doublure.

— Mais elle n'était pas obligée de reprendre. Elle aurait pu rentrer à Galway après l'enterrement.

— Elle savait que tu vendrais.

— Elle avait raison.

— Et elle était d'accord pour tenir jusqu'à ce que je me sente prête.

— Tu veux dire que vous en avez parlé ? Quand ?

— Après l'enterrement de Granny. Ici, dans cette pièce, à vrai dire. On avait ramené les gens pour leur offrir un coup à boire et des sandwichs. Tout le monde parlait de ce qui allait arriver au pub. Les gens se doutaient bien que tu n'étais pas intéressée.

— Quand Hannah m'a appelée pour m'annoncer qu'elle resterait quelque temps, elle n'a rien dit sur le fait que c'était une solution provisoire en t'attendant. Juste qu'elle n'avait rien de spécial à faire à Galway et que ça lui permettrait de passer le temps.

— C'est moi qui lui avais demandé de dire ça.

— Pourquoi ? Pourquoi, Ali ? »

Ali sourit rêveusement à la flambée de petit bois.

« Parce que je pensais que tu ne me prendrais pas au sérieux. Ce n'était pas un caprice, tu sais. Là : j'ai réussi à te surprendre.

— En effet. Et tu as raison, je n'aurais pas compris à quel point tout ça comptait pour toi. Nick essayait de me l'expliquer à l'instant.

— Nell... » Ali s'interrompt. Accroupie sur le sol, elle referme les portes en verre du petit poêle. Son dos est raide comme un piquet. « Je ne sais pas si tu te souviens, mais on n'était pas franchement en bons termes après la mort de Granny. »

Silence. Nell observe le profil de sa fille. Dans la lumière chaude et rougeoyante qui emplit la pièce, il y a entre elles une intimité qu'elle répugne à détruire en évoquant ce temps-là. Pendant des années, elles ont réussi à éviter d'en parler, Nell s'empressant de parer les piques occasionnelles que lui lançait Ali. Toutes deux savaient bien qu'un jour, il faudrait en passer par là. Disséquer ce fichu épisode et étaler ses viscères visqueux entre elles sur la table. Mais toutes deux redoutaient ce qui en résulterait.

« Hannah a essayé de moderniser, dit maintenant Ali – manière de signifier que leur trêve silencieuse tiendra encore quelque temps. Trop de gadgets – même une de ces fichues machines à sous, bon sang. Je l'ai dégagée le premier jour. Et elle ne faisait ni soupe ni sandwichs, ce qui était une grave erreur, donc je dois reconstruire tout l'aspect restauration. Mais ça progresse.

— Impressionnant. Et d'où... Enfin, tu sais, qui... ?

— Ma base de clientèle, tu veux dire ? »

Ma base de clientèle. Miracle.

« Oui. C'est exactement ce que je veux dire. Du temps de Mammy, il n'y avait que quelques habitués qui commandaient à manger.

— Ah ah ! Tout est là, vois-tu. C'est là que j'ai repéré un potentiel. Les gens se sont mis à fréquenter la grève en bas du chemin. Oui, au lieu de la plage de sable plus loin. C'est plus tranquille. Plus abrité du vent, avec les promontoires des deux côtés. Ils descendent en voiture, se garent quasiment dans le fossé et puis, vers midi, ils remontent boire un verre. Ensuite, ils se disent qu'ils feraient aussi bien de manger un morceau et de nourrir les gamins, tant qu'ils y sont. Je songe à proposer des frites. Du *fish and chips*, peut-être.

— Il va falloir t'équiper, risque Nell.

— Je *sais*.

— À ton avis, où est-ce que Grace est partie chercher ce charbon ?

— Oh, elle a dû s'arrêter au pub pour embêter Adam. Elle est folle de lui. » Ali sourit et s'allonge langoureusement dans une posture de yoga. « Je crois bien que c'est son premier béguin, tu sais. Elle devient toute flagada quand il est là. Surtout, ne lui dis rien ou elle t'arrachera les yeux. Elle est très susceptible quand il s'agit de lui. »

Soudain, Ali se tourne vers la porte d'un air coupable. Grace est là, son seau de charbon à la main, et foudroie sa mère du regard. Elle pose le seau bruyamment juste à l'entrée de la pièce et s'en va en martelant le sol des pieds. Ali adresse une grimace à Nell, puis, à l'aide d'une pelle, ajoute le charbon dans le poêle.

« Viens, on va faire ta chambre. »

À l'étage, Ali s'arrête pour parler à Nick à voix basse. Nell poursuit l'ascension en empruntant un escalier secondaire qui mène à un petit palier avec deux portes. L'une conduit au grenier par une volée de marches à claire-voie particulièrement raide, l'autre donne sur l'ancienne chambre de sa mère. Nell reste devant un moment, main sur la poignée noire d'origine. Elle veut être à l'intérieur, bien en place, quand Ali la rejoindra. Elle inspire un grand coup et ouvre la porte.

Le plafonnier est allumé et éclaire la pièce d'une lueur rose surréelle à travers l'abat-jour en satin frangé. Ali a déjà monté les bagages de Nell et, Dieu merci, ouvert la fenêtre à guillotine, mais l'atmosphère reste poussiéreuse et oppressante. Des draps et des couvertures pliés sont soigneusement empilés sur le matelas en crin de cheval. Près de la fenêtre, une coiffeuse des années cinquante en chêne foncé avec un miroir en triptyque, le panneau central plus grand que les deux autres, et un coffre-tabouret tendu de faux velours et orné de pompons. Nell sait qu'il s'ouvre pour servir de rangement. Il y a aussi une commode assortie dans un coin, une cheminée en fonte condamnée face au lit et une armoire des années cinquante qui a perdu l'une de ses poignées torsadées. Le vieux tapis à fleurs a été ôté, mais le parquet qu'il couvrait est en piteux état. Pour le reste, la pièce est telle que dans son souvenir. Telle qu'elle l'a vue pour la dernière fois. Elle observe le lit avec inquiétude.

Ali est entrée sans bruit.

« D'après Hannah, dit-elle doucement en regardant également le lit, elle ne t'a pas réclamée à la fin. Je ne dis pas ça pour te faire de la peine, si c'est ce que tu penses.

— Ali, s'il te plaît, cesse d'essayer de deviner ce que je pense.

— Pourquoi ? Tu le fais sans arrêt avec moi. »

L'œil d'Ali brille d'une lueur malicieuse. D'un hochement de tête ironique, Nell concède qu'elle n'a pas tort. Elles tentent de soulever le matelas, mais l'une des poignées se déchire.

« Écoute, dit Ali, on va le redresser contre le mur et je le retournerai à partir de là. »

Un film de sueur couvre sa lèvre supérieure. Elle se met à pousser sur le bas du matelas tandis que Nell soulève le haut et, en grognant et sifflant entre leurs dents, elles parviennent à le dresser presque verticalement contre le mur. Ali grimpe sur le cadre en bois face à sa mère.

« OK, halète-t-elle. À trois, on le retourne. Une, deux, trois ! »

Elles soulèvent une dernière fois, puis tirent vers le bas de toutes leurs forces. Le matelas s'écrase dans un tourbillon de poussière et Nell s'étale en même temps sur le sol. En roulant pour soulager ses fesses endolories, elle entend son pantalon noir se déchirer sur une tête de clou émoussée qui dépasse du plancher. Elle ouvre la bouche pour crier de surprise ou de douleur, mais éclate de rire à la place. Pendant un moment, elle se balance d'avant en arrière en se tenant les chevilles, secouée par d'irrépressibles hoquets de gaieté.

« Mince, Nell, souffle Ali, qui tente désespérément de contenir son propre rire. Ça va ? »

Elle aide sa mère à se relever.

« Bien, bien. » Nell jette un coup d'œil contrit par-dessus son épaule. « J'ai déchiré mon pantalon. Et je me suis cassé un ongle. Pour le reste, je survivrai.

— Tu vas finir le séjour avec la même dégaine que nous, glousse Ali.

— Tu pourrais peut-être me dégoter une salopette en rab ?

— Tu parles sérieusement ?
— Non.
— Elles n'existent pas en noir, de toute façon. »

Elles font le lit en silence et avec bonne humeur. Les draps sont bien frais, les couvertures douces et pas trop usées. Ali a couvert le matelas d'une housse propre et matelassée. Nell relève la tête et surprend le regard de sa fille sur elle.

« Tu es belle, dit Ali timidement.
— Vraiment ? Merci, chérie.
— J'aime bien cette couleur. Elle est plus subtile, je trouve.
— Sans doute les cheveux gris supplémentaires. Je n'ai plus besoin de faire autant de mèches. »

Leurs doigts se frôlent tandis qu'elles tirent le couvre-lit vers le haut. Un picotement parcourt l'échine de Nell.

« Là. » Ali se redresse et balaie la pièce du regard pour voir s'il manque quelque chose. « J'irai te cueillir des fleurs dans le jardin demain. Je les ai plantées à notre arrivée ici. Tu n'imagines pas ce qu'on a eu toute l'année.
— C'est aussi bien que tu le pensais ? Tu es heureuse ici, Ali ?
— Oh, oui. J'ai trouvé mon chez-moi. »

Nell regarde sa fille. Impossible de douter de sa sincérité : ses yeux gris brillent de conviction.

« C'est drôle, dit-elle en faisant des jeux de doigts. Je me suis toujours sentie étrangère ici.
— Oui. Je sais.
— Ah bon ? Je te l'ai dit ? Je ne me rappelle pas l'avoir pensé avant.
— Ce n'est pas toi qui me l'as dit. C'est Granny. Elle savait ce que tu ressentais. »

Avant que Nell ait eu le temps de poser d'autres questions, Ali lui décoche un sourire ravageur et quitte la chambre pour la laisser prendre ses aises, comme elle dit. Le sourire flotte dans la pièce quelque temps à la manière d'un arôme et rappelle à Nell l'enfant qu'Ali a été. La petite fille qui se jetait dans ses bras dans la cour de récré quand l'école était terminée. Ali avait alors une tête bouclée, des yeux pétillants et animés et une petite constellation de taches de rousseur sur l'arête du nez. Nell la regardait pendant de longues minutes avant de se montrer. Même à cette époque, quelque chose faisait d'elle une enfant à part. Une enfant sérieuse, à l'expression distraite, avec un petit pli soucieux sur le front. Elle avait constamment l'air de quelqu'un qui a oublié quelque chose et qui, malgré tous ses efforts, ne parvient pas à se rappeler quoi. Un corps mince, vibrant d'énergie refoulée, laquelle se manifestait par cette manie d'enrouler une boucle de cheveux autour de son index à l'ongle rongé ; des jambes osseuses qui gigotaient constamment.

Et puis ce sourire. Son visage tout entier éclairé quand elle courait vers Nell. On aurait dit qu'une lumière descendait sur elle. Cette sensation de plénitude, comme si une partie d'elle-même lui était rendue, quand Nell recevait le petit corps anxieux dans ses bras et le sentait s'apaiser, se détendre – une immobilité rare, qui s'évanouissait dès qu'Ali avait de nouveau les pieds par terre. Elles marchaient en silence quelque temps, se contentant de balancer les bras. En tout point semblables à deux sœurs aimantes. Et Nell observait le visage des autres mères, consciente qu'elles devaient éprouver la même chose pour leurs enfants, mais se demandant comment c'était possible. Comment pouvait-il y avoir du mal en ce monde s'il y avait tant de bonté, tant de joie, chaque jour que Dieu fait, dans une simple cour de récréation ? En regardant le visage pâle d'Ali levé vers elle, il y avait des moments où Nell aurait juré qu'elle réinventait l'amour.

Elle soupire et s'assied sur le lit. Ce n'est pas une perspective qui la réjouit, dormir dans ce lit. Un lit dont la dernière occupante a été sa mère. Elle compose le numéro d'Henri sur son portable, puis annule l'appel. Trop de choses se bousculent dans sa tête pour qu'elle lui parle maintenant. Demain matin, quand elle aura fait un tour dehors, quand elle se sera attaquée à cette affreuse cuisine, quand elle sera en mouvement, tendue vers un objectif clair, elle pourra feindre la gaieté. Feindre un certain contentement d'être – enfin – de retour chez elle.

Déjà, elle planifie les jours à venir. Elle commencera par la cuisine. C'est ce qui devrait lui prendre le plus de temps. Elle sent déjà ses mains qui récurent et cette perspective emplit sa bouche de salive.

Ensuite, elle passera à Grace. À ses piqûres de puces, la pauvre petite. Quant à ses cheveux, nul doute qu'ils abritent toute une ménagerie. Chaque fois que Grace lui rend visite, Nell passe les premiers jours à l'épouiller, ce qui suscite chez Ali une irritation mêlée d'amusement. Puces, crasse, poux : aux yeux d'Ali, ce sont là des choses naturelles. Il y a des fléaux tellement plus graves en ce monde. Nell est bien obligée d'en convenir, mais en son for intérieur, elle est certaine que ces fléaux pourraient être combattus plus efficacement avec un cuir chevelu et une peau nets.

Le pub peut rester de leur ressort. Nell n'a pas l'intention d'y toucher. Mais la véranda… Non, pense-t-elle, s'arrêtant net. Elle ne fera rien de tout cela. Elle n'oubliera pas qu'elle n'est qu'une invitée dans la maison de sa fille. Si on lui demande de l'aide, c'est une autre affaire. Les poux ? Oui, il faudra qu'elle s'en occupe. Grands dieux oui. Mais pas tout de suite. Elle doit agir si discrètement qu'Ali ne le remarquera que du coin de l'œil.

La porte est entrouverte et un parfum suave, boisé, entêtant s'insinue dans la pièce. Nick qui fume un joint dans leur chambre. Nell ferme les yeux. Non, même pas les poux. Non, non et non. Elle ne s'immiscera pas dans leur vie. D'aucune manière et en aucune façon. Elle se contentera de défaire ses bagages.

Elle s'apprête à ouvrir le premier tiroir de la commode quand l'idée la traverse qu'il contient peut-être encore les affaires d'Agnes. Elle préférerait ne pas les voir, du moins pour le moment, mais il faut bien qu'elle range ses propres vêtements quelque part. Et, au bout du compte, le tiroir est vide. Pas seulement vide, mais tapissé de papier imprégné d'une senteur florale. De nouveau, elle a la curieuse impression qu'Ali l'attendait. Ou attendait quelqu'un. Les quatre autres tiroirs sont également vides et tapissés du même papier.

Elle commence à y ranger ses vêtements. Dans le tiroir du bas, le papier présente un léger renflement ; un petit objet cylindrique est resté coincé dessous. Nell soulève le papier et extrait du tiroir un tube de rouge à lèvres. « Amande givrée ». La couleur d'Agnes. Elle garde l'objet en main un moment, se remémorant ces bons vieux tubes bleu marine commodément dispersés un peu partout dans le pub, la cuisine, la salle de bains du premier. Même avec des bigoudis, une résille sur la tête et une épaisse couche de crème Pond's sur le visage, sa mère portait toujours son rouge à lèvres rose encadrant une cigarette de marque Afton Major. Nell ouvre le tube, tourne pour faire apparaître le bâton et, aussitôt, plaque une main sur sa bouche.

De même qu'une mère connaît tous les secrets dont son enfant adulte ne peut se souvenir, son bâton de rouge à lèvres confirme son emprise. Dans la main de Nell – elle qui a roulé sa bosse, vécu loin d'ici, cru se transformer en quelqu'un d'entièrement nouveau – gît la preuve qu'elle n'a, tout compte fait, pas parcouru tant de chemin que cela. Le bâton rose présente exactement la même découpe incurvée qu'une dizaine d'autres rouges à lèvres éparpillés dans son appartement de Paris : intact en bas, creusé et usé au centre, là où il glissait sur la lèvre inférieure, puis de nouveau renflé en haut, avec une extrémité pointue qui servait à souligner l'arc. C'est exactement ainsi que Nell applique le sien.

Elle plonge la main dans son sac et en sort un tube doré à cannelures. Fait apparaître le bâton de rouge, puis le tient à côté de celui de sa mère pour avoir confirmation. Identiques. Rigoureusement. Elle hésite une seconde, puis fourre le rouge d'Agnes dans une poche intérieure de son sac.

Dehors, le ciel a la couleur de contusions qui s'estompent. Il fait jour ici beaucoup plus tard qu'à Paris. Les souvenirs de sa mère ont fait jaillir en elle une vague de mélancolie. Son appartement, Henri, Lulu lui manquent cruellement. Pendant un instant, elle a la déconcertante impression qu'elle a atteint la fin d'un film et se retrouve seule dans la salle à regarder le générique.

Des tipules viennent heurter les carreaux de la fenêtre. Le rebord extérieur fourmille d'insectes tombés. Nell observe leurs zigzags morbides de l'autre côté de la vitre. On dirait qu'ils font la queue pour mourir.

Un mouvement dans l'arrière-cour attire son attention : un homme grand et mince est en train de faire rouler un tonneau de bière sur le sol. Il s'arrête, comme subitement conscient de son regard, et lève les yeux vers la fenêtre. Pendant quelques secondes, il reste immobile, le visage dans l'ombre. Nell glane deux ou trois détails de son apparence. Cheveux sombres, peut-être bouclés, mâchoire anguleuse. Elle croit apercevoir un sourire sur ses lèvres, des dents qui brillent. Une main se lève avec désinvolture, puis retombe. Il a pris acte de sa présence. Il se retourne et fait rouler le tonneau à l'intérieur de la maison.

Il n'y a aucune explication rationnelle – l'attitude de l'homme n'avait rien de menaçant ni de provocateur –, mais à la seconde où il s'est tourné vers elle et l'a fixée avec des yeux qu'elle ne pouvait voir, une féroce bouffée de chaleur a envahi le corps et le visage de Nell ; un malaise s'est emparé de sa nuque. Bien qu'il ait disparu depuis longtemps, elle continue à fixer l'endroit où il se tenait. Adam. Son cerveau travaille à construire les parties de lui qui sont restées dans l'ombre. Ainsi, lorsqu'elle le rencontrera en pleine lumière, elle sera prête à l'affronter.

Un cri poussé par Grace au rez-de-chaussée catapulte ce moment dans l'avenir. Nell se fige. Elle penche la tête sur le côté, tendant l'oreille. C'était peut-être une chute. Quelques secondes de silence s'écoulent. Puis : « Non, non, non ! » Un autre cri lui parvient très distinctement. « Je veux pas ! »

Nell traverse la pièce en quelques enjambées ; la porte se referme derrière elle.

4

« Le Seigneur est mon pasteur, je n'ai de rien faute. Il me fait coucher en pâturages herbeux et me mène auprès d'eaux... » Ali s'interrompt brusquement. « Allez, Gracie, arrête de gigoter. Qu'est-ce qui vient ensuite ? Il recrée mon quoi ?

— Je ne sais pas et je m'en fiche. »

Grace remue sur sa chaise. Sa voix est maussade, mais pas aussi stridente que celle qui a fait bondir Nell hors de sa chambre.

Debout en haut des marches, elle retient son souffle, heureuse de ne pas avoir déboulé comme une folle dans ce qui n'est, à l'évidence, qu'une leçon de psaumes. Mais des psaumes à l'âge de Grace ? Puisque l'année de sa communion approche, calcule Nell rapidement, des *Ave* et des *Gloire au père* ne seraient-ils pas plus appropriés ? Et ce langage archaïsant – il y a peut-être là une sorte de jeu postmoderne, de blague anachronique, un côté religion rétro qui lui échappe pour le moment. Ce retour aux sources bibliques était bien la dernière chose à laquelle elle s'attendait. Elle s'assied doucement sur la dernière marche en prenant soin de ne pas la faire grincer – un exploit dans cet escalier – et cale ses mains sous ses fesses, paumes vers le bas. C'est un canular, décide-t-elle. Une blague de bienvenue à la façon d'Ali.

« Il recrée mon âme, me conduisant par les sentiers de justice, pour l'amour de son nom. Que, quand bien je cheminerais par une noire et mortelle... ?

— Mama, Nan vient d'arriver. On ne peut pas laisser tomber pour ce soir ? »

À cet instant, en dépit des efforts de Nell, un grincement trahit distinctement sa présence. Vite, elle descend quelques marches et sourit d'un air décontracté par-dessus la rampe.

« Me voici justement de retour, dit-elle. C'est une chanson ?

— Non, fait Ali en lui jetant un coup d'œil. C'est un psaume.

— Je sais. Mais je me disais que Grace l'apprenait peut-être comme une chanson. Tu sais, *Le Sei-gneur est mon...* » Nell laisse l'hymne mourir sur ses lèvres.

« Elle l'apprend comme un psaume, dit Ali en fronçant les sourcils.

— Oh.

— Je ne craindrai aucun mal, pour ce que tu es avec moi... », reprend Ali sans regarder le texte, yeux levés vers le plafond fissuré.

Nell remarque les manuels d'irlandais qui attendent la leçon suivante. Dans un cahier d'exercices ouvert, elle reconnaît les pattes de mouche d'Ali.

« J'ai pensé que je ferais aussi bien d'apprendre en même temps que Grace, dit celle-ci en fermant le cahier.

— Tu as bien du courage. Une langue difficile, l'irlandais.

— Tu le parles, Nan ?

— *Pog mo theoin*, dit Nell en riant. Des années d'apprentissage et c'est tout ce qui me vient à l'esprit.

— Embrasse mon cul, traduit Grace en gloussant. Même Mama sait ça. »

Nell passe devant la table et va se servir un verre d'eau au robinet de l'évier. Elle sent les yeux plaintifs de Grace qui percent deux trous à la base de son crâne, implorant son aide. Elle regarde fixement par la fenêtre, un sourire au coin des lèvres.

« Et que ta verge et ta houlette me soulagent, poursuit Ali d'une voix plus âpre.

— Ta verge et ta houlette, répète Nell en gloussant. Je pensais qu'on épargnait ça aux enfants de nos jours.

— Mmm. » Ali hausse les épaules.

« Première communion l'an prochain, Grace, dit Nell, qui cherche un biais pour aborder cette affaire d'instruction religieuse. D'ailleurs, ça n'aurait pas dû être en mai ? Vu que tu as sept ans ?

— Je n'étais pas prête, *apparemment*, murmure Grace en lançant à sa mère un regard plein de fiel.

— Tu seras en blanc ?

— Je n'aurai pas beaucoup d'argent sinon.

— Si tu te plantes au milieu du pub avec des airs de petit ange, je te garantis que tu feras fortune.

— Nell ! Ne l'encourage pas, dit Ali en riant.

— C'est ce que tu as fait, Nan ? »

Grace est soudain tout ouïe.

« Ma foi oui. Et Bridget avant moi.

— Et qui a gagné le plus d'argent ?

— Moi, grâce à un petit truc de mon invention. Que je te refilerai si tu veux.

— Je veux.

— Eh bien, dit Nell en tirant une chaise pour s'asseoir, au début de la journée, tu es là à sautiller d'un pied sur l'autre avec ton aube blanche impeccable.

— Ouais. Et ?

— Et tu ne peux pas montrer que tu es là pour l'argent. Même si tout le monde sait bien que tu es là pour ça. Tu dois faire comme si c'était ta mère qui t'avait mise là pour qu'on t'admire. Et tu es fatiguée. Plus la journée avance, mon Dieu, plus tu es fatiguée. Et alors, le truc : il faut renverser quelque chose sur ton aube. Un peu de Coca devrait faire l'affaire, en plein sur ton aube immaculée. Et tu commences à la frotter. Ta belle aube, fichue. Ça te brise le cœur. Tu n'arrives pas à t'en remettre. » Nell tire une mine d'enterrement. « Tu te tournes vers ta mère : Maman, est-ce que cette tache partira un jour ?

— Génial ! fait Grace. Tu veux dire qu'ils auront tellement pitié de moi qu'ils me donneront encore plus d'argent.

— Ça a marché pour moi.

— Et Bridget, elle n'avait pas de truc ?

— Bridget n'avait pas besoin de trucs, Gracie, dit Nell en chatouillant le menton pointu de sa petite-fille.

— Bien. La leçon de racket est terminée ? lance Ali avant que Grace, enthousiaste, ne cherche à glaner auprès de sa grand-mère d'autres techniques de manipulation.

— Retour à Jésus, poil au cul ! fait Grace en partant d'un rire gras.

— Grace ! » Ali réprime un sourire et donne à sa fille une petite tape sur le genou. « Ne parle pas comme ça.

— Le saint-esprit, poil au zizi ! explose Grace.

— O.K., O.K. Fini la rigolade. Cesse de faire l'imbécile maintenant.

— Et les curés, poil au nez ! lance Nell, ravie du nouvel éclat de rire qui ponctue son blasphème.

— Nell ! Ne fais pas ça !

— Quoi ? Qu'est-ce que je fais ? » demande Nell, troublée par l'agitation d'Ali.

D'un coup, le badinage léger a fait place à une atmosphère pesante, chargée de molécules de détresse. Ali s'est levée et tremble violemment.

« Tu te moques de moi.

— De toi ? Oh, Ali, non ! Je pensais juste...

— Tu pensais juste me faire passer pour une andouille, pas vrai ? Eh bien...

— Andouille, touille, trouille ! scande Grace.

— Arrête, Grace !

— Nouille, mouille, couille ! » braille Grace en dégageant son bras de la main de sa mère.

Les molécules fusent en tous sens dans la pièce, ricochant à une telle allure que Nell en a le tournis. Le front de Grace n'est plus qu'un nœud de tension. Ses jambes osseuses battent en retraite à contrecœur. Ses yeux envoient des vagues brûlantes d'accusation silencieuse. Ce qui se joue ici est bien plus que des psaumes.

Ali suit sa fille. Nell tente de s'interposer, mais Ali la pousse sur le côté et, une fois de plus, tend le bras pour attraper Grace.

« Grace ! Continue comme ça et...

— Pou, chou, caillou, genou ! » hurle Grace, visage injecté de sang, veines saillant rageusement sur son cou tendu vers l'avant.

La scène a éclaté sans crier gare. Comme un orage électrique. Au-dessus de leurs têtes, les molécules sifflent, crépitent et se bousculent, formant une foule trop dense pour être évacuée facilement. Avant que Nell ait pu faire une nouvelle tentative pour les séparer, Ali pousse un cri et s'élance pour agripper l'épaule de Grace ; mais elle perd l'équilibre, trébuche et, au lieu d'attraper sa fille, la repousse. Grace recule en chancelant et s'effondre sur sa chaise, laquelle bascule sur le côté, la faisant tomber sur le sol. Un vilain craquement retentit lorsque son coude heurte les carreaux.

« Oh, Grace chérie. »

Ali se précipite vers son enfant – mais l'enfant se redresse, folle de rage, et repousse furieusement les caresses de sa mère.

« Ne me touche pas ! » rugit-elle. Des larmes luisent dans ses yeux, mais elle est trop hors d'elle pour les laisser couler. « Je te déteste. Je te déteste ! »

Et elle se jette sur sa mère comme un boulet de canon. Tout se passe si vite que, dans leur corps-à-corps frénétique, Nell distingue à peine les membres de l'une et de l'autre. Jusqu'au moment où une troisième paire de mains entre dans la mêlée, séparant la mère et la fille avec la froide précision d'une machette.

« Ça suffit ! » tonne une voix masculine.

Puis, sur un ton plus calme, plus apaisant, l'homme répète ces deux mots jusqu'à ce qu'un silence ahuri règne sur la cuisine, interrompu seulement par des halètements.

Ali et Grace restent à distance ; Adam se tient entre elles, une main levée de chaque côté. À voir son attitude, il est clair qu'il a l'habitude de ce genre de scène. Clair également que le dernier mot lui appartient. Et, maintenant qu'elle a eu le temps de reprendre haleine, Nell comprend sans peine d'où provient son pouvoir. Adam est tout simplement l'être le plus beau qu'elle ait jamais rencontré.

Il regarde dans sa direction et un sourire patient, énigmatique se dessine sur ses lèvres, révélant une rangée de dents ivoire parfaitement alignées. L'effet de contraste avec sa peau d'un brun chaud est saisissant, et il en a conscience. Ses yeux, à présent rivés sur Nell, sont une mosaïque de couleurs : les bruns et les verts s'y fondent comme dans un beau tweed et laissent place, autour des pupilles sombres, à un halo d'ocre mordoré. La peau tannée est lisse, légèrement huileuse sur les pommettes saillantes. Deux longs sillons courent de celles-ci aux commissures des lèvres, accentuant un sourire qui est à la fois franc et intime. Un peu trop large, sans doute, pour quelqu'un qu'elle vient juste de rencontrer. La bouche d'Adam se ferme, mais le sourire s'attarde sur ses lèvres. Comme s'il venait de regagner un rêve éveillé qu'elles auraient momentanément perturbé. Comme un homme qui occuperait deux endroits à la fois.

Ses cheveux sont mi-longs ; quelques doigts de frange balaient nonchalamment son front, le reste rebique au niveau de la nuque. Bien des femmes paieraient une fortune pour l'effet coup de soleil naturel des mèches rouge brûlé qui rehaussent sa crinière acajou. Adam est ce que tout homme aimerait contempler dans son miroir. Toute femme aussi, d'ailleurs, moyennant quelques légères altérations – un peu plus doux ici, un peu plus rond là. Si le prototype était moitié aussi séduisant, Nell comprend pourquoi Ève a tourné le dos au paradis.

Les molécules déchaînées s'apaisent, glissent le long des murs écaillés et reviennent stationner en un silence remuant au niveau de leurs chevilles. Ali et Grace restent immobiles, un peu honteuses, et évitent de se regarder. Adam fait un pas en arrière et baisse les bras.

La paix règne.

« Nell, dit-il en tendant la main. Adam. »

Accent anglais, pas « de la haute » comme celui de Nick, mais difficile d'être plus précis : il pourrait être de n'importe où au sud.

Elle lui serre la main, rapidement et pour la forme, en prenant soin de relâcher la première. La paume d'Adam est rêche et calleuse au toucher. Prudemment, elle choisit de hocher la tête sans rien dire. Elle ne sait pas comment se positionner par rapport à lui. Difficulté aggravée par la tempête qui vient d'éclater et sa propre impuissance à l'arrêter.

« Gracie. » La voix d'Ali est encore tremblante. « Au lit maintenant, chérie. S'il te plaît. Plus de discussions ce soir.

— Mais, Mama…

— Viens, dit Adam, je vais t'emmener. »

Et, malgré ses protestations, il hisse Grace sur ses épaules. À travers son long pull ample, Nell devine non pas tant des os qui bougent de façon synchrone que du mercure qui ondule et palpite sous la peau.

« Je m'en occupe », fait-elle d'une voix un peu plus cassante qu'elle n'aurait voulu. Elle tend les bras vers Grace et ajoute : « C'est mon premier soir, après tout.

— Comme vous voudrez. »

Adam hausse les épaules et enroule Grace autour de lui comme un serpent jusqu'à ce que ses pieds touchent le sol.

« Tu peux t'occuper du pub encore un moment, Adam ? » demande Ali.

Nell lui trouve le teint cendreux et l'air malade.

« Bien sûr », répond Adam.

Et il s'éloigne, comme si séparer des chats hurlants faisait partie de son boulot. Nell prend soin de ne pas le suivre des yeux de peur qu'il ne se retourne brusquement et ne remarque son regard.

Grace se dirige vers l'escalier, puis, dans un accès de remords, fait volte-face, s'élance vers sa mère et jette des bras repentants autour de son cou. Ali ravale un sanglot et étreint sa fille. Nell est interloquée par toutes ces émotions déballées ou refoulées. Elle a déjà atteint le dernier degré de l'épuisement. Est-ce donc là leur pain quotidien ? Pas étonnant qu'elles soient toutes les deux si épouvantablement maigres.

À l'étage, Grace va dire bonsoir à son père. Le nœud a disparu de son front et elle paraît plus légère, comme soulagée d'un poids de sentiments contradictoires. La voilà sortie du tunnel – purgée. Nick chuchote et fait mine de la gronder. Il a entendu la dispute. La pièce est embrumée et pleine d'une odeur suave. Des nappes de fumée de cannabis bleu pâle s'étirent d'un mur à l'autre en couches successives, changeant de forme et brouillant les contours. La lueur vaporeuse qui entoure la bougie dissout le visage de Nick dans l'ombre. Nell tente de se raccrocher à quelque chose de défini, de concret, mais en vain : ce qui surnage, comme à tant d'autres moments depuis son arrivée, c'est cette sensation de mutations tortueuses, de choses qui se transforment à mesure qu'elle les regarde. Le secret est peut-être de regarder juste à côté de l'objet pour lui faire prendre forme, telle une pâle étoile émergeant à la périphérie de la vision. Nell essaie avec Nick : elle pose les yeux légèrement à gauche de sa tête, sur l'oreiller froissé. Le brouillard qui enveloppait ses traits se dissipe et elle sent son cœur se serrer de pitié. Ce qu'elle voit sur le visage de cet homme, c'est un amour éperdu pour sa fille. Et une indubitable tristesse.

Il lui sourit de ses dents trop grandes, comme pour dire : Elles ont remis ça. Nell lui rend son sourire et remarque les joints qu'il s'est roulés pour la nuit. Elle se sent presque trop fatiguée pour dormir et décide de venir en fumer un plus tard pour être sûre de trouver le sommeil.

Grace se cramponne à son père, tête nichée dans le creux de son cou. Il lui prend les mains et les embrasse. Suit un petit échange chuchoté que Nell ne comprend pas, puis Grace bondit sur ses pieds, ramasse un des trois chats présents dans la pièce et sort prestement en faisant signe à sa grand-mère de la suivre.

Sa chambre se trouve au-dessus de celle de Nell, en haut d'un autre petit escalier. Quand Nell ouvre la porte, un chat émacié s'enfuit en frôlant ses jambes ; elle réprime un cri.

« Ça fait beaucoup de chats, Grace.

— Trop », concède cette dernière, mais sa voix manque de conviction.

Grace répète volontiers ce que disent les adultes, même quand elle n'est pas d'accord. À vrai dire, Nell a souvent considéré que l'un des problèmes entre Ali et sa fille était qu'elles voulaient toutes les deux être la maman.

La chambre, fort heureusement, a tout d'une chambre de petite fille : animaux en peluche, papier peint rose, deux ou trois poupées dans un coin. La housse de couette à l'effigie de Barbie semble passablement sale et le chaton qui sort la tête de sous le lit n'est pas du meilleur augure. Mais, au total, rien qui paraisse déplacé dans la tanière d'une enfant de sept ans. Nell se demande ce qu'elle attendait – ou redoutait – au juste. Une scène à la Dickens, peut-être.

« Désolée pour tout à l'heure, Nan », dit Grace, qui prend soin de lui tourner le dos pour enfiler son pyjama. Sa voix est aussi légère que de la farine tamisée.

« Ça ne doit pas être facile d'apprendre des psaumes, répond Nell d'une voix tout aussi aérienne en chassant discrètement deux chatons de la pièce.

— Mmm. On s'habitue.

— C'est drôle, je pensais que les choses avaient changé. À l'école, je veux dire. Je ne voulais pas me mêler de ce qui ne me regarde pas, Grace. Je suis sûre que Mama essaie juste de suivre les programmes.

— Les programmes ?

— Ce que les enfants sont censés apprendre à l'école.

— Ah, ouais. » Grace se retourne, visage neutre et dénué d'expression. Puis un soupçon de panique : « Tu vas rester longtemps, Nan ? Hein ?

— Autant de temps que tu voudras, chérie. »

Nell prend le chétif tas d'os dans ses bras. Grace la serre fort un instant, puis soulève la couette et saute dans son lit.

« Je t'aime grand comment ? demande Nell en se penchant pour l'embrasser.

— Plus grand que le big bang et tout l'univers.

— Au-delà... ?

— Au-delà du temps et de l'espace et de tout.

— Bonne nuit, mon ange. »

Nell dessine une croix de baisers : un sur le front, un sur chaque joue et un sur le menton. Ravie que Grace se souvienne toujours de leur mantra nocturne.

« Nan ? Tu crois en Dieu ? »

La question a surgi de nulle part, à la manière de Grace – elle vous assène toujours les grands problèmes sans avoir l'air d'y toucher. Nell hésite un moment et, de la main, repousse la frange brune de sa petite-fille sur le côté.

« On parlera de ça dans les jours qui viennent, d'accord ?

— D'ac. » Un silence lourd de sens. « Parce que Mama dit que non, et ça pourrait être un problème. »

Le nœud est de retour sur le front de Grace. Nell le fait disparaître en le lissant avec ses doigts.

« Je ferai attention à ce que je dis. Merci de m'avoir prévenue. »

Elle ouvre la porte pour sortir et un chaton en profite pour se glisser à l'intérieur. Dehors, elle reste un moment sur le palier, main sur la poignée, et écoute Grace parler aux chats à voix basse. Quand le silence se fait, elle redescend l'escalier.

Ali s'affaire au rez-de-chaussée, en plein rangement, comme si elle passait toutes ses soirées à faire place nette. Son embarras, après la scène de tout à l'heure, est palpable.

« Je vais devoir te laisser un moment, lance-t-elle d'une voix enjouée. Il faut que je relaie Adam.

— Je pensais finir la soirée dans ma chambre, de toute façon. J'ai apporté mon ordinateur portable. Je vais pouvoir travailler pendant mon séjour.

— Bien, bien. » Silence. « Et Gracie, ça va ? Elle dort, tu crois ?

— Elle a parlé aux chats un moment, mais elle se taisait quand je suis partie.

— C'est difficile. Je veux qu'elle s'intègre, Nell. »

Ali n'en dit pas plus pour le moment, et Nell n'essaie pas de l'y pousser.

« Je songeais à demander à Nick un de ces joints qu'il a roulés. Tu crois que ça l'ennuierait ?

— Pourquoi ça l'ennuierait ? » Premier sourire sincère d'Ali depuis que sa mère est redescendue. « On en a à gogo. C'est notre herbe à nous, tu sais. De première qualité. On pourrait se faire une petite fortune en la vendant.

— Vraiment ? » murmure Nell.

Il n'y a rien d'autre à dire, donc elle sourit et remonte l'escalier. Jamais l'image de son appartement parisien – murs blancs, cuisine tirée au cordeau et étincelante de chrome, grand lit luxueux garni d'une couette blanc crème moelleuse et d'oreillers en plume parés de broderie anglaise – ne lui a paru aussi formidablement attrayante.

Comme prévu, le joint l'abrutit, mais pas suffisamment pour lui donner confiance en ses rêves. Elle reste allongée sur le dos dans son lit, tête posée sur ses avant-bras. Elle a écouté les voix assourdies des clients du pub portées par l'air de la nuit, le cliquetis des verres qu'on empile et des interrupteurs qu'on éteint. Les pas d'Ali montant l'escalier et pénétrant dans la chambre au-dessous, le murmure bas de sa voix et de celle de Nick. Puis le silence.

Silence troublé par un bruit de bulles d'air qui gargouillent dans la tuyauterie, font tinter le métal tandis que la maison s'assoupit. Plus ou moins fort selon les moments. Et l'eau chaude qui s'agite et bouillonne dans le réservoir. Le plancher du grenier qui grince là-haut. Tic, tic, tii-iic, font les tuyaux. La maison chuchote. Une petite brise impuissante tente de faire vibrer les carreaux, abandonne la partie, s'en va, puis revient et réussit à ébranler légèrement le verre. Nell est là, dans la maison de sa mère, les oreilles pleines de sons si familiers qu'elle les avait oubliés. Si familiers qu'ils se sont intégrés à une tapisserie de souvenirs et que leur soudaine réapparition est presque brutale dans son intensité, de même que le son d'une cloche d'église peut évoquer un mariage ou une naissance : des moments singuliers compactés dans une vive sensation, si bien que les moments revécus, même fugacement, sont de loin plus puissants que les originaux. Ou de même que revoir par hasard l'écriture d'une personne décédée depuis longtemps peut faire paraître absurde, sinon douteuse, l'irrévocabilité de son départ. Quelle partie de nous appartient à l'instant présent, se demande Nell, quelle partie est teintée par tous les instants passés ?

Vers trois heures, alors qu'elle a presque sombré dans un sommeil embrumé par la marijuana, Grace entre sans bruit dans sa chambre. Au début, Nell n'est pas sûre que l'enfant soit totalement éveillée. Elle écarte drap et couvertures ; le petit fantôme se glisse dans le lit et se pelotonne contre elle, postérieur osseux blotti contre son ventre. Un bruit répété indique que Grace suce son pouce. Nell pense aux poux et, tout en se détestant de le faire, repousse ses cheveux bien haut sur l'oreiller. Puis elle se penche en avant et effleure la joue de sa petite-fille des lèvres. Le visage de Grace est spectral, éthéré dans la pénombre de la chambre.

« Grace ?

— Ouais. Et te tout », parvient à dire celle-ci sans retirer son pouce.

Elles dorment. Souffles inconsciemment réglés l'un sur l'autre.

Au matin, quand Nell se réveille, Grace a disparu. Elle vérifie l'heure sur son portable et appelle Henri. Il est dehors avec le régisseur du Domaine. Sa voix, par-delà la distance, est d'un calme souverain. Nell se rallonge et remue les orteils. Elle lui raconte brièvement la journée de la veille en se concentrant sur les aspects pratiques – le voyage, l'arrivée, la réaction d'Ali et de Grace. Son récit est volontairement léger et enlevé.

« Donc ça va, dit Henri – tout en devinant parfaitement, à la voix de Nell, que c'est très loin d'aller.

— Oui. Et toi ?

— Très bien. Lulu t'embrasse. »

Ils discutent un moment de choses sans importance. Le régime de Lulu : Henri soutient que la petite chienne n'est pas moitié aussi difficile que Nell le prétend. Nell l'interroge sur les projets qu'il met en place avec le régisseur. Quand ils ont épuisé les sujets sans risque, Nell presse l'appareil contre son oreille.

« Nell ? Tu es toujours là ?

— Je suis là, dit-elle en souriant. Je t'écoute juste respirer.

— Ça fait quel effet, pour de vrai ?

— Très bizarre. » Une pause. « Mais j'ai toujours su que ça le serait. »

Elle aimerait lui demander s'il a reparlé à Lucienne, aimerait qu'il aborde le sujet de lui-même, mais le silence s'éternise. Elle croit l'entendre pousser un soupir impatient.

« Bon, dit-elle.

— Écoute, il faut que j'y aille maintenant, dit Henri avec, soudain, une pointe d'irritation dans la voix. Je te rappellerai plus tard. »

Et il raccroche, interrompant le « À plus tard, alors » de Nell.

Elle s'habille, jean noir et pull en coton gris anthracite. Penche la tête en avant pour se brosser les cheveux depuis la racine. Elle imagine déjà son cuir chevelu hébergeant malgré lui un gigantesque rassemblement de poux. Elle a envie de se décrasser de la tête aux pieds, mais décide de faire d'abord un petit tour. Pourquoi aurait-elle abordé la question de Lucienne ? Elle n'a jamais demandé à Henri de la quitter. S'il revient sur sa décision, cela ne regarde que lui. Elle éprouve une colère déraisonnable, irrationnelle à son égard ; elle sait pourtant qu'à première vue, il n'a rien fait de mal. Il a bien le droit d'être un peu impatient, un peu déçu.

Des perles de condensation constellent les carreaux de la fenêtre. Dehors, les champs sont si verts qu'ils ont l'air shootés à la chlorophylle. Le ciel, haut, blanc et illimité, répand sur le paysage une lumière de technicolor. La même que dans ses rêves. Nell ferme à demi les yeux pour amortir cet assaut de couleurs.

Elle ne perçoit aucun bruit en passant devant la chambre d'Ali et de Nick. Dans la cuisine, un bol de céréales vide trône sur la table comme une accusation. Ainsi donc, Grace se lève et part à l'école seule tous les matins. Nell pose le bol sur la pile qui s'accumule dans l'évier. Encore une chose dont il faudra s'occuper plus tard. Le rideau qui sépare la cuisine du pub est ouvert et laisse passer des odeurs rances. Nell fait un pas dans sa direction, puis se ravise et sort par la véranda.

L'air vif et pur lui procure un soulagement bienvenu. Au-dessus de sa tête, le ciel est d'un blanc nacré teinté de bleu pâle. Le beau temps est parti pour durer un peu. Un rayon jaune d'or venu de l'est passe en oblique au-dessus du toit. Bien qu'elle ne soit pas chaussée pour, Nell décide de prendre à travers champs, comme elle le faisait enfant pour accéder à la mer. L'odeur du sel lui parvient sur une brise fraîche et légère qui ébouriffe les fleurs automnales d'Ali et se faufile entre les plants du petit carré de légumes situé sur la droite. Dans un coin, de hauts plants de cannabis courbent la tête derrière un écran de jonc. Les bordures de fleurs sont nettes et soignées, presque banlieusardes. À l'évidence, Ali adore son jardin et ne ménage pas sa peine pour l'entretenir. Les jolies marguerites semblent presque sourire à Nell pour lui souhaiter la bienvenue. Elle leur rend leur sourire. Bien, bien. Le jardin. Bien.

Plus loin, la végétation devient irrégulière et sauvage. Des rochers saillent dans l'herbe – autrefois les navires, hôpitaux et magasins des jeux de Nell et de Bridget. Ont-ils toujours été aussi peu élevés ? Elle avait alors l'impression que ces masses de granit les dominaient comme des falaises. Même les champs lui paraissent petits. Dans son enfance, c'étaient de vastes prairies. Combien faut-il qu'elle ait grandi pour que son passé lui semble si minuscule ?

Elle enjambe un mur de pierres sèches au bout du premier champ. En bas du champ suivant, qui descend en pente plus raide, elle aperçoit la caravane d'Adam. Une petite caravane aux angles arrondis qui a un jour été blanche. Une voiture cabossée et rouillée stationne à quelque distance, ignorant superbement sa remorque. Derrière, attaché par une longe à un pommier sauvage rabougri, se tient un poney pie. Il tourne la tête vers Nell et la regarde arriver sans grande curiosité.

Elle se dirige vers la droite : si le fossé s'interrompt toujours à cet endroit, elle pourra accéder à un chemin qui descend vers la mer parallèlement aux champs. Un mouvement dans la caravane attire son attention. Adam est en train de se laver à l'aide d'un seau d'eau. Il est nu et lui tourne le dos, le haut de ses fesses juste visible à travers la vitre. Corps mince et nerveux, peau lisse parcourue de vagues de mouvement. Une fois de plus, Nell a l'impression qu'un élément liquide, et non des os, informe chacun de ses gestes. Cette fluidité mercurielle confère une grâce désinvolte à la façon dont son bras se tend au-dessus de ses cheveux en bataille et dont la main opposée fait glisser une éponge, ou un gant roulé en boule, de son poignet jusqu'à son aisselle. Juste au-dessus du renflement des fesses, dans le creux de ses reins, une vieille cicatrice circulaire polie par le temps.

La lumière rasante du matin pénètre tant bien que mal par la vitre éclaboussée de boue et donne à un côté de son torse un relief chaud et sculptural, tandis que l'autre est comme une toile impressionniste, laissant l'œil suppléer ce qu'il sait être là. Il a à peine plus de trente ans et est si resplendissant que Nell se demande si elle a capturé le moment – moment qu'il ne saura jamais recensé – où il se tient en équilibre au sommet de sa jeunesse et de sa beauté, avant l'inévitable déclin vers l'âge et l'humiliation. Elle s'interroge sur cette cicatrice dans son dos : serait-ce l'endroit où sa queue a été sectionnée ? Seul le diable en personne peut présenter une telle perfection à cette heure de la matinée.

Non, pas le diable, songe-t-elle encore, hypnotisée, regard aussi fixe que ses pieds, lesquels refusent de bouger malgré tous ses efforts. Il y a quelque chose d'intrinsèquement, de magiquement innocent dans sa pose. Peut-être est-ce sa chevelure ébouriffée, cet air d'enfant qu'on vient d'arracher au sommeil. Ou simplement le naturel d'une personne qui ne se sait pas regardée, la vulnérabilité que cela confère à ses gestes. Alors qu'elle-même l'épie comme une voleuse. Elle doit se souvenir des mots de Paudie au téléphone, de l'avertissement qu'il a tenté de lui adresser. Autrement, elle risque de tomber dans ce piège si humain : investir la beauté physique d'une bonté morale inhérente.

Adam se tourne pour prendre une serviette et le charme se rompt. Nell poursuit son chemin rapidement, craignant qu'il ne l'ait aperçue et ne l'appelle. Elle franchit tant bien que mal les longues branches entrecroisées de deux aulnes pour accéder au chemin. Ce n'était autrefois qu'un sentier plein d'ornières, mais il est aujourd'hui couvert de gravier. Toujours aussi sinueux, mais assez large pour une voiture. Un chien aboie sans grande conviction lorsqu'elle passe devant la barrière d'une maisonnette blanche de plain-pied en bas du chemin.

Celui-ci semble s'achever en cul-de-sac au niveau d'une rangée d'arbres déchiquetés par le vent, mais un sentier serpente à travers les enchevêtrements de ronces, frayé et entretenu par des générations de pieds et de mains d'hommes. Un dais de branches de conifères masque momentanément le ciel, puis le sentier débouche à l'air libre et le ciel réapparaît, ainsi qu'une crique en forme de croissant flanquée de deux promontoires grêlés.

Ses pieds font autant de bruit que les sabots d'un cheval sur les pavés lorsqu'elle se dirige vers le bord de l'eau. À première vue, les pierres rondes et lisses sont d'un gris uniforme ; quand on les examine de plus près, on s'aperçoit que c'est loin d'être le cas. Ce n'est que l'effet pastel, adoucissant des innombrables marées. Dans l'eau, les vraies couleurs se révèlent : des lilas, des jaunes, un gris marbré de veines blanches ; de petites pierres ébène luisant de silice ; des galets bruns crayeux qui laissent de la poudre sur ses doigts. Elle sélectionne quelques pierres plates et rondes semblables à du schiste et les fait ricocher à la surface de l'eau. Elles s'exécutent aimablement – un, deux, trois rebonds – et sombrent à l'endroit où les galets s'arrêtent, laissant place, aussi loin que perce le regard, à un sable jaune et meuble.

L'air est incroyablement immobile. Jusqu'aux deux rochers noirs qui sont seuls à percer la ligne d'horizon, la mer se déploie comme une patinoire, paisible et à peine ondulée. Si limpide et placide qu'on dirait plus un lac que la formidable Atlantique. Le ciel vient à sa rencontre, plus solide en apparence que l'eau, spongieux, albescent. Il lui fait penser à de la barbe à papa ; elle s'attend presque à l'entendre grésiller là où il est léché par l'eau lisse. Des mouettes planent sur un invisible vent ascendant, égrenant leurs cris lugubres. Parfois, les rayons obliques venus de l'est accrochent leur vol et les transforment en M tournoyants de papier d'argent.

Nell inspire profondément, emplissant ses poumons de l'oxygène de l'enfance. Même son sang semble plus fluide ; il se précipite dans ses veines, comme en réaction à quelque chose de primitif qui est au-delà des mots. Autrefois, elle aimait ce lieu, cet endroit précis où elle se tient, avec une ardeur de petite fille. Son corps tout entier est comme une table de sensations qui lui répondent. Comment a-t-elle pu oublier ? Mais on n'oublie pas vraiment, se dit-elle ; on enfouit, c'est tout.

À ses pieds, les petites vagues clapotantes font le même bruit que la langue de Lulu quand elle lape son bol d'eau. Nell ôte ses chaussures et ses chaussettes, roule les jambes de son jean et entre dans l'eau. Le froid lui hérisse les cheveux sur la tête, mais c'est une sensation vivifiante. La seule chose nette et tranchée qu'elle ait connue depuis vingt-quatre heures. Sous ses yeux, la mer. Elle peut la toucher, y entrer si elle le souhaite. Demain, elle aura peut-être changé d'apparence ; elle sera peut-être agitée et couleur cendre, mais elle sera toujours la mer. Une chose à laquelle elle peut se relier. De même, Nell se demande si par quelque étrange dessein, avec les deux pieds dans l'eau, elle n'est pas reliée à tout ce qui vit dans l'Atlantique. Depuis les baleines à bosse jusqu'aux créatures sombres, grises et aveugles qui draguent les profondeurs, en passant par quelqu'un d'autre, quelque part, sur la rive d'un autre pays, pieds immergés, regard inconsciemment tourné dans sa direction.

Du coin de l'œil, elle aperçoit un homme grand et solidement bâti qui franchit en courant la crête du promontoire situé sur sa gauche. Elle sort de l'eau à reculons, remue les orteils, regarde le joggeur approcher en attendant que ses pieds sèchent. Lorsqu'il est plus visible, elle plisse les paupières. Se dit que c'est impossible, regarde une nouvelle fois. Si. Il est noir. Et, maintenant qu'elle le voit mieux, elle évalue sa taille à plus d'un mètre quatre-vingt-quinze. Son large pantalon de jogging lui arrive à mi-mollet. Sur le fond doux et nacré du ciel, qui accentue la noirceur de sa peau, sa silhouette est imposante, voire intimidante. Elle entend le crissement régulier des galets sous ses baskets. Pas facile de conserver une allure aussi constante sur ce genre de terrain.

Soudain, elle croit savoir de qui il s'agit. Ali lui a parlé d'un petit hôtel des environs que l'État a repris pour en faire un foyer de réfugiés. Des Kosovars et des Nigérians, pour la plupart. Si c'est de là que vient l'homme, et Nell n'a pas beaucoup de doutes à ce sujet, il a déjà parcouru plus de quinze kilomètres en courant. Et pas une goutte de sueur sur son front.

Il garde les yeux fixés droit sur le promontoire d'en face, comme si elle n'était pas là. Il est peut-être conscient de ce que sa forte carrure peut avoir d'alarmant pour une femme sans compagnie sur une plage isolée. Nell se sent obligée de lui montrer qu'elle n'est pas inquiète. Puis elle se demande pourquoi elle éprouve une telle obligation. De fait, l'homme est massif et impressionnant. Et, oui, il constitue un spectacle étrange dans ce paysage gris et vert. Précisément parce qu'il est si différent. Néanmoins, elle émet un petit grognement sur son passage. Un son qui signifie bonjour et au revoir et je n'ai pas peur à la fois. S'il l'a entendue, il n'en laisse rien paraître, mais continue à courir au même rythme jusqu'au moment où son imposante silhouette franchit, sans à-coups ni effort apparent, le deuxième promontoire. Les yeux de Nell scrutent l'espace resté vide un moment.

Lorsqu'elle se tourne à nouveau vers l'eau, une pierre ovale et lisse accroche son regard. Rosée, avec des tourbillons crème. Pour une raison qu'elle n'arrive pas à cerner, cette pierre lui rappelle sa mère. Ah, oui, c'est en rapport avec le jour où elle a appris à nager. Ses yeux balaient l'horizon dans un sens puis dans l'autre.

C'était une matinée comme celle-ci, ciel granuleux et tranquille, mer miroitant sous le soleil d'un petit matin d'août. Nell avait huit ans. Elle était assise non loin de l'endroit où Nell, quarante-huit ans, se tient à présent. Bras enlaçant ses genoux, yeux braqués sur Agnes dont les membres puissants fendaient promptement les eaux de la crique. Tout au long des vacances d'été, sa mère nageait chaque matin avant l'ouverture du pub. Elle semblait embrasser l'océan tout entier lorsqu'elle couvrait ainsi la distance entre les deux promontoires, en pleine mer, loin du rivage.

Ce matin-là, Agnes est sortie de l'eau en s'ébrouant comme d'habitude, son costume noir huileux projetant des gouttes d'eau tel le pelage d'un phoque, sa permanente auburn emprisonnée sous un bonnet en caoutchouc qui adhérait au crâne et s'attachait sous le menton. Le caoutchouc lui comprimait le front comme un soufflet d'accordéon, au point que les plis masquaient presque ses yeux bleu pâle. Sa silhouette sortant de l'eau était impressionnante. Près d'un mètre quatre-vingts, des épaules comme celles d'un homme, des cuisses fermes et larges comme des troncs d'arbres sous son costume de bain à coupe basse. D'habitude, après avoir émergé, elle s'enveloppait dans une serviette et dans un long silence contemplatif, à la fois attentive et indifférente au regard de sa fille. Mais, ce jour-là, elle est restée dans l'eau jusqu'aux genoux et ses bras solides ont fait signe à Nell d'approcher.

« Allez, viens. Faudra bien que t'apprennes un jour ou l'autre.

— Pas aujourd'hui.

— Non, Nell. Je te laisserai plus te défiler. T'as bientôt neuf ans. Je peux pas me permettre d'avoir une fille qui sait pas nager.

— Mammy, pas la peine. Tu sais bien que j'approcherai pas de l'eau, donc aucun risque qu'il m'arrive quelque chose. »

Pendant une seconde, sa mère a semblé en proie à un débat intérieur. Sa langue pointait entre ses lèvres serrées. Ses doigts tambourinaient sur sa cuisse en un geste éloquent. Nell, qui connaissait les signes, a commencé à se hisser sur ses jambes.

« Nell », a fait Agnes d'une voix impérieuse.

En quelques grandes enjambées, elle a couvert la distance qui les séparait et porté sa fille, malgré ses contorsions et ses gémissements, jusqu'au bord de l'eau.

« J'ai même pas de maillot.

— T'as un short et un tee-shirt et ça ira très bien. De toute façon, y a personne pour te regarder.

— J'irai pas. »

Nell a continué à se débattre, mais elle ne pouvait rien contre la force et la détermination de sa mère. Agnes avançait dans l'eau, portant sa fille déchaînée comme un bébé dans ses bras. Nell espérait vainement, si elle hurlait assez fort, que quelqu'un l'entendrait dans la maisonnette en bas du chemin et viendrait à son secours.

« Tu veux bien te taire », a dit Agnes. Puis, sur un ton plus doux : « Chut, maintenant. » Et elle a posé Nell sur ses jambes. L'eau s'est refermée sur la taille de l'enfant, si froide qu'elle en a eu le souffle coupé. Agnes a mis les mains sur ses épaules et s'est penchée pour la regarder en face.

« Fais-moi confiance, Nell, tu veux ? »

La tonalité plaintive de sa voix, généralement si assurée, si autoritaire, a pris Nell au dépourvu. Elle lui a rendu son regard, puis a laissé ses yeux dériver vers le large. La mer était énorme et terrifiante.

« Nell ? » Agnes lui tournait le dos maintenant, accroupie dans l'eau, et lui tendait les mains par-dessus ses épaules. Nell a regardé ces mains, puis de nouveau la vaste étendue de l'océan. Elle a replié les doigts jusqu'à ce que sa mère puisse l'agripper fermement.

« Là, mon chou. Là. Je te tiens », murmurait Agnes d'une voix apaisante en avançant d'un pas de plus à chaque mot, Nell déployée comme une traîne de mariée dans son sillage. Puis, d'un coup sec, elle l'a hissée sur son dos. Les bras de Nell se sont refermés autour du cou de sa mère, dont les fortes jambes ont jailli à la surface. Mère et fille ont commencé à avancer, poussées par les brasses d'Agnes. Nell fermait les yeux de toutes ses forces.

« Me lâche pas, a-t-elle chuchoté, craignant que sa mère ne lui inflige une thérapie de choc pour la guérir de sa peur de l'eau.

— Non. Promis », a crachoté Agnes entre deux tasses.

Depuis le rivage, elles devaient ressembler à un étrange animal bicéphale. Ou à une maman phoque portant son petit blessé sur le dos. Deux têtes qui dansaient sur les flots, ridant à peine leur immense étendue.

« Bats des pieds aussi fort que tu peux entre mes jambes », a tant bien que mal articulé Agnes.

Nell a obéi et leur vitesse s'est accrue. Ses yeux étaient ouverts à présent ; des petites crêtes d'eau triangulaires brillaient tout autour d'elle. Elle a bu la tasse et a dû reconnaître que ce n'était pas si terrible. Agnes tentait de rire entre deux gorgées d'eau. Il devait lui falloir absolument toute sa force – et elle en avait à revendre – pour les maintenir à flot. Nell a ri avec elle et, pour la première fois depuis ce qui lui semblait une éternité, mais qui était en fait un peu moins de deux ans – pour la première fois depuis le jour où Bridget s'était noyée –, elle a éprouvé un entrain, une joie pure et primordiale qui lui ont fait pousser un long cri de plaisir.

Quand elle a senti sa fille complètement à l'aise, Agnes a fait demi-tour et, lentement, avec des mouvements de plus en plus las, les a ramenées jusqu'au rivage. Elles se sont reposées au bord de l'eau quelque temps. Sans éprouver le besoin de parler. Car elles avaient toutes deux conscience que quelque chose d'important venait de se produire entre elles. Comme toujours, Agnes avait apporté un thermos et elles se sont passé la tasse en plastique pour siroter le thé chaud et réconfortant.

« Prête ? » a demandé Agnes en revissant la tasse vide sur le thermos.

Nell a hoché la tête. Et pendant plusieurs heures, sans se soucier du pub ni de ses horaires d'ouverture, elles ont décrit des cercles dans l'eau, Nell battant furieusement des pieds et des mains, le bras de sa mère la soutenant au milieu du ventre. Elle nageait toute seule avant même de s'apercevoir que le bras avait disparu.

« Là, a dit Agnes. Maintenant, c'est plus l'eau qui pourra te prendre à ta mère. »

Nell glisse la pierre rose dans la poche de son jean ; elle se demande toujours pourquoi elle lui a rappelé ce jour-là. Elle jette un regard à la ronde, s'attendant presque à voir la large croupe d'Agnes émerger de derrière une serviette. S'attendant presque à voir ce sourire en coin, équivoque, sur les lèvres de sa mère, ce sourire qui n'était ni approbateur ni l'inverse, mais qui lui a toujours paru ambivalent et d'ailleurs – c'est du moins l'impression qu'elle avait – lui a toujours été exclusivement réservé.

Au milieu du sentier qui serpente parmi les ronces, elle tombe nez à nez avec Adam. Il s'écarte, mais le sentier est si étroit qu'elle le frôle et sent le flux et le reflux visqueux des muscles qui se contractent, puis se relâchent sous le jean large et le pull trop grand. Le sourire d'Adam est parfaitement ouvert et aimable, comme s'ils se croisaient à cet endroit chaque matin. À la lumière du jour, les yeux de tweed sont saisissants ; le halo qui entoure la pupille a nettement la forme d'une étoile. La peau est luisante, comme polie ou exfoliée. Une ligne sinueuse de poils court sur le menton, oubliée par le rasoir.

Nell a conscience qu'elle devrait dire quelque chose, le saluer – ils ont déjà été présentés, après tout. Mais elle ne sait absolument pas quel ton adopter avec lui. S'il représente une menace pour ses proches, elle veut qu'il sache qu'elle est au courant et qu'il faudra compter avec elle. Si Paudie s'est trompé, alors Adam est juste un inconnu serviable tombé dans le sein d'une famille qui, en ce moment, a cruellement besoin de son aide.

« Bonjour », dit-elle finalement. Difficile de faire plus neutre.

« Bonjour », répond-il en haussant puis abaissant les épaules.

Signe de timidité, songe Nell ; Adam n'est tout de même pas timide ? Pourtant, son petit sourire presque chagriné et la façon dont il baisse les paupières semblent confirmer l'impression sinon de timidité, du moins d'embarras. Cela ne cadre pas avec l'idée qu'elle s'est faite de lui hier soir.

« Un bain ? » demande-t-il.

À présent, elle est certaine qu'il cherche aussi désespérément ses mots qu'elle.

« Non, non. » Elle secoue la main et, ce faisant, effleure le bras d'Adam. « Juste une promenade matinale. Et vous ?

— Je me suis déjà lavé. Mais c'est une si belle journée, j'ai pensé... » Il laisse la phrase mourir sur ses lèvres.

Nell détaille rapidement son visage. S'il sait qu'elle l'a épié, il n'en laisse rien paraître. Elle note qu'il n'a avec lui ni maillot de bain ni serviette.

On dirait qu'il attend d'être congédié. Elle-même se demande comment passer son chemin. Elle a envie de le toucher, s'aperçoit-elle. Cela se manifeste par un picotement au bout de ses doigts. Elle fixe ses pieds et fléchit ces doigts impatients de se tendre vers lui. Une sensation curieuse et incompréhensible.

Finalement, Adam fait un pas en avant pour sortir de l'impasse et accroche son pull sur une ronce. Sans prendre garde aux épines, Nell saisit d'une main la tige principale et, de l'autre, détache le vêtement. Elle a conscience d'une douleur, mais comme à distance. Elle relâche : sa main saigne et plusieurs épines sont plantées dans la chair tendre.

Aussitôt, Adam s'empare de la main blessée. Avant que Nell ait pu se dégager, il baisse la tête et, adroitement, commence à ôter les épines avec ses dents en les recrachant une à une sur le côté. Sa prise est étonnamment sûre pour une personne si gauche quelques secondes plus tôt. Ils viennent à peine de se rencontrer, mais, en un seul mouvement, elle se retrouve en contact avec ses dents, sa salive, ses lèvres. Ce moment a quelque chose d'absurdement intime. Elle observe le va-et-vient soyeux de ses cheveux lorsqu'il bouge la tête. De sa main libre, elle effleure le sommet de son crâne en un geste qui ressemble à une caresse ; s'en apercevant, elle le transforme en brusque poussée. Aussitôt, Adam fait un pas en arrière et lâche sa main.

« Je suis désolé. Je vous ai fait mal ?

— Non, ça va. » Le ton de Nell est cassant. Elle tente quelque chose de plus léger : « Mais je ne peux pas vous voir me manger dans la main. »

La plaisanterie tombe à plat. Les yeux d'Adam vacillent, comme s'il venait d'encaisser une insulte elliptique. Comme un petit garçon qui se voit refuser un cadeau fabriqué de ses mains. Il recule encore d'un pas et, simultanément, Nell sent son corps pencher légèrement vers lui, comme si, entre eux, un élastique invisible tirait, puis se relâchait, puis tirait de nouveau. Soudain, presque brutalement, Adam tranche ce lien, tourne le dos à Nell et repart d'un bon pas. Elle regarde les branches et les ronces se balancer dans son sillage jusqu'à ce que tout redevienne immobile et silencieux. Sa main blessée se faufile dans la poche de son jean et se referme sur la pierre rose bien lisse. L'effet est rafraîchissant. Elle se remet en marche.

En escaladant le mur de pierre au-dessus de la caravane, elle remarque quelque chose qui lui a échappé à l'aller : une pancarte plastifiée clouée sur le tronc tordu d'un sorbier. C'est une demande de permis de construire pour une habitation de plain-pied, signée de la main d'Ali. Nell jette un coup d'œil par-dessus son épaule : la maison se situerait en gros à l'endroit où se trouve actuellement la caravane.

Dans la maison, une Ali aux yeux ensommeillés va et vient entre le pub et la cuisine pour préparer la journée de travail. Nick rôde autour de la table en formica comme s'il ne savait pas où se mettre. Une incertitude qui le résume parfaitement, songe Nell. Même hors de la chambre embrumée, son corps maigre a quelque chose de flou et de triangulaire, comme une voile distante et indistincte, comme s'il pouvait, en un clin d'œil, disparaître à l'horizon. Une pomme d'Adam hypertrophiée monte et descend sur son cou blafard ; le mouvement paraît douloureux. Il a l'air plus grand que dans son souvenir, peut-être parce que son corps est si creusé et décharné. Il lui adresse un bref et pâle sourire, puis se concentre sur le contenu de son bol de muesli. Ses mastications font penser à la rumination lente et posée d'une vache.

Nell se dirige vers l'évier en laissant traîner ses yeux sur les carreaux de terre cuite. Elle prend alors conscience de ce qu'elle est en train de faire, de ce qu'elle fait depuis son arrivée : tout regarder d'un air vaguement détaché ; se protéger, se blinder, afin que chaque vision familière qui s'imprime sur sa rétine la trouve déjà préparée. Elle ne veut pas se laisser surprendre ou désarçonner par un objet ou une sensation qui, inévitablement, lui crieront : *trente-deux ans*.

Mais de petites choses l'assaillent sans crier gare. Le pain de savon phéniqué sur le rebord de l'évier, sa surface sèche labourée de stries noires. Toujours du savon phéniqué dans la cuisine et du Knight's Castile dans la salle de bains. Le carreau de terre cuite auquel il manque un coin et qu'elle titillait toujours avec le bout de sa chaussure. Les anneaux de laiton auxquels est suspendu le rideau du pub – trente et un anneaux, elle n'a pas besoin de les compter ; deux de plus que les œillets métalliques correspondants. La porte du fourneau noir, qui branlerait encore légèrement dans sa main si elle l'ouvrait. Une toile d'araignée joignant le coin droit du grand buffet au plafond. Elle regarde. Oui, bien sûr. Il y en a une nouvelle.

Et soudain, c'est comme un coup de poing dans le plexus solaire, juste sous la poitrine, qui la suffoque et la laisse pantelante. Elle comprend qu'elle a mobilisé toutes ses défenses, hier, pour réussir à maintenir les choses en surface. Cette maison était sa maison. Elle a grandi dans cette cuisine. À présent, alors qu'elle ne s'y attendait pas, le passé a réussi à percer l'armure qu'est devenu son épiderme. Il est dessous, a toujours été dessous, profondément enfoui, là où croît la seconde peau, la où la seconde peau fait obstacle à ce que la première a laissé pénétrer.

« Ça va, Nell ?

— Quoi ? Bien. Bien, merci, Nick. C'est juste… »

Elle s'interrompt, incapable de poursuivre. Comment expliquer qu'elle se sent comme si elle venait de choir dans sa propre tombe ? Ali a cessé de s'affairer un instant et la regarde avec curiosité, elle aussi. Puis elle se dirige vers le pub. Nell lui emboîte le pas.

« Oh, pendant que j'y pense, lance Ali d'un ton détaché par-dessus son épaule, Paudie est passé voir si tu étais bien arrivée et si tu voulais dîner chez eux ce soir. Sauf contrordre, ils t'attendront vers sept heures.

— C'est parfait. »

Nell se demande si Ali va se décider à l'interroger sur ce que Paudie lui a raconté, mais celle-ci se contente de fredonner en maniant son aérosol.

La porte d'entrée a été ouverte pour aérer la salle enfumée. Pas encore de clients : les premières brebis égarées n'arriveront pas avant onze heures environ. Partout flotte une lourde et âcre odeur de houblon, de Guinness éventée et de cigarette. C'est l'odeur de son enfance, et, pendant une seconde, elle lui donne envie de pleurer. Tous les matins sans exception, elle partait à l'école avec cette aigreur granuleuse dans les narines. Elle se demande si c'est aussi le cas de Grace.

Une autre odeur lui parvient : le parfum citronné du produit avec lequel Ali vient d'astiquer les tables rondes. Nell regarde autour d'elle, étonnée. Ali a dit vrai. Il y a eu peu de changements depuis l'époque de sa mère, sauf peut-être ces deux armoires frigorifiques vitrées derrière le comptoir. Plus haut, les bouteilles renversées sont toujours à la même place et dans le même ordre, les whiskeys ensemble, puis la vodka et le gin tout au bout. Le comptoir en formica est constellé d'empreintes de cigarettes noirâtres, de traces brunes circulaires laissées par les verres à bière et incrustées dans la surface – un logo olympique disparate et déglingué. Le côté du bar qui fait face à la salle n'est toujours qu'un panneau de particules ondulé éraflé par les chaussures. De hauts tabourets en bois s'alignent tout du long, sièges creusés en forme de fesses. Le sol est en béton gris, les murs du même jaune écaillé que ceux de la cuisine. Dessus, des affiches décolorées datant de l'adolescence de Nell et annonçant des soirées dansantes dans les salles des environs – pour un effet vintage, certainement. D'autres, plus récentes, font la réclame pour des pièces de théâtre amateur. Il y a aussi un panneau de liège couvert de prospectus offrant des excursions de pêche, des visites guidées, des chambres en *Bed and Breakfast*. Et, parmi les nouveautés, un tableau noir qui propose sandwichs et soupe maison. Il faudrait y ajouter un avis de dangerosité, comme sur les paquets de cigarettes.

Le bar se prolonge par un salon de modestes dimensions. Juste une annexe, à vrai dire, avec un coin cloisonné où les dames allaient s'asseoir quand Nell était toute petite. À l'évidence, cette section du pub n'a plus été utilisée depuis longtemps. Des draps crasseux couvrent les sièges. En revanche, Nell voit bien avec quel amour sa fille s'occupe de la partie bar. La cuisine est peut-être infecte, mais ici, les tables brillent, les verres étincellent, et il n'y a pas un grain de poussière sur les bibelots alignés au-dessus des bouteilles renversées. Ici, Ali tient son ménage. Quelques signes de progrès : des boîtes d'allumettes avec la photo du pub au dos, des dessous de verre assortis, une série de grosses bougies dans des chandeliers noirs fantaisie de style celtique.

Nell prend conscience que sa fille la dévisage avidement. Elle s'éclaircit la gorge car, à la vérité, elle se sent plus qu'un peu émue.

« Qu'est-ce que je te disais ? fait Ali fièrement. Parfaitement conservé. »

Nell parvient à sourire faiblement. Derrière sa fille, coincées sous le cadre d'un miroir moucheté de moisissures, il y a des photos de sa mère à tous âges. Et aussi d'elle et de Bridget, de leur plus tendre enfance jusqu'à l'époque de l'accident. Deux ou trois clichés en noir et blanc fanés représentant son père. Nell s'approche du miroir et détache une photo où Bridget, assise au piano, sourit par-dessus son épaule. À en juger par son âge, la photo a pu être prise quelques jours avant sa mort. Nell ne l'avait encore jamais vue. Ses yeux scrutent l'espace vide, près des toilettes hommes, où se dressait autrefois le piano.

« Il a fini par rendre l'âme, malheureusement, dit Ali en faisant un geste dans cette direction. Hannah a voulu le déplacer dans le salon et, d'après elle, il a poussé une espèce de soupir ; ensuite, l'arrière s'est écroulé et le reste a suivi. Elle m'a dit que c'était assez drôle sur le coup parce qu'on avait l'impression que ça se passait au ralenti. Au fait, je n'arrivais pas à me souvenir si tu jouais ou pas. Est-ce que c'était le cas ?

— Non. C'était Bridget la musicienne. »

Si ce que nous sommes appelés à devenir est contenu en germe dans les images de notre enfance, alors le devenir avorté de Bridget est là, dans la main de Nell. L'inclinaison guillerette de la tête, le ruban blanc qui glisse dans les cheveux dorés en bataille, les yeux plissés par le soleil, mais brillants d'espièglerie. Un visage électrique de possibilités.

Et voici leur père, Samuel, un homme grand et mince qui se tient devant le pub, bras croisés, et sourit à l'objectif d'un air embarrassé. Des bretelles maintiennent son pantalon visiblement trop large. Son visage encore jeune est marqué par l'emphysème, creusé de rides austères et de profondes dépressions. Il est mort quand Nell avait trois ans. Parfois, elle croit se souvenir de ses quintes de toux derrière le bar et dans la maison. Mais ce n'est sans doute que son imagination. Il a passé presque toute la dernière année confiné dans sa chambre. Plus tard, Bridget a pris l'habitude de narguer Nell avec les souvenirs qu'elle avait de lui, demandant par exemple à sa mère : Da raffolait du tapioca, pas vrai, Mammy ? Da disait toujours que j'étais plus rapide qu'une mouette, pas vrai, Mammy ? Bien sûr, Bridget ne se rappelait jamais ce que Da disait sur sa fille cadette, Nell. Celle-ci prétendait donc qu'il la visitait en rêve et rendait Bridget dingue en refusant de partager avec elle les profonds secrets qu'il lui révélait sur le paradis. Elle affichait juste un sourire énigmatique – désolée, je ne peux rien dire, j'ai promis à Da.

Un autre cliché représente sa mère derrière le bar, manches roulées jusqu'aux coudes, un sourire forcé aux lèvres. Elle détestait qu'on la prenne en photo sans son chapeau. Quel qu'ait été le malheureux fautif, il connaissait bien mal son modèle. Un touriste, peut-être. De fait, les habitués du pub connaissaient mieux Agnes que beaucoup d'entre eux ne l'auraient souhaité. Nell en avait vu plus d'un catapulté dehors par un bon coup de pied au cul. Un peu de chahut, un peu de vomi dans les toilettes, une proposition indécente (et il en pleuvait : une veuve de près d'un mètre quatre-vingts propriétaire de son pub était un sacré parti) : tout cela, Agnes le supportait avec résignation, si ce n'est de gaieté de cœur, afin de vendre chaque soir son quota de pintes de bière. Tout doux, mon gars, tout doux, se contentait-elle de répondre à des hommes qu'elle aurait écorchés vifs s'ils lui avaient tenu le même langage dans la cuisine. Mais il y avait deux choses qu'elle ne tolérait sous aucun prétexte : la bagarre et le jeu. Au moindre soupçon de l'une ou de l'autre, elle jaillissait comme l'éclair de derrière le bar, bras tendu pour prendre au collet un coupable qui n'avait pas le temps de dire ouf avant de se retrouver vautré sur le sol à plusieurs mètres de la porte d'entrée. Même chose pour ces touristes belges qui avaient eu la témérité de sortir un paquet de cartes. Dehors. Une brochette de Flamands inconsolables. Agnes ne manifestait aucun repentir : de toute façon, les emmerdeurs ne commandaient jamais qu'un verre de Coca avec quatre pailles.

Nell sourit et passe aux photos suivantes. Curieusement, la collection confirme une image qu'elle avait de sa mère dans son enfance : en haut, Agnes, forte poitrine, corsage blanc et cardigan, perles aux oreilles, permanente à la couleur toujours un peu passée, un petit bout de crâne dégarni et rose comme un goret à l'arrière de la tête ; en bas, un comptoir encombré de verres mousseux et à moitié bus. Une sorte de centaure de salle de bar.

« Regarde celles-là, dit Ali en disposant des photos en noir et blanc en arc de cercle sur le comptoir.

— Oh, je me souviens de ce soir-là. » Sa mère, dûment chapeautée, qui pose en compagnie des Dubliners[1]. « Ils étaient juste venus boire quelques verres. Elle était si excitée qu'elle s'est embrouillée et leur a expliqué qu'ils étaient fans d'elle. Elle les a fait poser toute la soirée. Elle était épouvantablement snob, tu sais.

— Mais drôle, en même temps. »

Le sourire d'Ali s'attarde sur ses lèvres tandis qu'elle regarde pardessus l'épaule de Nell. Un instant, celle-ci se demande, avec un pinçon de douleur, si sa fille regarde jamais des photos d'elle avec autant d'affection. Mais, pour prolonger ce moment de proximité, elle continue à parler d'Agnes.

« Faire les magasins avec elle était un cauchemar absolu. J'étais prête à tout pour éviter ça. Surtout les chaussures – mon Dieu, les chaussures. Enfin, c'étaient plutôt des sandales, j'imagine, avec un élastique en travers des orteils pour ses oignons. Elle forçait tout le monde dans le magasin à regarder ses oignons. Elle disait qu'elle perdrait facilement cinq kilos s'ils tombaient. C'était toujours le même magasin à Kenmare, parce que le type lui servait le thé pendant qu'elle essayait tout ce qu'il avait dans sa taille. Moi, j'attendais en fermant les yeux et en retenant mon souffle qu'elle le dise – parce qu'elle sortait exactement la même chose à chaque fois : Je vais prendre celles-là. Combien elles coûtent ? Le type répondait et alors elle disait : Et combien elles coûtent pour *moi* ? Il lui faisait une remise de dix pour cent, elle lui demandait de pousser jusqu'à vingt et alors

1. Célèbre groupe de musique folk irlandaise.

il disait : Topez là ! Son fils a essayé de discuter un jour. Un garçon imprudent. Je ne sais pas si on a retrouvé le corps.

— Elle se prenait vraiment pour quelqu'un, hein ? »

Ali sourit toujours. Nell sent son haleine humide sur sa joue. Une odeur de muesli et de jus d'orange.

« Et ces fichus chapeaux, poursuit Ali. Et avec tout ça, il lui fallait un seau dans la véranda pour aller pisser – elle avait trop la flemme de monter. Son lit sentait toujours la pisse aussi.

— Mmm », fait Nell, qui se serait bien passée de ce rappel.

Ali recule d'un pas et son haleine sur la joue de sa mère devient froide et moite.

« Et un accent anglais à couper au couteau, les rares fois où il passait des touristes anglais. Elle adorait jouer la Reine Mère. Je suis sûre que c'était son modèle pour les chapeaux. Et ce petit salut de la main quand elle était dans la Morris Minor. » Nell joint le geste à la parole. « On aurait dit la royauté en personne. Une républicaine enragée pourtant. Tu l'as déjà entendue chanter *The West's Awake* ? »

Ali, captivée, secoue la tête.

« On aurait juré qu'elle avait versé son sang pour l'Irlande. Personne ne pouvait garder l'œil sec. » Nell soupire et remet les photos en place sous le cadre. « Je détestais tout ça. Ce nationalisme larmoyant dans le pub.

— Ça me manque de ne pas vous avoir connues toutes les deux ici. Ensemble, je veux dire.

— Tu nous as vues ensemble à Oxford et à Paris, Ali.

— Je pense que ç'aurait été différent. Je pense... » Ali s'interrompt, ouvre et ferme la bouche, cherche la meilleure façon de se faire comprendre. « Je pense que j'aurais posé les mêmes questions, mais que les réponses auraient été différentes.

— Quelles questions, quelles réponses ?

— Tu sais. Sur toi. Toute cette période après Bridget. Je n'arrive pas à me faire une idée... je n'arrive pas à le *sentir*.

— Sentir *quoi*, au juste ? »

Malgré elle, quelque chose de dur et d'impatient perce dans la voix de Nell. Dieu qu'elle a horreur de ces conneries *new age*. Ali voudrait qu'elle exhibe ses dessous émotionnels comme un trophée. Depuis son plus jeune âge, elle tente de disséquer les états d'âme de sa mère. À l'évidence, Nell n'a pas produit les quotas requis d'émotion, de colère et de chagrin. De toute façon, rien ne saurait satisfaire Ali, sinon l'incontinence la plus effrénée. Qu'est-ce qui se passerait alors ? Est-ce que, par une soudaine inversion des rôles, elle deviendrait à son tour la mère stoïque et réconfortante ? Ce n'est pas son propre enfant intérieur qu'elle insiste pour déterrer depuis toutes ces années, c'est celui de Nell.

« Laisse tomber. »

Ali hausse les épaules et se concentre sur un verre à faire briller.

« Écoute, Ali…

— Oui ?

— Qu'est-ce qu'il y a ? Tu crois que ma sœur ne m'a pas manqué ?

— Je n'ai jamais dit ça. C'est juste, euh…

— Quoi ? Juste quoi ?

— Ça fait partie de mon histoire aussi.

— En quel sens ? Oui, elle aurait été ta tante. Mais tu ne l'as jamais connue. Tu ignorais même son existence jusqu'à ce que Mammy t'en parle quand elle a commencé à venir à Oxford. »

Ali souffle sur un verre pour l'humidifier et le frotte frénétiquement.

« Et tu ne trouves pas ça bizarre ? Tu avais dû interdire à oncle Albie et à Mary Kate de me parler d'elle. Pourquoi ? »

Il ne s'est pas écoulé vingt-quatre heures depuis son arrivée et, déjà, Nell sent la vieille irritation lui piquer la gorge, comme une arête de poisson qui ne passe jamais vraiment, mais se laisse juste oublier par intermittence. Entre elles, toujours le même jeu de ping-pong, le même refrain obsessionnel. Ali revenant à la charge sur le passé de sa mère, fouillant dans les bagages d'autrui pour régler ses propres problèmes. Nell ferme les yeux une seconde et se force à prendre une voix calme et monocorde.

« Écoute, Ali, on ne va pas se laisser entraîner sur cette pente une fois de plus. Peut-être que je voulais juste profiter de ma nouvelle vie loin de chez moi. Ma sœur m'a manqué, bien sûr qu'elle m'a manqué. Quand elle est morte, j'ai cru que je ne pourrais jamais m'arrêter de pleurer. Pareil quand Mammy est morte. C'est ce qu'on fait : pleurer. Qu'est-ce qu'on pourrait faire d'autre ? Et puis j'ai avalé. J'ai absorbé la nouvelle et je l'ai digérée. Quand on vit assez longtemps, on perd des gens. C'est ce qui arrive à tout le monde.

— À toi plus qu'à d'autres », fait Ali d'une voix basse et inquisitrice.

Nell se concentre sur les photos un moment. Elle sait où ceci les mène – l'équation simple, x + y, à laquelle Ali veut à tout prix réduire sa mère. S'attachant toujours aux tragédies de son existence, rarement à ses succès ou aux moments de bonheur pur et sans mélange. Cherchant toujours à voir en elle une victime héroïque, au stoïcisme né d'une endurance silencieuse et d'une souffrance inarticulée. Et s'énervant quand Nell remet en cause cette construction.

« Écoute, Ali, j'ai encaissé à ma manière. Je t'en prie, accorde-moi au moins ça. Je ne suis peut-être pas aussi complexe que tu sembles le croire.

— Parfois, dit Ali, Granny me manque encore tant. »

Ses yeux se sont emplis de larmes, mais elle tente de sourire ; le tout se solde par un rictus trempé. Nell lui touche la joue.

« Bien sûr. » Au bout d'un moment, elle ajoute, comme pour elle-même et avec étonnement : « C'était une femme compliquée. »

Cette fois, authentique ébauche de sourire sur les lèvres d'Ali. Elle ne répond pas au regard interrogateur de Nell.

Celle-ci hésite un moment, puis : « Ali, est-ce que j'ai été une mauvaise mère ? »

Trop tard. Les mots vacillent entre elles dans le silence qui s'ensuit. Les épaules d'Ali remontent, tremblantes, jusqu'à ses oreilles. Elle est blessée. Nell aimerait ravaler ses paroles, prétendre qu'elle pensait à sa propre mère en les prononçant. Qu'elles n'avaient rien de subjectif, rien de personnel, même, que c'était juste une réflexion à valeur générale, universelle – une mère par opposition à une autre, disons. Mais la question – et la façon dont Ali l'a reçue – les touche trop intimement pour être ainsi évacuée.

« Tu as conscience... » Ali s'éclaircit la gorge. « Tu as bien conscience de ce qu'implique cette question ?

— Oh, Ali…

— Non. Parlons-en, Nell. Je ne veux pas que tu te sentes responsable de moi. Si je ne corresponds pas à l'idée que tu te fais d'une fille élevée par une bonne mère, tu m'en vois désolée. Mais ce sont tes attentes, pas les miennes. Rien n'a été délibéré. Je n'ai jamais décidé de devenir ton contraire.

— Comment ça, mon contraire ? demande Nell, piquée.

— Allez. C'est assez évident.

— Tu veux parler de mes vêtements, de ma carrière, du *ménage.* »

Une voix souffle à Nell d'arrêter. Elle connaît le scénario par cœur : si elles se braquent maintenant, si peu de temps après son arrivée, elles vont tourner en rond jusqu'à en avoir le vertige. Au bout d'un moment, ce ne seront plus que des mots dénués de sens. Le prélude à une séparation. Jamais très longue, cela dit ; juste assez pour reprendre haleine.

Nell a souvent voulu dire à sa fille : Prenons nos distances un bout de temps cette fois-ci. Pas de communication, pas de coups de fil haletants et paniqués tard le soir, pas de silences prolongés pour attiser mon inquiétude, affûter mes appréhensions. Ça m'évitera de te courir après. De te voir t'enfoncer dans tel ou tel nouveau bourbier de ton invention, un bras tendu pour appeler à l'aide et l'autre qui me repousse. Programmant ton propre échec, insistant pour que je regarde, puis furieuse que je le fasse.

Ç'aurait été encore mieux si Ali elle-même l'avait dit. Faisons une pause. Je te recontacterai dans quelques mois ; d'ici là, tout ira bien et tu peux me sortir de ta tête. Mais Ali s'accroche désespérément. Ce ne sera jamais elle qui réclamera un répit, malgré les accusations d'espionnage ou d'ingérence dont elle accable Nell. Elle ne se contente pas de tomber encore et encore. Il faut qu'on la *voie* tomber. Il faut qu'elle colle le nez de sa mère dedans.

Nell inspire un grand coup et s'éloigne du précipice.

« C'était une question totalement déplacée. Et je sais que j'ai commis d'autres erreurs par le passé, mais essaie de te souvenir que je n'avais que seize ans de plus que toi. »

Les épaules tremblantes d'Ali retombent. Elle cesse de retenir son souffle et expire bruyamment.

« Crois-moi, répond-elle en battant en retraite dans la cuisine. J'en ai toujours tenu compte en ta faveur. »

Un épuisement tenace prend possession de Nell. Parti du sommet de son crâne, il envahit progressivement le reste de son corps. Elle ne veut pas de tout ça. Ne veut pas être ici. Ne veut pas être confrontée à... tout ça. Les histoires des autres. Le foutoir des autres.

« Oh, et puis merde ! » Son pied part et envoie un coup dans le panneau ondulé. Déjà cette scène, et elle n'a même pas effleuré la question du fusil. « Désolée », ajoute-t-elle distraitement à l'intention du comptoir.

Puis elle se glisse comme une voleuse – il n'y a pas d'autre mot – dans la cuisine. Ali est dehors, dans le jardin. Son dos mince se penche avec raideur sur les mauvaises herbes qu'elle arrache à mains nues. Toujours debout devant la table, Nick sirote une tasse de thé. Il adresse à Nell une petite grimace de sympathie.

« J'ai encore dit ce qu'il ne fallait pas, Nick.

— Elle est fatiguée. Deux fois plus de boulot puisque je ne suis bon à rien.

— Bon à rien ? Je te trouve dur. Tu es souffrant, c'est tout. Tu es heureux d'être ici ? Ou c'était juste l'idée d'Ali ?

— Au départ, je ne savais pas trop. Mais maintenant oui, malgré la maladie, je suis heureux d'être ici. »

Nell le croit. Ce perpétuel incertain certain de quelque chose. Pour une raison ou pour une autre, cela la réconforte. Elle soupire et contemple le chaos de la cuisine. Que veut-elle pour sa fille ? Que croit-elle qu'il lui manque ? Est-ce son propre sens de l'ordre, son besoin d'organiser le temps et l'espace ?

Comme s'il lisait dans ses pensées, Nick pose sa tasse et frotte ses mains l'une contre l'autre.

« Elle veut que tu sois heureuse ici aussi », ajoute-t-il avec une petite moue qui semble disqualifier ses paroles, comme si rien de ce qu'il dit ne devait être pris trop au sérieux. Néanmoins, il continue et

Nell lui en est reconnaissante. « Ne me demande pas pourquoi. On bloque sur certains trucs, je crois, et il n'y a pas d'explication rationnelle. Ali rêvait de reprendre ce pub un jour et, en même temps, elle avait cette idée que tu viendrais et que tu la verrais faire.

— Et elle pense que ça me rendra heureuse ?

— Non. Elle pense que ça *la* rendra heureuse.

— Elle veut que je sois fière d'elle, c'est ça ? Et je le suis. À bien des égards. Mais ça… » Nell fronce les sourcils et fait un grand geste embrassant à la fois le pub et la cuisine. « Je ne comprends pas pourquoi elle tient tant à reprendre là où je me suis arrêtée. C'est mon… Je veux dire, c'est *moi* ici. Pas elle. »

Nick réfléchit un moment, pomme d'Adam monstrueuse allant et venant sur son cou.

« Je ne sais pas, Nell. Je ne m'entends pas très bien avec mes propres parents. Mon père donnerait tout pour que je reprenne l'affreux manoir familial dans le Gloucestershire. Même lui l'appelle comme ça – l'affreux manoir. *Af-freux.* » Il contrefait le dédain grandiloquent d'un vieil homme. Une lueur d'humour pince-sans-rire passe dans ses yeux caves, ainsi qu'un résidu d'autre chose, de la peur peut-être. Aussi loin que remontent ses souvenirs, Nell ne l'a jamais vu aussi animé qu'en cet instant, dans le rôle d'un autre que lui. Il surprend son regard scrutateur et fait la grimace avant de poursuivre : « C'est un vieux coriace. Il ne comprend pas pourquoi je ne veux pas suivre exactement son exemple. À ses yeux, on fait difficilement plus raté que moi comme fils aîné.

— Oh, je suis sûre…

— Non. C'est la vérité. C'était la blague dans la famille, le genre d'humour qu'on avait. Pour tout dire, je trouvais ça plutôt drôle moi-même. Il nous présentait en commençant par le plus jeune, et puis il remontait jusqu'à moi et il disait : Et voilà Nick, le Raté. On se bidonnait tous et le pauvre invité ne savait plus où se mettre. Le surnom de ma sœur, c'était la Racoleuse, et c'est vrai qu'elle couchait pas mal à droite et à gauche. Remarque, on lui donnait ce surnom avant qu'elle commence à coucher. Donc chez nous, on ne savait jamais trop si on était programmé d'avance ou si on participait au processus. Il y avait toujours un petit noyau de vérité dans nos surnoms, c'est ça qui les rendait si cruels. Le vieux croyait que le sien, c'était le Führer. C'est ce qu'on disait devant lui et ça lui plaisait. Mais en réalité, on l'appelait Tête de Nœud, par exemple : Gaffe, Tête de Nœud te cherche. Et même ma mère : Va voir ce que fabrique Tête de Nœud, tu veux, chéri ? Bien sûr, elle ne savait pas que son surnom à elle, c'était la Page, comme dans page blanche.

— Je ne te savais pas issu d'une famille si charmante. »

Nick glousse et avale une gorgée de thé ; elle progresse dans son gosier comme un serpent ondulant sous un linge tendu.

« Tu sais, je crois que les gens nous *trouvaient* charmants, à certains égards. Des excentriques finis. Ce qu'on peut attendre, en effet, d'aristos retranchés dans leur affreux manoir. On en rajoutait un peu, c'est vrai : on allait à la pêche, à la chasse, on faisait la fête à tout propos. Un côté volontairement *Retour à Brideshead* et tout ça. Une joyeuse troupe, c'est sûr. Tout devait être drôle, devait prêter à rire. Mais je crois... Tu sais, je crois qu'on était perdus dans notre propre farce. »

La fin de la phrase est éructée dans une quinte de toux qui précipite Nick vers l'évier. Une main sur la poitrine, il crache à plusieurs reprises. L'autre main s'agite faiblement dans son dos – en un geste d'embarras ou d'excuse, suppose Nell, qui regarde ses pieds pour ne pas le mortifier davantage. Quand la quinte est passée, Nick s'essuie les lèvres et boit une nouvelle gorgée de thé. Il commence par faire tournoyer le liquide dans sa bouche, puis avale par à-coups, à tout petits traits, comme s'il buvait un élixir.

« Désolé, parvient-il finalement à articuler. J'ai toutes sortes de saloperies qui remontent le matin. C'est dégoûtant, je sais.

— On t'a fait un examen des poumons ?

— Oui. Tout va bien de ce côté, si incroyable que ça puisse paraître.

— Donc tu disais, ta famille... ?

— Ah oui. Où je voulais en venir ? Écoute, c'est pitoyable, mais je ne pouvais pas respirer dans la même pièce que Tête de Nœud. C'était comme s'il captait tout l'air. Comme s'il enflait et emplissait tout l'espace. Il prenait... eh bien, tout, j'imagine. » Nick se détourne, lèvres serrées en un pli amer, puis poursuit d'une voix plus posée :

« Je me rappelle cette sensation d'étouffement, même si je ne l'ai pas vu depuis des années. Ma sœur dit qu'il n'en a plus pour longtemps, qu'il est devenu un peu dingo. Il rapetisse, d'après elle, il se ratatine, il n'impressionne plus personne. Elle dit que j'aurais pitié de lui si je le voyais aujourd'hui, tout cassé et rongé de regrets. Mais je ne veux pas avoir pitié de lui. Je préfère continuer à le haïr tel qu'il était, merci bien. D'ailleurs, où est-il écrit qu'on doit à tout prix faire la paix ? À moins d'en avoir besoin pour soi-même, à quoi ça sert ? C'est des conneries tout ça. Donc le fait qu'Ali ait envie de te succéder est peut-être une forme de compliment, au fond. C'est tout ce que je voulais dire. »

Tête penchée sur le côté, Nell réévalue l'être blafard qui se tient devant elle. Il lui sourit d'un air modeste et elle lui rend son sourire. Nick émettant une opinion, une conjecture – et une conjecture qui lui met du baume au cœur et lui redonne de l'espoir. Pour la première fois depuis qu'elle le connaît, elle sent mûrir en elle un sentiment d'affection et de tendresse.

« Merci », dit-elle.

Un chat gris dépenaillé se matérialise comme par enchantement et bondit sur la table. Gentiment, Nick le repousse sur le sol. Le chat lui lance un regard chagrin ; ses yeux sont cerclés de rouge et légèrement protubérants. À peu près aussi en forme l'un que l'autre.

« Oh, ne fais pas attention à ce que je dis », lance Nick en se détournant, mais Nell a eu le temps de voir ses joues creuses rougir de plaisir.

Elle monte dans sa chambre – mieux vaut garder ses distances avec Ali quelque temps. En général, les choses se passent ainsi : la trêve dure d'autant plus qu'elle a été précédée d'une petite prise de bec. Les mères et les filles ne sont pas très différentes des amants, songe Nell. Elles aussi ont la capacité de détruire et de reconstruire par-derrière. Mais à chaque reconstruction, un petit morceau de peau, un greffon transparent, doit être prélevé quelque part pour réparer ailleurs.

Ali lui manque affreusement quand elles sont séparées, mais quand elles sont ensemble, sa fille lui fait parfois l'effet d'un fardeau accablant pesant sur ses épaules. Et il est vrai, elle ne peut le nier, qu'il lui est arrivé d'avoir en la regardant cette pensée qui la choquait elle-même : Je pourrais vivre ma vie sans toi. Une pensée terrible, d'autant plus terrible qu'elle sait qu'Ali l'a lue dans ses yeux, si bien qu'elle finit par compenser jusqu'à l'insincérité.

Si j'échoue, a dit un jour Ali – avec un peu trop d'emphase au goût de Nell –, j'échoue selon mes propres critères. J'ai le droit de me tromper. Fort bien – à condition, quand on se trompe, d'être capable de l'admettre. Aux yeux de la plupart des gens, deux overdoses constitueraient un signe suffisant que quelque chose ne va pas. Chaque fois qu'Ali reprend sa vie en main après une périlleuse dégringolade, Nell se montre encourageante à l'excès. Naturellement, c'est faux. Naturellement, son optimisme est feint. Naturellement, Ali le sait et les déteste toutes les deux pour cette mascarade, cet espoir hyperbolique, artificiel et injustifié. De sorte que, quand Nell la couvre d'éloges et de félicitations enthousiastes, ce n'est pas le plaisir spontané d'une enfant qu'elle voit sur son visage, mais un air d'accusation silencieuse et de brûlant mépris.

Je ne veux pas que tu te sentes responsable de moi.

Comment ne pas se sentir responsable de ce qu'on a fait ? Et de ce que cet enfant fait de ce qu'on lui a donné ? Et, oui, de ce qu'on ne lui a pas donné aussi. Parfois, on dirait que ce qu'on n'a pas donné est la seule chose dont les enfants choisissent de se souvenir. Donnez moins – ne donnez rien du tout, à vrai dire – et leur subconscient interviendra peut-être pour compenser, si bien que le moindre bon souvenir suffira à éclipser les fêlures et qu'une enfance de misère finira par passer pour relativement heureuse.

Pourquoi Ali ne lui sait-elle pas gré de toutes les fois où elle *a* été là pour les sortir d'affaire ? Les cautions d'appartements versées sans chipoter, la clinique dans le Hertfordshire – elle aurait dû vérifier s'ils offraient des Miles ou des points cadeau.

Écoute, dit-elle mentalement à une image d'Ali qu'elle projette au plafond, j'aurais pu te brûler avec des cigarettes. J'aurais pu sortir tous les soirs au lieu de bûcher comme une dingue. J'aurais pu oublier de me réveiller pour la tétée de quatre heures. J'aurais pu ramener des hommes à la maison et t'obliger à les appeler Tonton. Et bien d'autres choses encore, si ça peut te faire prendre conscience de la bonne mère que tu as eue.

Nell ne peut réprimer un sourire. En s'étirant sur le lit, elle sent la pierre qu'elle a dans la poche s'enfoncer dans sa cuisse. Elle la sort et la tient à la lumière. De nouvelles couleurs émergent sous la teinte saumon dominante. Des molécules gazeuses ici, dans l'arc de sa main, entre le pouce et l'index. Solides à présent, réduites au silence, jusqu'au jour où le continuum du temps les libérera de nouveau dans l'espace infini. Soudain, Nell comprend ce que cette pierre lui rappelle. Elle s'assied et inspecte la chambre.

Elle vérifie sous le lit, au-dessus de l'armoire. Ali n'a tout de même pas pu les jeter ? Pas quelque chose d'aussi intrinsèquement lié au souvenir d'une femme qu'elle idolâtrait. La grosse commode ne contient que ses propres vêtements. Elle jette un coup d'œil dans les tiroirs des tables de nuit, puis dans ceux de la coiffeuse, et surprend l'expression presque fébrile de son visage dans le miroir en triptyque. Un voile de sueur luit sur ses joues ; elle est au plus fort d'une féroce bouffée de chaleur. Elle applique ses doigts repliés de part et d'autre de son visage pour tenter de le rafraîchir, mais même ses articulations lui paraissent brûlantes. Rien, strictement rien – la chambre a été entièrement vidée. En prévision de sa propre arrivée, comprend-elle.

Elle se retourne et ses genoux heurtent le coffre-tabouret en faux velours. Il ne bouge pas. Elle tente une autre petite poussée : le meuble est comme rivé au sol. Elle s'efforce alors de soulever le couvercle, mais il est scellé. Elle s'agenouille pour l'observer de plus près et constate qu'il est fixé par une rangée de clous. Ou plutôt une rangée de broquettes dont elle pourrait venir à bout si elle trouvait quelque chose pour faire levier. Elle sort différents ustensiles métalliques de sa trousse de manucure et se met au travail. Une à une, les broquettes sautent et le couvercle, soumis à une ultime poussée, finit par s'ouvrir en grand. Elles sont là. Emplissant le coffre à ras bord. Nell a l'impression que, si elle les répandait sur le sol, elles glisseraient l'une vers l'autre lentement, irrésistiblement, comme attirées par un aimant, pour dessiner la large et robuste silhouette d'Agnes.

Elle prend une pierre entre ses doigts et la retourne. Surgit alors l'écriture familière de sa mère, avec ses caractères tracés à la hâte et ses grandes boucles penchant vers la droite. Le trait de feutre presque effacé maintenant, dissous dans la chaux. Elle soulève une autre pierre, puis une troisième. Certaines sont encore lisibles, d'autres n'ont plus qu'un texte flou. Mais toutes portent une date et un lieu. Pour se souvenir, expliquait Agnes. De moments particuliers.

Les mains de Nell tremblent légèrement tandis qu'elle prend et rejette les pierres au hasard, comme si son corps, lui aussi, se souvenait.

5

L'après-midi touche à sa fin quand Nell redescend dans la cuisine, prête à affronter Ali maintenant qu'elle a pu travailler efficacement quelques heures. Elle a mis la dernière main à un article sur les méthodes de récolte et de ramassage, rédigé un ou deux mails et réussi à simplifier de façon à peu près satisfaisante son itinéraire de dégustations. Le travail lui donne un objectif, une direction à suivre. En pianotant agilement sur les touches de son clavier, elle est parvenue à oublier où elle était et à se rappeler où elle allait.

Ali est aux prises avec la pyramide de vaisselle sale qui trône dans l'évier. Elle fredonne légèrement, dos tourné à sa mère, qui interprète la chose comme un bon signe, un geste d'apaisement.

« Je peux faire quelque chose ?

— Quoi ? Oh, ouais. Là. » Ali lui lance un torchon. « Je lave, tu sèches. »

Elles travaillent un moment sans mot dire. Nell fredonne également tout en observant sa fille du coin de l'œil. Celle-ci paraît calme à nouveau. Enfin, aussi calme qu'Ali peut l'être. Même si, à une époque, les jambes tressautantes et les muscles faciaux grimaçants semblaient emprisonnés sous un linceul d'une immobilité absolue, corps reflétant le regard vague et plombé par l'héroïne. Au point que Nell aurait alors tout donné pour retrouver les membres fébriles, les mouvements saccadés, les tics nerveux, n'importe quoi qui signale la vie.

En ce temps-là, Ali semblait habiter un perpétuel crépuscule, un lieu qui n'était pas de ce monde. *Enfant chérie, pourquoi si loin ?*

N'avait-elle pas aimé sa fille assez bien, ou assez longtemps, ou simplement assez, assez, assez ? Combien d'amour fallait-il ? Existait-il une échelle de mesure ?

Au départ, Ali tentait de cacher son addiction et prétendait être victime de tel ou tel virus quand Nell débarquait pour une visite surprise. Une descente de police, comme disait sa fille. Celle-ci restait au lit, drap remonté jusqu'au menton, regard distant et perdu au-dessus de la tête de Nell, visage blanc comme un linge, presque translucide, front parsemé de vilains boutons. Tout en elle paraissait mou, languissant, comme si elle n'était plus qu'un ectoplasme suintant. Nell aurait voulu plonger les deux mains à l'intérieur pour arracher ce qu'il restait d'humanité à ce mannequin sans vie. Mais ç'aurait été comme chercher une colonne vertébrale à une méduse.

Puis, après la première overdose accidentelle, Nell a compris que ce n'était pas mourir que voulait Ali. Elle voulait que sa mère la sauve.

« Qui s'occupe du pub ? risque Nell.

— Nick. Il se sent plutôt en forme aujourd'hui. Il dit qu'il a bien papoté avec toi. Tu veux un thé ?

— Je vais le faire. Ali ? Vraiment, je suis… »

Ali balaie les excuses de Nell avec son tampon à récurer. Elles ont redressé la barre – pour combien de temps, Nell ne saurait le dire. Elles sirotent leur thé et fredonnent toutes les deux, gloussant avec un embarras de jeunes filles lorsqu'elles se heurtent par mégarde.

Nell repense aux longs après-midi pâtisserie dans la cuisine de sa tante à Oxford. Ali travaillait le beurre avec le sucre, lèvres légèrement crénelées par l'effort ; elles dansaient au son de la radio en remuant le popotin, même si celui de la petite arrivait juste au-dessus des genoux de sa mère. Invariablement, elle était prise en pleine danse d'une irrépressible envie de faire caca. Elle attendait toujours la dernière minute et courait alors vers les toilettes, une main plaquée sur ses fesses osseuses, ce qui provoquait chaque fois l'hilarité de Nell. Puis elle appelait – *Prête !* – pour obtenir de l'aide et sa mère la trouvait assise sur le trône, yeux gris embués et rêveurs, visage rose et frais, une petite déesse. Comme si l'expulsion des quelques impuretés que son corps minuscule pouvait contenir faisait naître une évanescente beauté.

Adam remonte à travers champs en enfilant une veste. Il leur adresse un vague salut de la main en passant près de la maison. Des fantômes changeants de fumée grise flottent dans le sillage de sa cigarette roulée.

« J'espère qu'il a pensé à appeler les gens de Guinness hier soir, dit Ali en fronçant les sourcils.

— Et comment ? Le téléphone ne marche pas.

— Il y a un problème avec la ligne, murmure Ali, évasive. Ils sont en train de réparer ça. De toute façon, il utilise mon portable.

— Celui que tu n'allumes jamais ? demande Nell en contrôlant le ton de sa voix.

— Oui, enfin… Je l'allume quand je m'en sers, hein ?

— Si tu le dis. Et où est-il en ce moment ?

— C'est Adam qui l'a.

— Et je suppose que c'est raisonnable ? »

Ali a la bonne grâce de concéder un sourire ironique.

« Il est le premier interlocuteur des fournisseurs, de toute manière. Ils se sont habitués à traiter avec lui.

— Je vois. » Profonde inspiration, puis Nell se jette à l'eau. « Ali, d'où vient ce type ? Je veux dire, qu'est-ce qui se passe ? Soit il travaille ici, soit il n'y travaille pas. S'il a ton téléphone et que tu lui fais confiance pour passer les commandes… »

Nell s'interrompt. Jusqu'ici, elle a réussi à faire comme si ses questions n'étaient qu'un appendice à une conversation imaginaire.

« On ne sait jamais avec Adam. Il songe à rester un peu, mais rester n'est pas trop son truc. Tu sais comment c'est. »

Non. Dis-moi comment c'est.

« Mmm.

— Je ne sais pas ce qu'on aurait fait sans lui ces derniers mois, avec Nick si malade et moi essayant de faire tourner le pub toute seule ou presque. Paudie et Julia me donnent un coup de main quand je leur demande, mais je n'aime pas trop les solliciter. Ce n'est pas comme au temps de Granny, quand on pouvait se reposer sur eux. Ils se font vieux, tu sais. Paudie n'est plus aussi vif qu'avant. » Ali lance à sa mère un regard lourd de sens. « Dans sa tête, je veux dire. »

Est-ce une tentative pour disqualifier ce que Paudie et Julia ont pu dire à Nell ? Ou, peut-être, pour limiter les dégâts avant qu'elle n'aille dîner chez eux ? Nell se lèche les lèvres ; des cristaux sucrés de l'Amande givrée de sa mère se déposent sur le bout de sa langue.

« Comment il a trouvé cet endroit ?

— Adam ? » Ali réfléchit, fait la moue, hausse les épaules – de façon exagérée, juge Nell. « Sais pas. Comme il a trouvé les autres. D'après ce que je comprends, il a été un peu partout en Europe. Je crois que le dernier endroit, c'était l'Écosse. Ouais, c'est ça, je m'en souviens : il nous a dit qu'il avait pris le ferry Stranraer-Larne. Et puis il a traversé le pays petit à petit. Il est entré un soir boire une bière, on a commencé à parler de tout et rien, il s'est avéré qu'il cherchait un endroit pour sa caravane et on lui a dit... » Un geste vague vers le champ ponctue la phrase.

« Tu as fait une demande de permis de construire pour ce champ, là où il a mis sa caravane. Un site qui a de la valeur aujourd'hui, j'imagine. Avec vue sur la mer, si on abattait le bout de la rangée d'arbres.

— Il a de l'argent, fait Ali d'un ton appuyé. C'est juste une possibilité dont on a discuté.

— Et pourquoi le poney ? » interroge Nell, même si c'est la question dont la réponse l'intéresse le moins.

Le dos d'Ali est raide comme un piquet.

« Il l'a vu dans une foire, l'a acheté sur un coup de tête, en fait. Grace adore ce vieux poney, comme tu peux l'imaginer. Terence, elle l'a appelé. Ne me demande pas pourquoi. »

Nell ne le demande pas. Ne souligne pas non plus que la présence d'un animal pâturant dans ce champ pourrait renforcer considérablement les droits d'un squatteur. Elle se rappelle vaguement les difficultés qu'Agnes a rencontrées, il y a des lustres, avec un fermier des environs qui faisait paître ses bêtes sur ses terres gratuitement.

« Donc c'est juste une sorte de... vagabond, en fait. C'est bien ça ? Jusqu'à présent. »

Ali lui lance un regard incisif. Nell conserve le même sourire. Intéressé, mais pas trop.

« Sans doute. Un peu comme on était – Nick et moi, je veux dire –, sauf qu'Adam se déplace seul. Il dit que parfois, il ne prend même pas la caravane. Il part, c'est tout, et en achète une autre là où il arrive. Je ne crois pas qu'il soit très attaché aux biens matériels.

— Il doit bien avoir des attaches pourtant, avec quelqu'un, quelque part.

— Écoute, où on va, là ? demande soudain Ali, lasse de leur jeu de cache-cache habituel.

— Je suis juste un peu curieuse, répond Nell en déplaçant une pile d'assiettes. Je veux dire… Pas toi ?

— Si son histoire n'a pas d'importance à ses yeux, pourquoi elle en aurait aux miens ? Il va là où il veut aller. Pas besoin de raison. Les gens vivent comme ça. Ce n'est peut-être pas plus mal. Parfois, plus on en sait sur eux, moins on les aime. Enfin, peut-être que c'est juste moi. »

Nell commence à rassembler le linge sale qui traîne dans ce qui lui semble les quatre coins du globe. Elle fait un petit mouvement de va-et-vient avec les épaules – peut-être bien que oui, peut-être bien que non.

« Ali ? »

Tout doux. Vas-y doucement. Dou-ce-ment.

« Mmm ?

— Je me demandais juste : est-ce qu'il t'a proposé d'acheter ce champ ? Est-ce qu'il t'a expressément offert de l'argent ?

— Pas expressément. On papote. C'est juste une possibilité pour l'instant. »

Mais la question a troublé Ali. Deux taches livides colorent ses joues. Elle tend le bras pour ouvrir la fenêtre à guillotine, comme si elle manquait d'air.

Oh, et puis merde.

« Est-ce qu'il te menace, chérie ? En quelque manière que ce soit ? S'il te plaît…

— Qui menace qui ? » demande Nick en passant la tête par le rideau du pub. Il a le carnet de commandes en main, l'air tranquille et détaché de quelqu'un qui surprend la fin d'un échange de potins.

« *Plus un mot*, chuchote Ali à Nell. Oh, le type des impôts, lance-t-elle à Nick par-dessus son épaule.

— Tous des vautours, dit-il d'un ton affable en déchirant la première feuille du carnet et en la tendant à Ali. Deux jambon-fromage toastés, un œuf-mayo, un bacon et un fromage simple, sans beurre.

— Toasté, le fromage, ou…

— J'ai dit fromage simple. J'aurais dit toasté.

— Parfait. Nell, tu veux bien prendre le relais ici ? » dit Ali en désignant d'un geste la vaisselle restante.

Elle semble de nouveau tout à son affaire, mais Nell lit un avertissement dans ses yeux gris.

« Bien sûr. »

Soulagée de pouvoir s'activer – cette fois avec la bénédiction d'Ali –, Nell déniche une paire de gants en caoutchouc déchirés et se lance dans un ménage frénétique, ramassant tout ce qui, dans la cuisine, peut être lavé, récuré ou, le plus souvent, les deux à la fois. Elle fourre le premier tas de linge sale dans la machine installée à l'arrière, dans la véranda. Trie le reste par couleurs en une série de petits tas conduisant à ladite machine. Après avoir terminé la vaisselle, elle sèche et range soigneusement assiettes et récipients dans les placards. De la Javel – où ? Ah, là. Remisée dans un coin sous l'évier, dans un vieux pot rouillé. À l'intérieur, rien ne bouge : tout est solidifié. Irritée, Nell s'attaque au couvercle avec un couteau-scie, réussit à l'ôter partiellement et bourre le contenu de coups de lame. Des blocs blanchâtres semblables à de la craie tombent dans l'évier. Elle sélectionne les plus gros et s'en sert pour frotter les taches de thé à l'intérieur et à l'extérieur de la cuvette crasseuse. Les coulures brunes commencent à se dissoudre.

Ensuite, elle ferme la bonde, fait couler l'eau chaude – il y en a, Dieu merci – et verse sous le jet tout ce qu'elle peut dénicher sous l'évier – détergent, cristaux de sel, liquide vaisselle. L'âcre odeur d'ammoniaque la fait larmoyer. Elle croit entendre un gloussement dans le coin sandwichs mais, lorsqu'elle se retourne, Ali est en train de couper la croûte du pain avec la concentration d'un chirurgien.

Une fois que sa fille a emporté les sandwichs, Nell s'empare de la planche en bois qu'elle vient d'utiliser et la frotte furieusement avec une brosse métallique – il faudrait une force colossale, voire surnaturelle à un microbe pour survivre. Elle tend l'oreille pour guetter le retour d'Ali mais, à en juger par le brouhaha qui va crescendo derrière le rideau, la présence d'une seconde personne au bar n'était pas superflue.

Le sol maintenant. Nell balaie rapidement, ramassant des saletés dont la simple vue l'aurait écœurée il y a encore quelques jours – sans parler de les tasser d'une main impatiente dans une poubelle qui déborde déjà. Un voyage éclair dans l'arrière-cour pour la vider, puis elle se met en quête d'un ustensile pour nettoyer les carreaux. Elle aperçoit alors, jeté contre le mur de la véranda, quelque chose qui ressemble à un balai à franges – les franges emmaillotées dans des toiles d'araignée grises. Qu'à cela ne tienne. Il fera l'affaire. Au retour d'Ali, les carreaux de terre cuite de la cuisine sont de nouveau visibles. Quant à Nell, les deux poings appuyés sur la table en formica, elle respire bruyamment, implorant le feu qui a envahi ses joues, son cou, sa poitrine de repartir là d'où il est venu.

« Dis donc, ç'a été rapide. » Ali inspecte la pièce avec un petit sifflement.

« Oh, j'étais juste », un souffle haletant, « juste d'humeur. Si ça te va, je m'occuperai des murs demain. Tu sais, pour leur donner un petit coup. Ensuite, si ça ne t'ennuie pas, je ferai deux ou trois choses à l'éta... »

Le visage d'Ali se contorsionne, comme si elle luttait contre quelque chose, puis elle renverse la tête en arrière et part d'un grand éclat de rire.

« Quoi ? Quoi ?

— Rien, hoquette-t-elle. On avait juste parié sur le temps que tu tiendrais. J'ai gagné. Nick disait que tu réussirais à te retenir deux ou trois jours – pour le ménage, je veux dire. Mais moi, je savais. Je *savais*.

— Heureuse d'être une telle source d'amusement. Dis-moi, est-ce que mon visage est comme je le sens ?

— Comment tu le sens ?

— Écarlate. Non, cramoisi maintenant.

— Tu veux la vérité ?

— Je ne te poserais pas la question sinon, Ali. »

Pendant une seconde, elles se regardent droit dans les yeux. Puis Ali se détourne et se met en devoir de ranger le coin sandwichs.

« C'est juste une sensation. Une illusion. Ton visage est comme d'habitude. Normal. *Tout* est normal. Ça te va ?

— Il faudra bien, j'imagine. Du moins pour le moment. »

Nell aperçoit alors Grace qui se tient dans la cour – ou plutôt sautille d'un pied sur l'autre, son cartable toujours sur le dos. Elle est engagée dans une conversation imaginaire. Le visage renfrogné, elle pointe un doigt accusateur sur son interlocuteur invisible. Une main sur la hanche à présent, bouche ouverte en signe d'incrédulité, puis elle se jette à nouveau dans le débat : le doigt s'agite, indignation, puis long chapelet d'invectives jusqu'au moment où elle s'arrête, visiblement à court d'insultes, et où sa jambe part en un coup décisif et définitif. Nell sourit. Qu'est-ce qui a bien pu provoquer ça ?

« Nan ! » s'exclame Grace en franchissant la porte, comme si elle avait oublié que sa grand-mère était là. Ça ne lui ressemble pas. La prétendue dispute devait être particulièrement intense.

« Bonjour, chérie. Comment était l'école ? »

Nell serre Grace dans ses bras et l'aide à ôter son cartable pour qu'elles puissent s'étreindre encore plus fort.

« Super.

— Tu es rentrée à pied ou en bus ? demande Ali.

— À pied.

— Avec quelqu'un ? Une copine ?

— Non.

— Et la journée a été bonne ?

— Ouais.

— Vous avez joué à des jeux amusants ?

— Pas vraiment.

— Miss Kelly était de bonne humeur ?

— À peu près. »

Tout en réglant leur compte aux questions, Grace déambule dans la cuisine, prélève un croûton de pain dans un coin, ouvre le frigo pour prendre un bout de fromage, glisse une pomme sous le cardigan gris de l'école. Sa nonchalance est factice : Nell surprend les regards en coin qu'elle lance furtivement à sa mère, comme pour évaluer l'humeur du jour. En entrant dans la pièce, elle avait l'air maussade et ce petit nœud sur le front, comme si quelqu'un pinçait et tournait la peau entre le pouce et l'index; puis, comme l'entrain d'Ali ne se démentait pas, son front s'est détendu jusqu'à devenir parfaitement lisse.

Nell s'assied et les écoute un moment, laissant leur bavardage glisser sur elle comme une vague, sans les habituels courants sous-jacents. Peut-être qu'elles sont ainsi, que ça se passe ainsi, la plupart du temps. Ali raconte une anecdote sur sa matinée au pub et Grace hoche la tête tout en mastiquant. Les fluctuations de l'humeur de sa mère glissent comme des variations atmosphériques sur son visage en forme de cœur. De longs passages nuageux reflétant le visage sombre d'Ali, suivis de sourires rayonnants.

« Oh, Ali, se souvient soudain Nell. Je voulais te dire : j'ai retrouvé les pierres de Mammy dans ma chambre. Je suis contente que tu les aies gardées. »

Ali réfléchit quelques secondes avant de comprendre; son front se plisse, puis se déride.

« Ah, ouais. Je ne savais pas trop ce qu'elles faisaient là, donc je les ai entassées à l'intérieur de ce tabouret. C'est quoi exactement ?

— Tu n'as pas remarqué ce qui est écrit dessus ?

— Écrit ? demande Ali en fronçant le nez. Peut-être. J'ai dû croire que c'étaient des porte-bonheur ou un truc du genre. »

Bizarre qu'Ali n'ait jamais noté, au cours de leurs promenades, cette habitude qu'avait sa grand-mère de ramasser des pierres.

« Elle les appelait ses pierres de mémoire, explique Nell. Quand elle avait plaisir à se promener ou à passer la journée quelque part, elle rapportait toujours une pierre sur laquelle elle écrivait la date et le lieu, parfois le nom de la personne qui l'accompagnait, ce genre de choses. Ensuite, quand elle rassemblait ses idées, comme elle disait, ou qu'elle faisait ses prières après la fermeture du pub, elle regardait les pierres et toutes les promenades lui revenaient. Toutes à la fois. Elle disait que comme ça, elle multipliait par cent la valeur de chaque bon moment.

— C'est joli. Un peu ce qu'on fait avec les étiquettes des bouteilles de vin, en un sens.

— Je n'y avais pas pensé, mais oui.

— On pourrait faire ça nous aussi, Mama ? demande Grace.

— Nos propres pierres de mémoire ? Bien sûr, Gracie. Tout à l'heure, on ira se promener en bas sur la grève et on ramassera notre première belle grosse pierre.

— Je les peindrai.

— Je ne pense pas qu'il faille les peindre.

— Mais je pourrai les peindre si je veux, hein ? »

Sentant poindre une dispute, Nell s'interpose.

« Je me disais justement, Ali : pendant que je suis ici, ce serait agréable de faire quelques promenades. Tu sais, toutes les deux. Ou avec Grace après l'école, peut-être. »

Lentement, un sourire radieux se dessine sur le visage d'Ali. Sa mère a toujours préféré les balades en solitaire.

« Ouais. Ouais, O.K. »

Elle se retourne – pour masquer son ravissement, Nell le sait : il est un peu trop nu, trop gênant. Grace, en revanche, ne cache pas son plaisir. Son sourire enveloppe sa grand-mère d'un éclat météorique. En enfant dévouée qui veille sur sa mère fragile, elle est reconnaissante des bontés que l'on a pour Ali, même si elle n'en comprend pas bien le sens.

Le nez retroussé se fronce quand Nell étreint sa petite-fille une nouvelle fois.

« Nan ?

— Oh, je sais. Je dois sentir un peu mauvais. La transpiration. » Nell perçoit l'odeur de ses propres aisselles.

Près de l'évier, Ali étouffe un grognement.

« Un bain te ferait le plus grand bien, déclare Grace de sa voix d'adulte. Et est-ce que tu t'es brossé les dents aujourd'hui ? »

Dans la minuscule salle de bains perchée tout en haut de la maison, avec son réservoir mural gargouillant et son lino imitation marbre qui rebique aux quatre coins, la première douche de Nell dure une éternité. La douchette, qu'il faut tenir à la main, n'émet qu'un faible crachin et l'eau est déjà froide lorsqu'elle se rince les cheveux. Les serviettes n'ont pas l'air très moelleuses, mais elles sont propres et sèches.

Quand Nell essuie la buée sur le miroir qui surmonte le lavabo, le visage qu'elle y voit, sans aucun maquillage, lui paraît vieux et flasque. Certains miroirs sont moins indulgents que d'autres. Celui-ci est presque cruel. D'autant plus vindicatif, peut-être, que la dernière fois qu'elle s'y est regardée, elle était une adolescente au visage juvénile. Ce n'est pas que les années n'ont pas été tendres, c'est simplement qu'elles ont été.

Bingo ! s'est exclamée Meredith le jour où Nell, échouant à déchiffrer les minuscules caractères du menu d'un restaurant, a dû extraire de son sac ses lunettes presque neuves. Elle-même a alors brandi ses grosses besicles à double foyer. Pourquoi tu ne m'as pas dit ? Pourquoi tu ne m'as pas dit ? Et ici (pinçant la peau relâchée sous le haut de son bras), dis-moi la vérité : est-ce que ça flageole quand tu fais signe à quelqu'un ? Comme les bajoues d'un chien qui court ? Et là (montrant ses seins), des veines ? Pas autant que toi, a dit Nell en riant. Les choses foutent le camp pile au moment où elles sont censées le faire, a répondu Meredith d'une voix dolente. Les yeux, la peau, la taille... Je ne sais pas pour toi, mais je n'arrive toujours pas à croire que je suis devenue un tel cliché ambulant. C'est quoi, l'étape suivante ? L'incontinence, a fait Nell.

Pauvre chère Meredith. Elle n'a jamais atteint l'étape suivante. Le cœur de Nell se serre et les larmes lui montent aux yeux. Ça vous atteint par vagues, le manque de quelqu'un. Même chose après Agnes. Comme un bruit de fond qui crépite sourdement les jours bien remplis où l'on n'a pas le temps de réfléchir, une pointe acérée lorsqu'on oublie un instant et que quelque chose vient raviver le souvenir. La culpabilité d'avoir oublié, ne serait-ce qu'une seconde.

En rentrant dans sa chambre, Nell trouve Grace en train d'entasser les pierres en tours bien droites. Naturellement, cette petite fouineuse a voulu voir de ses propres yeux ce dont les deux femmes parlaient tout à l'heure. Les tours s'écroulent quand Nell ferme la porte et Grace s'empresse de rejeter les pierres dans le coffre-tabouret. Le bouchon offert par Henri gît près d'elle sur le sol. Elle a donc également fouillé dans le sac de Nell. Celle-ci ramasse le bouchon.

« Chérie, c'est très fragile. S'il te plaît, ne joue pas avec ça. Tout ce que tu veux d'autre, mais pas ça. C'est un cadeau d'Henri.

— Pourquoi il n'est pas venu avec toi ? Je ne pleure plus quand je glisse en bas du serpent maintenant. »

Nell sent sa gorge se nouer en pensant au sourire patient et résigné d'Henri lorsqu'il s'absorbait dans un énième jeu de serpents et échelles avec Grace. Ces deux-là se sont pour ainsi dire mis le grappin dessus dès leur première rencontre. Rien de grandiose ni de spectaculaire. Juste un rapport facile, tranquille, dans lequel ils se sont glissés comme dans un vieux manteau bien chaud.

« Je te préfère avec du maquillage, lance Grace en examinant le visage nu de sa grand-mère, qui porte une serviette en turban sur la tête.

— Eh bien, on va me maquiller.

— Et moi aussi ? Mama ne se maquille jamais. Elle ferait mieux.

— Elle n'en a pas autant besoin que moi.

— Oh que si.

— Grace ? Tu n'iras pas dire des choses comme ça à Mama, hein ?

— Euh… fait Grace en prenant l'air simplet.

— Non, dit Nell en gloussant. Non, je ne te prends pas pour une idiote. Tu es même aussi futée qu'un rat d'égout, comme aurait dit ma mère. Ma petite chérie. »

Grace la gratifie d'un sourire affecté. Une fine mouche contente d'elle. Chacune des deux sait à qui elle a affaire.

Petite cachottière.

« Bon, tu me maquilles et je te maquille. »

Grace fourrage dans la grande trousse de toilette de Nell ; sa frêle silhouette frétille d'enthousiasme. Assise sur le lit, Nell lui présente son visage. Elle ferme les paupières dans l'attente du fard et cherche un moyen d'orienter l'air de rien la conversation sur Adam. Mais Grace la devance avec sa propre question prétendument innocente.

« Pourquoi tu ne t'es jamais mariée, Nan ? Mon grand-père ne t'a pas proposé ? »

Nell forme un O avec la bouche pour le rouge à lèvres, mais elle a peine à réprimer un sourire : pour avoir été, pendant des années, celle qui subissait les interrogatoires, Grace maîtrise à la perfection l'art de la diversion.

« Des tas d'hommes m'ont demandé ma main, répond-elle, acceptant de se prêter au jeu habituel.

— Mais pas mon grand-père. »

Pointe d'émotion sur le possessif : n'importe qui croirait que la gamine se sent orpheline. Mais toutes les deux savent bien que ce n'est que la manière de Grace d'exclure du jeu, avant même qu'il n'ait débuté, toute question qui pourrait lui être adressée.

En réalité, elle a toujours manifesté aussi peu d'intérêt pour l'identité de son grand-père qu'Ali elle-même pour son père. Nell sera éternellement reconnaissante à celle-ci de ne jamais s'être appesantie sur le sujet. Elle aurait pu pourtant, quand elle cherchait des accusations à lancer à sa mère. Elle aurait raisonnablement pu entretenir, ou inventer, ou invoquer toutes sortes de griefs liés aux silences de Nell, au peu de données concrètes qu'elle lui fournissait. Mais, pour une raison connue d'elle seule, elle s'est contentée d'admettre la véracité des rares réponses que lui faisait sa mère – à savoir que c'était un coup d'une nuit, un acte irréfléchi né de l'ignorance et, oui, de la curiosité, et que le jeune homme en question n'avait jamais su qu'il était devenu père.

Tout au long de l'enfance d'Ali, Nell s'est préparée à affronter l'inévitable. Comment était mon papa ? Est-ce que tu l'aimais, est-ce qu'il t'aimait ? Papa papa papa. Une enfant n'avait-elle pas toutes les raisons de faire une fixation ? Mais non : elle toujours si prompte à se sentir blessée, sur ce sujet précis, ce sujet capital, elle a accepté un minimum d'informations avec un maximum d'optimisme. Et Nell s'est sentie profondément soulagée de ne pas avoir à inventer une idylle de conte de fées. Elle a même conçu l'espoir – à une époque où elle avait bien besoin d'espoir, durant les jours les plus sombres de l'addiction d'Ali – que l'apparent manque d'intérêt de sa fille reposait peut-être simplement sur le fait qu'elle était, en dépit de tout, reconnaissante d'être en vie. Reconnaissante qu'on lui ait donné la vie.

« Non. Pas ton grand-père. »

Nell ouvre un œil. Grace est en train de lui tartiner la bouche de rouge à lèvres et, par réflexe, presse ses lèvres l'une contre l'autre.

« Gracie…

— Est-ce que tu l'aimais ? »

À présent, c'est le mascara qui s'amoncelle.

« Euh… non », répond Nell prudemment en se demandant où ceci les mène.

Grace prend une de ses mines désapprobatrices d'adulte.

« J'étais jeune et bête, nettement moins raisonnable que toi. »

Et comment, ajoute Nell intérieurement. C'était un gars du coin, de plusieurs années son aîné. Elle se demande s'il est toujours dans les parages. Le reconnaîtrait-elle seulement ? Et lui ? Ils pourraient probablement se croiser dans la rue sans l'ombre d'une réminiscence.

Juste cette fois. La première fois. Debout, dans un cimetière. Celui de l'église était un bon endroit pour se peloter parce qu'il restait faiblement éclairé toute la nuit. Ils étaient déjà sortis ensemble une ou deux fois, avaient fumé quelques cigarettes, s'étaient roulés sur les galets de la crique en croissant ; rien d'autre que quelques baisers baveux et une main solitaire tâtant l'intérieur d'un de ses bonnets de soutien-gorge. Cette nuit-là, derrière l'église, ils ont bu de la vodka que Nell avait piquée au pub. Elle avait utilisé une bouteille en plastique de Lourdes à l'effigie de Notre Dame, remplissant le corps de cette dernière jusqu'au cou avant de revisser la tête par-dessus. Dans une autre bouteille, elle avait emporté de l'orangeade concentrée non diluée.

Ils ont bu avec des rires étouffés en alternant les bouteilles ; le goût était infect et leur donnait des haut-le-cœur. Et puis, dans le cimetière, il l'a adossée contre une stèle, a ouvert sa braguette, a baissé son pantalon à la hâte et l'a regardée d'un air saoul avec son chose dans la main. Elle n'avait encore jamais vu de pénis en érection, mais elle savait où c'était censé aller. En se tortillant, elle a baissé son propre pantalon jusqu'aux genoux, et avec force grognements, en regardant vers le bas avec curiosité, ils ont réussi à enfoncer l'extrémité dans son vagin. Elle n'a pas eu le temps de penser à la douleur – il a joui presque tout de suite. Ensuite, ils ont terminé la vodka et vomi dans les buissons et ils sont repartis chacun de son côté. Elle n'est plus jamais sortie avec lui. Il n'a jamais su qu'elle était enceinte en quittant le pays. Telle est donc la digne et noble manière dont Ali a été conçue, projetée sur la scène du monde, et sa place inscrite dans l'histoire.

Grace recule d'un pas pour inspecter son œuvre. Elle ajoute de l'ombre à paupières avec ses pouces, puis regarde à nouveau. La pointe de sa langue dépasse comme une petite souris.

« Parle-moi un peu d'Adam », lance Nell d'un ton détaché au milieu du silence.

Grace hausse les épaules : qu'y a-t-il à dire ?

« Bien sûr, lance-t-elle en barbouillant de blush les joues de sa grand-mère, tu ne peux pas épouser Henri parce qu'il est déjà marié, pas vrai ? Et si tu tues sa femme, tu seras une meurtrière et une double pécheresse. Et ce sera l'enfer pour toujours – je veux dire *toujours*.

— Que faire ? » demande Nell en écartant les mains.

Grace réfléchit une minute.

« Eh bien, tu *pourrais* tuer sa femme. Un truc vite fait, pour qu'il n'y ait pas trop de sang – pas de sang du tout, même, par exemple si tu… l'étrangles. » Elle fait le geste d'étrangler son propre cou décharné, puis marque une pause méditative. « Ensuite, tu pourrais t'en vouloir à mort et aller te confesser pour avouer ton grand péché, et Dieu te pardonnerait. Il est *obligé*, tu sais, même s'il n'a pas envie.

— Je préférerais éviter de tuer quelqu'un si je peux.

— Je disais juste ça comme ça. Ne le prends pas mal, Nan, mais tu es un peu vieille pour ne pas être mariée. »

Il y a quelque chose derrière tout ça, Nell en est certaine. Mais quoi ? Son cerveau fait des loopings pour tenter de déchiffrer le message que Grace, à son inimitable manière, s'efforce de faire passer. Un faux mouvement à présent, un mot de travers, et les lèvres de mollusque se scelleront, peut-être jusqu'à la fin de son séjour. Nell fredonne, attendant. Une éternité s'écoule.

« Ce serait bien si Mama épousait Papa.

— Tu crois ? »

Un million d'autres questions surgissent, mais Nell parvient à se retenir.

« Mmm. »

Cette enfant est vraiment faite de granit imperméable. Une autre éternité se passe. Puis, mise en confiance par le silence prolongé de Nell, Grace fait son premier écart.

« Alors il n'y aurait plus qu'eux.

— Sans Adam, tu veux dire », enchaîne Nell trop rapidement.

Elle comprend aussitôt qu'elle a tout gâché. La seule façon d'accéder à Grace, c'est par la porte de derrière, et elle vient de s'engouffrer par l'entrée principale.

« Enfin bref », fait Grace sur un ton détaché. Puis : « À moi ! À moi ! » Elle feint une excitation de gamine à l'idée de se faire maquiller, signalant ainsi la fin provisoire de l'enquête.

La bouche en cul-de-poule, les yeux rivés au plafond, elle parvient à rester parfaitement immobile tandis que Nell applique l'ombre à paupières, puis le mascara. Une pose qu'elle a dû voir à la télévision, ou que les petites filles, peut-être, ont déjà dans les gènes. Sous les doigts de Nell qui poudrent avec légèreté, les paupières levées sont douces comme de la peau de pêche, délicates comme de la gaze, avec des veines à peine perceptibles qui courent tels des rubans jusqu'au bord. La bouche est déjà mollement ouverte dans l'attente du rouge ; la langue va et vient sur la surface renflée et légèrement côtelée de la lèvre inférieure pour la maintenir humide. Chaque mimique est l'exacte réplique de celle qu'avait Ali lorsque sa mère et elle accomplissaient le même rituel. C'est-à-dire avant qu'elle ne rejette tous ces fards comme dégradants pour elle-même et sa féminité.

Nell poudre le bout du nez retroussé et, incapable de se retenir, se penche pour l'embrasser ; le repoudre, puis le réembrasse.

Les yeux de Grace s'étrécissent de plaisir.

« Arrête, gronde-t-elle. Ça va faire des traces. Occupe-toi de ma bouche. »

Celle-ci s'ouvre plus grand, impérieuse.

« Quelle couleur ?

— Rouge. »

Nell passe un fin pinceau en poil de martre dans le plus rouge de ses rouges à lèvres et trace l'arc de Cupidon avant de s'attaquer au remplissage. Elle s'apprête à achever par une couche de gloss lorsqu'elle remarque une légère protubérance dans le coin droit de la lèvre inférieure. Elle la tâte avec un doigt, doucement, mais l'enfant tressaille. Il y a une petite coupure fraîche juste à l'intérieur, là où la chair devient humide et granuleuse. Peut-être faite par une dent.

« Tu as eu un accident aujourd'hui, chérie ? Tu es tombée ?

— C'est rien. Je me suis cognée contre... » Froncement de sourcils perplexe.

« Contre quoi ?

— Un mur, à l'école.

— Bizarre que tu ne te sois pas blessée ailleurs. Qu'est-ce que tu faisais ? Tu te baladais comme ça ? »

Nell martèle le sol d'un pas lourd en avançant au maximum la lèvre inférieure. Grace la regarde avec sérieux une seconde, puis pouffe et tente de dissimuler son rire derrière un regard de dédain corrosif. Cet air sarcastique plaqué sur ses traits peinturlurés la fait ressembler à une petite Lolita distordue.

« C'est fini ? »

Grace descend du lit pour s'examiner dans le miroir en triptyque. Menton levé, moue aux lèvres, elle scrute son visage sous tous les angles.

« Je suis sublime, pas vrai ?

— Tu es la crème de la crème », répond Nell, reprenant une expression de sa mère. Elle laisse Grace admirer son reflet tout son saoul avant de poursuivre : « Tu sais, je me disais, maintenant que tu es sublime et tout, on pourrait peut-être acheter une lotion pour traiter ces vieilles piqûres de puces.

— O.K., fait Grace en haussant les épaules.

— La seule chose, poursuit Nell en se léchant les lèvres, c'est que ça ne servira à rien si tu laisses tous ces chats dormir dans ta chambre, hein ? On pourrait leur installer un petit lit douillet dans la cuisine. Ils adoreraient le fourneau. Tu leur rendrais service.

— J'aime les avoir avec moi.

— Ce n'est pas très hygiénique, mon ange.

— C'est *mes amis.* » Le nœud en spirale réapparaît sur le front de l'enfant.

« Eh bien, tu as des amis à l'école, non ? Et pourtant tu ne dors pas avec eux », insiste Nell.

Mais Grace s'est élancée vers la fenêtre pour clore la discussion.

« Regarde, voilà Adam ! »

Elle tambourine la vitre à deux poings. Ses yeux brillent comme des billes polies ; sa posture a quelque chose de fébrile et d'excité qui contraste entièrement avec ce que Nell a pris, un peu plus tôt, pour le désir de voir Adam s'en aller.

Grace paraît flottante à propos d'Adam. Peut-être est-ce aussi le cas d'Ali : tout à l'heure, dans la cuisine, elle a eu un mouvement d'angoisse à l'idée qu'il pourrait partir. Leurs réactions à son égard semblent entièrement transitoires, aussi instables que des flammes vacillantes ballottées par des vents capricieux. Peut-être est-ce là le secret à maîtriser – apprendre à fluctuer au gré d'émotions contradictoires, comme le font Grace et Ali ; apprendre à laisser la flamme se redresser toute seule.

Nell vient se placer derrière sa petite-fille et regarde Adam écraser une cigarette roulée sous sa chaussure, mains profondément enfoncées dans les poches de son jean, yeux levés vers Grace. Quand il remarque son visage de danseuse de flamenco, sa bouche s'épanouit en un sourire lent et détendu. Grace lui fait un signe appuyé pour lui ordonner de ne pas bouger – elle descend de ce pas. Elle sort en courant sans se retourner vers Nell, qui reste seule à soutenir le regard lointain d'Adam. Celui-ci se balance, mal à l'aise, d'un pied sur l'autre. Elle n'en sait toujours pas davantage sur lui, mais, en scrutant les plans inclinés du visage levé, les reliefs de la peau ferme et tannée par le soleil, ce n'est pas de la suspicion qu'elle sent gronder au plus profond de son ventre, c'est – inutile de le nier –, oui, indubitablement, du désir.

Elle aperçoit alors son visage dans le miroir. Un clown lui rend son regard. Deux cercles rouges jumeaux de part et d'autre du nez, des cils en pattes d'araignée entourant des yeux cerclés d'un trait de crayon noir, une balafre écarlate en lieu et place de bouche qui s'étire bien au-delà des lèvres, jusqu'au milieu des joues. Une bouffée de chaleur ascendante qui a déjà dépassé sa mâchoire achève de fondre le tout en un affreux masque criard. Non, pas un clown. Il y a autre chose. Ces yeux ronds et écarquillés, ces lèvres distendues… Volontairement ou par accident, c'est un hurlement que Grace a peint sur son visage.

Nell saisit des mouchoirs en papier et commence à s'essuyer frénétiquement juste au moment où Grace sort de la maison et court se jeter dans les bras d'Adam. Ses jambes grêles et mangées par les puces encerclent la taille de ce dernier tandis qu'il la fait tournoyer autour de lui. Sa jupe plissée d'uniforme s'évase, révélant une culotte blanche crasseuse et le bas d'un abdomen laiteux et concave. Sa vulnérabilité est à la fois choquante et exquise, comme une goutte de sang rubis sur une gorge d'albâtre. Ils rentrent dans la maison, étroitement enlacés, et Nell reste un long moment à fixer l'espace vide ; pour une raison qui lui échappe, elle trouve leur tranquille solidarité perturbante. Pas difficile de voir pourquoi même elle, malgré le fardeau de soupçons qu'elle porte, le trouve aussi fascinant. Une enfant de presque huit ans est capable de voir sa beauté. Mais c'est plus que cela, plus que son côté insaisissable, son silence, l'apesanteur de son regard. C'est l'immédiateté de sa présence. Voilà ce qui différencie Adam de toutes les personnes qu'elle a connues. Son caractère absolument charnel.

Foutaises, se sermonne-t-elle. Elle ne va pas gober la version d'Ali, cette idée d'un homme en perpétuel devenir, indifférent à sa propre histoire. Tout le monde a un passé, songe-t-elle en regardant, au loin, quelques rais de lumière de la fin de journée frapper les vitres de la caravane. Il est dans la nature de l'homme de vouloir manifester son expérience, rassembler ses souvenirs. Livres, photos, lettres… Pour sa part, elle a encore les premiers petits chaussons d'Ali, ainsi qu'une mèche datant de sa première coupe de cheveux. À ses pieds s'étalent les pierres de mémoire de sa mère. Il doit y avoir *quelque chose* dans cette caravane qui éclaire la personne d'Adam. Il faut juste qu'elle trouve l'occasion d'aller voir.

Son portable sonne. C'est Henri, visiblement de meilleure humeur que le matin. Il lui demande ce qu'elle est en train de faire.

« Eh bien, je suis à la fenêtre avec une tête de clown hurlant et des cailloux à mes pieds et je regarde une caravane en me demandant ce qu'il y a dedans. »

Henri éclate de rire, si fort qu'elle doit éloigner l'écouteur.

« Quoi, qu'est-ce que j'ai dit ?

— Je crois que tu es ma caravane à moi, Nell. »

6

À l'ouest, le ciel est en feu. Des bandes écarlates fondent et dégoulinent sur une sous-couche d'or déliquescent qui s'étire tout au long de l'horizon. Celui-ci est percé par deux molaires noires jumelles qui jaillissent de la mer – deux rocs déchiquetés qu'on appelle le Taureau et le Veau. Un vent capricieux joue sur la surface plane et scintillante de l'Atlantique, dessinant une série complexe de spirales et de tourbillons qui s'enroulent et se désenroulent, de sorte que l'océan tout entier ressemble à une gigantesque empreinte digitale.

Nell s'est arrêtée après avoir fait quelques pas sur l'étroit chemin qui conduit chez Paudie et Julia. Elle se tient du côté opposé à leur maison et regarde à travers une haie où s'enchevêtrent épine noire et sorbier des oiseleurs. De là, elle aperçoit une longue plage de sable qui s'étend jusqu'au prochain promontoire en saillie. La marée descend toujours, se retirant du rivage en succions lentes et circonspectes. Une haute silhouette découpée sur un soleil boursouflé et mourant court au bord de l'eau, qui se referme sur ses pieds. Le même homme, nigérian suppose-t-elle, qui, cette fois, fait son jogging du soir. Ou peut-être est-ce là tout ce qu'il fait – courir à longueur de journée. Croit-il que s'il continue sans s'arrêter, il oubliera où il est ? Qu'il oubliera qu'il n'est pas chez lui ? Peut-être se dit-il qu'il ne fait que passer et que cet endroit pourrait être n'importe où. Nell l'imagine petit garçon, encore haletant des activités de la journée, des yeux comme des lacs qui fixent une tache sur l'atlas de son père. Et son père lui annonce que cette tache, cette minuscule île lointaine, sera un jour le lieu de son exil. Non ! s'exclame le gamin.

Et il rit, certainement. Ce truc-là n'est nulle part. Pas ici. Pas en Afrique.

Peut-être que chaque foulée est pour lui un moyen de revendiquer cette terre étrangère, qu'il la martèle ainsi afin qu'elle se soumette et devienne sienne, comme si ses pieds étaient mieux à même de l'assujettir que son cœur. Mais c'est plus probablement l'inverse – à savoir que, pendant le temps infinitésimal où il reste en suspens, pieds en l'air, il n'appartient vraiment à aucun lieu. Il se pourrait aussi, pense Nell, qu'il cherche juste des connexions. Des similitudes avec son propre pays, des axes familiers autour desquels articuler l'inconnu. Qu'il coure parce que c'est ce qu'il a toujours fait. La seule chose qui lui reste dans ce lieu si différent. Quelles que soient ses raisons, sa silhouette forme une ombre esseulée sur la mer en reflux.

Nell repense à ses premiers jours à Oxford. Un lieu alors aussi dépaysant pour elle que cette portion du Kerry l'est sans doute pour le Nigérian. Seize ans, et tout lui était étranger, y compris le petit démon qu'elle sentait croître dans ses entrailles. Les énormes maisons de brique rouge de Summertown, la banlieue où son oncle et sa tante vivaient depuis une vingtaine d'années, avaient quelque chose de fantastique et d'oppressant qui, au début, l'effrayait. Les arbres qui bordaient les vastes boulevards lui paraissaient bizarres. Si hauts, si droits et si feuillus – rien à voir avec les spécimens tourmentés et battus par les vents qu'on voyait chez elle. Ses narines étaient constamment chatouillées par une âcre odeur de carburant. Tout le monde avait un accent snob. Ses vêtements paraissaient communs et provinciaux. La minijupe, semblait-il, était passée de mode ; les filles ne portaient que d'indéfinissables entre-deux appelés jupes mi-longues. Sa coiffure – une queue-de-cheval serrée, sans raie – était tout ce qu'il ne fallait pas. La première chose qu'elle a faite dans sa chambre, au sommet de la haute et anarchique construction qu'était la maison d'oncle Albie, c'est de lâcher ses cheveux pour tracer une raie au milieu avec un peigne.

Elle était dodue et le devenait chaque jour davantage, résultat de la grossesse, mais aussi d'une suralimentation constante et quasi méthodique. Comme si elle s'efforçait d'obtenir une sorte de régularité de forme, de forcer le reste de son corps à rattraper ce monticule qui grossissait à l'avant. À son arrivée, elle ressemblait à n'importe quelle adolescente encore drapée dans les rondeurs de l'enfance ; deux mois plus tard, ces rondeurs avaient clairement l'apparence d'un bébé. Quand les gens entendaient son accent et voyaient son état, ils se lançaient des regards entendus à la dérobée et elle avait l'impression d'être la caricature de la gamine irlandaise contrainte de faire la traversée. Elle commençait tout juste à prendre conscience de ce qui s'était produit dans sa vie. Que celle-ci lui échappait désormais. Elle était un problème dont on discutait à voix basse au cours de laconiques échanges téléphoniques. Une enfant qui attendait des lettres de sa mère. Une future mère qui attendait son enfant. Contrairement à la longue silhouette inclinée qu'elle voit là-bas sur la plage, elle ne courait pas. Elle grossissait et grossissait au point qu'à la fin, ses yeux semblaient se dissoudre dans son visage – au point de devenir invisible à elle-même.

Elle regarde l'homme disparaître derrière une grosse masse de rochers noirs. Le soleil agonisant consume l'occident. Il lui semble que son corps tout entier s'ouvre à ce spectacle, absorbe son pays natal par chacun de ses pores. Inutile de résister. Même l'air qui emplit ses poumons lui paraît doux. Pendant tant d'années, elle a réussi à vivre sans ce lieu. Mais ce n'était qu'une absence physique, elle s'en rend compte à présent : ce lieu a continué à vivre en elle ; c'est comme si elle s'était tenue ici, à cet endroit précis, hier soir et tous les soirs précédents. On ne quitte jamais vraiment son pays, on l'emporte avec soi, a dit un jour Meredith en parlant du Yorkshire. Pourquoi tu ne rentres jamais chez toi, Nell ? Je ne sais pas. *Je ne sais pas*.

« Nell, c'est toi ? »

Une voix juste dans son dos la fait sursauter. Une main effleure brièvement son épaule.

« Paudie ? »

Nell fronce les sourcils, puis se reprend. Il sait bien qu'il est vieux ; inutile d'en rajouter. Mais il glousse déjà doucement.

« J'use ma dernière chemise, dit-il. Toi, t'es juste la même en un peu plus âgé. Bienvenue au bercail, petite Nell. »

Nell serre en bonne et due forme la main que lui tend le vieil homme. L'annulaire et le petit doigt sont recroquevillés dans la paume à cause de l'arthrite ou des rhumatismes ; la main est noueuse, avec des veines bien visibles et sinueuses, comme des vers enfouis. La tête couronnée de cheveux blancs saille légèrement vers l'avant et semble n'avoir pas été d'aplomb sur le cou depuis un temps considérable. Des yeux globuleux, munis de profonds capuchons en haut et en bas, un long nez crochu et des lèvres minces lui donnent l'air d'une tortue qui jette un furtif coup d'œil hors de sa carapace.

« J'ai quatre-vingt-deux ans, pour répondre à ta question.

— C'est bon de te revoir, Paudie. Tu as l'air en forme.

— J'ai l'air d'une épave, réplique-t-il en souriant. Viens. Tu verras que Julia a mieux tenu le coup que moi. »

Nell le suit jusqu'à la petite maison. Son pas est plutôt alerte et il met un point d'honneur à marcher devant elle. Ils franchissent la porte d'entrée, qui donne directement sur le salon. Il y a un feu dans l'âtre, mais ce sont de fausses braises qui dissimulent un chauffage au gaz. La pièce est d'une propreté si implacable qu'un grain de poussière isolé irait se jeter sous le balai. Dans le coin le plus éloigné, près d'un grand téléviseur à écran plat, il y a un meuble avec un ordinateur, une imprimante et un téléphone à répondeur incorporé. Les pois de senteur du jardin dégagent un parfum entêtant, presque écœurant.

Julia sort de la cuisine en s'essuyant les mains sur son tablier. Elle est aussi belle que dans le souvenir de Nell, même si le nuage de cheveux blonds est maintenant d'un blanc nacré strié d'argent. Elle a bien dix ans de moins que son mari et, avec sa peau laiteuse et sans ride parsemée d'un fin duvet, pourrait en paraître dix de moins encore. Une vive intelligence anime son regard de cobalt, qui enveloppe Nell avec une rapidité et une précision chirurgicales. Son large sourire, franc et candide, éclaire un visage pâle et rond où il côtoie des questions silencieuses.

« Nell Hennessy ! » Elle serre la main de Nell avec vigueur. « Je commençais à croire que je verrais jamais ce jour.

— Bonjour, Julia. »

Nell reste en retrait, un peu gênée, mais Julia a tôt fait de la plaquer contre sa poitrine. Trois bonnes claques entre les omoplates et elle la libère à nouveau.

« Laisse-moi te regarder. » Ses yeux parcourent Nell de la tête aux pieds. « On se demandait justement si on t'aurait reconnue sans savoir que tu venais. Si on t'avait croisée, disons, à Killarney ou quelque part. » Elle se tourne vers son mari. « Moi oui, en tout cas.

— Ah, elle a les yeux de sa mère. Ceux-là, on les reconnaîtrait n'importe où.

— Viens donc dans la cuisine, fait Julia en prenant Nell par la main. Tu pourras me parler pendant que je termine. »

Une délicieuse odeur de bœuf braisé emplit la cuisine. Nell s'aperçoit qu'elle n'a rien avalé de la journée, à l'exception d'une croûte de pain beurrée ce matin. Julia s'affaire, vérifiant les légumes, mettant les assiettes à chauffer dans le four.

Nell regarde autour d'elle avec étonnement. Autrefois, cette cuisine était un assemblage improbable d'éléments hétéroclites, une pièce humide et sans air où elle venait quémander de la *jelly*. À présent, elle semble droit sortie d'un prospectus – spacieuse, lumineuse, avec de sobres meubles encastrés en bois clair et des plans de travail en granit noir. Au centre, une table en pin dressée pour trois avec, à chaque extrémité, une bougie dont la flamme se reflète chaleureusement dans les verres à vin en cristal. Une bouteille de rouge trône au milieu, débouchée pour laisser le vin respirer. Nell reconnaît l'étiquette. C'est un honnête bordeaux, une valeur sûre, même si elle juge généralement son prix de vente excessif. Et elle meurt d'envie de boire quelque chose de vaguement décent.

« Dis-nous ce que t'en penses. »

Paudie remplit un verre à demi et le tend à Nell. Elle goûte une petite gorgée ; le vin est meilleur qu'elle ne s'y attendait. Il a dû leur coûter une bonne dizaine de livres en dehors de France. Elle affiche un air approbateur. Paudie émet un petit grognement satisfait et remplit le verre à ras bord.

Nell se dirige vers la fenêtre donnant sur l'arrière. Il y a là un jardin long, étroit et pentu qui s'achève brusquement au niveau d'un bosquet d'ifs rabougris. Au-delà, la roche nue et striée monte en pente douce jusqu'à un énorme cône dominant l'horizon qui s'assombrit : Eagle Rock – où il n'y avait pas d'aigles même dans l'enfance de Nell et qui est plus une grosse colline qu'un rocher. Quelques moutons crottés déambulent pêle-mêle sur toute sa hauteur. Elle sent le regard de Julia planté dans son dos, mais ne se fait pas encore assez confiance pour parler.

« Ça fait longtemps, Nell », dit Julia doucement.

Nell s'éclaircit la gorge. Le souffle de Julia lui chatouille la nuque.

« Y a une route qui mène là-haut maintenant, si on peut appeler ça une route ; de temps en temps, un touriste essaie de monter en voiture.

— Ah oui ?

— Oui. Et tu seras contente d'apprendre qu'ils ont planté un panneau au bord du lac, un avertissement.

— C'est une bonne chose. »

Julia est maintenant à côté de Nell, les yeux braqués sur le sommet de la colline. Elle lui prend la main et la pose sous sa propre poitrine.

« Tu sais, il se passe pas un jour sans qu'on pense à ta mère, la pauvre Agnes, quand elle est redescendue avec une seule enfant. Comment c'était dans sa tête ? On peut même pas l'imaginer.

— Non, on ne peut pas, dit Nell, et elle serre brièvement les doigts de Julia avant de se retourner vers la cuisine.

— On a demandé conseil, déclare Paudie en remplissant des demi-verres pour lui-même et Julia. Y a une boutique à Killarney avec une vendeuse qui se mettrait en quatre pour aider les clients. D'habitude, on lui prend un bon blanc allemand – y en a une bouteille au frigo si tu préfères ? »

Nell fait non de la tête : ce vin lui va très bien.

« On lui a expliqué que t'étais une pointure dans le vin – comme disait ta mère, paix à son âme – et elle nous a promis qu'on serait pas déçus par ce que t'es en train de boire. Donc elle nous a pas menti, hein ? Hein, Julia ? Elle nous a pas menti ? »

Julia hoche la tête d'un air distrait. Elle fredonne doucement tandis que ses mains volettent en tous sens, vérifiant la cuisson de la viande, égouttant des navets coupés en morceaux. Paudie s'approche furtivement et sa femme lui donne une série d'ordres à voix basse. Pendant quelques instants, on dirait qu'ils ont oublié la présence de Nell. Si enracinés dans leur petite routine. Elle est frappée par leur gentillesse – faire une expédition jusqu'à Killarney pour lui acheter du vin... L'essence a dû leur coûter aussi cher que la bouteille.

« Alors, Nell, lance Paudie par-dessus son épaule, qu'est-ce que tu penses de notre ami, là-haut ?

— Laisse-lui le temps de mettre les pieds sous la table, le gronde Julia.

— Convaincant, tu trouves ? poursuit Paudie, ignorant sa femme.

— Convaincant ? » Nell réfléchit une seconde. « Oui, j'imagine qu'on pourrait dire ça. Je ne sais pas trop quoi penser de lui, pour tout t'avouer.

— Je suis sûre que la petite était folle de joie de te voir, s'interpose Julia, qui gratifie son mari d'un froncement de sourcils bref mais sans ambiguïté.

— Et Ali, qu'est-ce qu'elle a trouvé à dire sur cette histoire de fusil ? »

Paudie pose un bol de pommes de terre fumantes sur un dessous-de-plat tressé. La chair farineuse a fait éclater la peau brune et ressort comme de la neige fraîche sur une boue grise.

Un instant de silence. Les épaules de Julia remontent vers ses oreilles et restent suspendues à mi-hauteur. Paudie a levé les yeux et planté son regard dans celui de Nell. Les iris pâles sont abîmés, en piteux état ; de minuscules taches rouges et jaunes s'accumulent de part et d'autre de l'arête mince du nez. On dirait qu'il louche.

« Je n'ai pas encore abordé le sujet », lâche Nell à contrecœur.

Les épaules de Julia retombent d'un coup. Paudie regarde le dos de sa femme en pinçant les lèvres, puis revient à leur invitée. Elle voit qu'il est déçu, mais ne veut pas la brusquer.

« Et pourquoi, Nell ?

— J'ai posé la question à Nick, mais il ne savait visiblement rien sur ce fusil... Paudie, c'est un peu plus délicat avec Ali. Si je lui en parle sans détour et qu'elle nie, on sera dans l'impasse, si tu vois ce que je veux dire. Et elle n'attendra plus que mon départ. On a déjà frôlé la crise diplomatique grave et ça fait à peine vingt-quatre heures que je suis là. Donc, je vais y venir, mais…

— Mais faut y aller doucement avec elle, achève Julia. Qu'est-ce que je t'avais dit, Paudie ? »

Paudie pianote sur la table et regarde ailleurs en pesant ces paroles. Finalement, un sourire franc indique qu'il a décidé que son intégrité n'était pas en cause.

« J'imagine que tu connais ton affaire, déclare-t-il, et, d'un index osseux, il fait signe à Nell de s'asseoir.

— Sans compter, conclut Julia pour lui, qu'elle a pas envie de nous mettre dans le pétrin. »

Elle s'assied pour découper la viande et déposer les tranches dans les assiettes chaudes. Ils entrechoquent leurs verres et trinquent au retour de Nell. S'il existait un prix de prudence et de discrétion, elle le leur décernerait sans hésiter. Tandis qu'ils mangent et échangent des propos anodins sur ce surprenant été tardif, les nouvelles constructions qui surgissent un peu partout, les merveilles qu'Ali fait avec le pub et les prix extravagants qu'atteint l'immobilier dans la région, leurs questions inexprimées sur le passé de Nell planent au-dessus de la table.

« Donc, Nell, pour en revenir à ce gars, lance Paudie, ignorant le regard d'avertissement de sa femme. Y a rien qui t'a sauté aux yeux jusqu'ici ?

— Elle vient à peine d'atterrir, mon grand.

— Je parlais à Nell, Julia. J'ai le droit de parler ? Merci. Nell, je t'écoute.

— Il n'y a pas grand-chose à dire. Je l'ai juste entrevu hier soir, et puis je suis tombée sur lui près de la crique ce matin. Il m'a paru plutôt aimable. Discret. C'est vrai qu'Ali et Nick ont l'air de se reposer pas mal sur lui. Pour l'instant c'est tout, en fait.

— Eh ben, moi, je vais te dire ce qu'y a d'autre. Je suis monté avant-hier jeter un coup d'œil à ce qui se passait, juste pour le cas où tu viendrais pas, tu vois.

— On sait que c'est pas nos affaires, s'empresse d'ajouter Julia.

— Bien sûr que c'est pas nos affaires », fait Paudie avec une pointe d'irritation. Il se cale à nouveau sur sa chaise avant de poursuivre. « Bref, donc je suis allé boire mes deux-trois bières et c'est justement lui qui servait au bar. Aucune trace d'Ali ni de Nick. Ils vont bien ? que je lui demande. Oui, qu'il me fait, Ali se repose. Et moi : Elle est claquée. Rude période. Je dis ça comme si je posais une question, tu vois, pour qu'il puisse enchaîner s'il a envie. Mais pas un mot. Donc – juste pour le cas où tu viendrais pas, hein – je me dis que je vais le pousser un peu, histoire de voir où ça nous mène. Peut-être qu'elle devrait voir un docteur, je lui dis. Peut-être que quelqu'un devrait appeler un docteur. L'idée, c'est de lui montrer qu'y a un tas de gens qu'on pourrait appeler à n'importe quel moment.

— Paudie.

— J'arrive, Julia. Ensuite, je commence à discuter le coup avec John Joe Twomey, qui est assis sur le tabouret d'à côté. À dire comme ça qu'Ali avait vraiment mauvaise mine ces dernières semaines. Qu'elle est maigre comme un lévrier. John Joe, il sait bien où je veux en venir et il approuve tout ce que je dis haut et fort. Histoire de montrer à l'autre qu'on l'a à l'œil, bien sûr. Et au milieu de tout ça, v'là Ali qui débarque avec des yeux comme des choux-fleurs – n'importe quel imbécile verrait qu'elle a pleuré. Elle se sert un verre, elle chuchote quelque chose à ce gars et elle retourne derrière le rideau. On dit plus rien maintenant, parce qu'on voit bien qu'elle est pas dans son assiette. Peut-être qu'on commençait à avoir l'air, je sais pas, accusateurs ou quelque chose. Peut-être qu'on en a fait un peu trop. En tout cas, il tire une pinte pour John Joe et il doit sentir nos yeux percer des trous dans son crâne, alors il hausse un peu les épaules…

— Paudie.

— Tu veux bien t'arrêter ? fait Paudie avec un petit bruit de succion en se détournant de sa femme. Et il demande à John Joe s'il connaîtrait pas quelqu'un pour lui racheter sa caravane.

— Tu crois qu'il songe à partir ?

— Ou à rester, petite Nell. Tu sais qu'Ali a fait une demande de permis de construire ? Oui ? Eh ben, c'est seulement depuis que notre ami est arrivé. Je sais pas de quoi il retourne, mais à votre place, je garderais l'œil sur la caisse. »

Julia, qui paraît un peu gênée, entasse du *trifle* à la cerise dans des coupelles en verre.

« Eh bien, te voilà de retour en tout cas. Tu comptes rester un moment ? »

La question est posée sur un ton détaché, mais Nell ne peut s'empêcher d'entendre d'autres questions par-derrière. Au fait, pourquoi tu étais partie ? C'est pas nos affaires, bien sûr.

Elle ouvre la bouche pour dire quelque chose, puis la referme. C'est drôle : il y a des gens avec qui on reste enfant à jamais. Les parents, les oncles, les tantes, les vieux voisins. Des gens qui, à la façon d'exécuteurs testamentaires, sont les dépositaires de notre expérience, des informations concernant notre vie.

« Le repas est délicieux. Merci.

— Tout le plaisir est pour nous. » Les yeux bleus de Julia brillent de façon irrésistible. Elle tend le bras par-dessus la table et serre brièvement la main de Nell dans la sienne. « Puisqu'on a la chance de t'avoir avec nous, raconte-nous donc un peu. D'abord, je dois te dire que personne a rien su pour le bébé jusqu'à environ deux ans après ton départ. C'est dire si ta mère a tenu sa langue. On a tous eu nos soupçons quand t'as disparu d'un coup, j'imagine, mais ensuite, comme on n'avait pas de nouvelles et qu'on te voyait pas revenir, on s'est dit qu'y avait peut-être eu un problème entre vous. Et puis Agnes est partie voir son beau-frère à Oxford et elle est revenue avec des photos de bébé, et pourtant elle disait toujours rien. Comme tu sais, fallait se contenter des miettes d'information qu'elle laissait tomber et malheur à celui qui essayait d'en savoir plus.

— Eh bien, j'étais enceinte en partant, dit Nell.

— Ah », fait Paudie.

Il remplit le verre de Nell et lance un regard à Julia. Nell comprend aussitôt ce qui les tracasse.

« Ne vous inquiétez pas, dit-elle en les regardant l'un après l'autre pour montrer sa sincérité. Ce n'était pas un de vos garçons.

— Je suis bien soulagée d'entendre ça, dit Julia en se laissant aller sur sa chaise. Parce qu'ils ont pas mal planté leur graine avant l'Amérique. Je me demande s'ils ont pas laissé tout un orphelinat derrière eux.»

Paudie se rengorge.

«Finian est soudeur maintenant, Nell. À Boston. Il gagne une fortune. Et Declan est en Floride, même s'il réussit pas aussi bien.»

C'en est assez sur le sujet pour Julia, qui serre de nouveau la main de Nell.

«Donc tu es allée chez l'oncle Albie à Oxford. Sûr qu'avec Mary Kate, ils devaient être fous de joie d'accueillir la fille de feu son frère, vu qu'ils avaient pas d'enfants à eux.

— Ils ont été la bonté même, répond Nell.

— C'était un genre de dandy, si je me souviens bien.

— Le foulard, tu veux dire ? Le cigare ?» Nell a un petit rire. «Oh, il aimait les choses raffinées, c'est sûr. Il cultivait ça : il lisait les bons livres, allait voir les bonnes pièces – par bons, j'entends ceux que recommandaient les critiques qu'il admirait. Et jamais une faute de langue – grands dieux, ce qu'il était à cheval sur la grammaire. Il lui arrivait même de corriger ses propres clients. C'en était gênant parfois. Quant aux manières de table… Je ne l'ai jamais entendu élever la voix, sauf pour beugler : Est-ce que quelqu'un a laissé la porcherie ouverte ? Est-ce qu'on est des cochons pour manger et grogner à la fois ? Il m'a prise en main et ça m'allait parfaitement : j'avais plein d'angles à adoucir. C'est un cliché, j'imagine, mais le fait est qu'il est devenu une sorte de père de substitution. Je ne me souvenais même pas du mien. Bien sûr, quand les choses tournent d'une certaine manière, on pense toujours que le destin a joué un rôle, alors qu'en fait tout arrive par accident et parce qu'il n'est pas arrivé autre chose à la place. On a juste envie de croire à un plan. Bref, en tout cas, c'était un type tout ce qu'il y a de bien. Une crème d'homme.

— T'as été à son enterrement, j'imagine ? demande Paudie un peu sèchement.

— Oui. Oui, Paudie.» Nell sourit pour lui montrer qu'elle ne lui en veut pas. Ils ont fait preuve de tant de patience ; ils ont bien le droit d'être un peu curieux. «Je lui dois ma carrière. Il tenait un commerce de vins et spiritueux, tu sais, et il s'était déjà taillé une solide réputation dans les environs quand je suis arrivée chez eux. Il a commencé à me faire goûter des petites choses, à me raconter l'histoire des vignobles et ainsi de suite. Au départ, ça troublait Mary Kate – ce n'est qu'une enfant, disait-elle – mais il répondait que si j'étais assez grande pour avoir un bébé, je l'étais aussi pour apprécier le bon vin.

— Paudie, ouvre donc ce blanc qu'on a dans le frigo. La soirée fait que commencer. » Julia cale plus confortablement son postérieur sur sa chaise. « Continue, Nell.

— Et puis Ali est née. C'était un bébé magnifique, d'un calme et d'une sagesse exemplaires – même si je n'avais aucun point de comparaison. Je me suis mise à aider de plus en plus oncle Albie au magasin.

— Et, bien sûr, Mary Kate s'est accaparé le bébé, la coupe Julia, perspicace.

— En grande partie, oui. C'était difficile pour elle, n'ayant pas d'enfants, de voir cette petite personne dans sa maison dès le premier jour. Elle vénérait Ali.

— Tu avais des raisons d'être jalouse.

— Oui et non. J'étais assez dure, comme on peut l'être quand on est jeune. Ça m'arrangeait de laisser les soins quotidiens à Mary Kate. Ali a même dormi dans leur chambre jusqu'à l'âge d'environ deux ans. Et puis Mammy a commencé à venir régulièrement et elle est tombée folle amoureuse d'Ali, elle aussi. Je ne l'ai jamais vue aussi... Bref, au bout du compte, après quatre ans passés dans leur maison, j'ai voulu reprendre ma liberté. Pas l'épisode le plus glorieux de mon existence, pour dire la vérité. Je ne saurais pas trop l'expliquer, mais... Oh, c'était égoïste, oui, et ingrat aussi, mais je me sentais annexée ; j'avais l'impression que ça y était, que j'allais faire partie pour le restant de mes jours de cette famille accidentelle. Et, comme j'étais incapable d'affronter la détresse de Mary Kate – détresse est vraiment le mot –, je nous ai arrachées de là beaucoup trop brutalement. J'ai trouvé du travail chez un négociant en vins et j'ai grimpé les échelons un à un ; tous les soirs, j'étudiais l'œnologie dans notre minuscule deux-pièces. Et j'ai commencé à espacer nos visites à oncle Albie et

Mary Kate. Ils n'ont pas dit grand-chose, mais ils étaient très blessés. Et Mary Kate manquait aussi à Ali ; entre le boulot et les examens, je ne passais pas beaucoup de temps à la maison. Et puis, environ sept ans plus tard, on m'a offert un poste à Paris, si bien payé qu'on pouvait vivre rien que sur mes défraiements. J'ai saisi l'occasion, même si Ali ne voulait pas quitter Oxford ni son oncle et sa tante.

— Elle devait avoir, quoi… onze ans à l'époque ?

— Oui. Une petite chose frêle et pas très sûre d'elle. Elle était malheureuse comme les pierres en France. Je l'ai mise dans une école anglophone, mais rien n'y a fait. Ç'a été le début d'une période difficile entre nous. On était si proches avant. Mais alors que je m'épanouissais, que je savourais chaque minute de ma vie à Paris, je la voyais s'étioler sous mes yeux. Je me souviens d'un soir, juste avant son retour à Oxford : elle pleurait dans sa chambre, le genre de crise de larmes qui vous convainc qu'un cœur peut vraiment se briser. Elle demandait sans arrêt pourquoi elle était obligée de rester là. Dans cet endroit qui n'était pas chez elle, où elle serait toujours une étrangère. Ça m'a attristée, je dois dire, parce que de mon côté, c'était comme si j'avais enfin trouvé le chez-moi que je n'avais même pas conscience de chercher, et je voulais qu'Ali y ait sa place aussi. Mais elle continuait à demander ce qu'elle avait fait de mal. Alors, une semaine plus tard, je l'ai renvoyée chez oncle Albie et Mary Kate. Elle y est restée jusqu'à son entrée en fac. »

Julia avale une petite gorgée de vin et caresse ses doigts l'un après l'autre.

« Ça a dû être dur pour vous de rester séparées pendant de si longues périodes ?

— C'est ce qu'on pourrait croire, mais en fait pas tant que ça. On s'entendait plutôt mieux à distance. »

Nell s'interrompt pour les laisser encaisser ce qu'elle vient de dire. Elle craint de les rebuter en se montrant trop franche, mais a le sentiment de leur devoir une honnêteté sans faille.

« Bien sûr, fait Julia. Comme toi et ta mère. »

C'est au tour de Nell de réfléchir.

« Peut-être. Mais je ne crois pas que ce soit si simple. Il y avait des couches et des couches entre Ali et moi, des choses qu'on n'arrivait pas à franchir – et, même si on avait su ce qu'elles étaient, je doute qu'on y serait arrivées. Comme je n'ai pas eu d'autre enfant, je n'ai rien connu de différent. Parfois, j'avais l'impression que la seule façon dont je pouvais l'atteindre, c'était en passant par Mammy ou Mary Kate. Et à certains égards, Ali était comme un… un intermédiaire entre Mammy et moi. On communiquait à travers elle. J'avais beaucoup déçu Mammy, vous imaginez, en tombant enceinte comme ça, si jeune.

— Ta mère parlait jamais de toi qu'en bien », fait Paudie doucement. Il est si concentré que sa tête blanche penche encore plus vers l'avant. « Y avait rien qu'elle désirait plus au monde que de te revoir ici, même pour une petite visite. Je dis pas ça pour te jeter la pierre, hein ? »

Julia remue sur sa chaise, mal à l'aise. Elle se lance :

« Nell, dis-moi juste ça – et Dieu sait qu'on en fait tous, des choses bizarres – mais est-ce que c'était, tu crois, un genre de punition que tu lui infligeais ? Refuser de rentrer parce qu'elle t'avait chassée ?

— Elle ne m'avait pas chassée. Ne croyez pas ça. C'est moi qui suis partie. C'était ma volonté.

— Mais… »

Julia fait taire Paudie d'une petite tape sur la main. Nell s'est détournée et contemple la bosse noire de la colline au loin.

« Je ne sais pas. On s'habitue aux choses en rêve. C'est dur de croire qu'elles sont vraiment là, ou du moins *encore* là, quand on les voit. Bien sûr, dans ma tête, ça a toujours été le mont Everest. À peine une colline, en fait.

— Parle tant que tu voudras, Nell. On a rien qui presse. C'était ta décision de partir, tu disais ? »

Nell hoche la tête et soupire lourdement en réponse à leur question silencieuse : Mais pourquoi n'es-tu jamais revenue ?

« Si je pouvais vous donner une réponse simple, je le ferais. Il y a toutes sortes de raisons. Vous savez, oncle Albie me parlait souvent des Paddies [1] qui travaillaient sur les chantiers à Londres. D'après lui, ils

1. Sobriquet désignant les Irlandais.

n'avaient que l'Irlande à la bouche, sans arrêt ; ils vivaient dans le passé comme si le présent n'était qu'une pénitence à accomplir. Bien sûr, ils ne faisaient que réinventer une enfance sûrement bien moins idyllique qu'ils le prétendaient. »

Julia approche sa chaise et jette un bref coup d'œil à son mari.

« Continue, Nell. Finian et Declan parlent de rentrer pour de bon l'année prochaine, donc on est comme qui dirait intéressés au premier chef par le sujet.

— Eh bien, à son arrivée en Angleterre, oncle Albie avait travaillé sur ces chantiers. C'était mon père qui avait hérité du pub et il ne restait pas beaucoup d'options au cadet sinon partir. Dans les années d'après-guerre, il y avait plein de boulot dans le bâtiment à Londres.

— Ça, pour sûr, dit Paudie. J'y suis allé moi aussi. *Ni chiens ni Irlandais*, je me souviens, quand je me cherchais une chambre.

— Oui. Oncle Albie m'a parlé de ces écriteaux placardés sur les portes des pensions. Et quand il a vu que je ne rentrais pas au pays, même pour une visite, il a commencé à me parler des Paddies. Il n'y avait pas eu de grande décision, cela dit, comprenez-moi bien : Je ne remettrai jamais les pieds chez moi, point final. Ce n'était pas la honte du bébé ni la peur du regard des autres. Ce n'était pas que je craignais d'affronter le père – il ne représentait rien pour moi ; il n'y a pas eu de cœur brisé et je ne m'étais pas fait agresser, comme me l'a un jour demandé Mary Kate. Simplement… je repoussais toujours. Donc oncle Albie m'a parlé de certains des Paddies avec lesquels il avait travaillé. Quand les vacances approchaient, ils s'achetaient de splendides costumes, allaient chez le coiffeur, astiquaient leurs chaussures et tout le tralalère. Ils parlaient sans arrêt de leur retour, de ce qu'ils allaient faire, des gens qu'ils allaient voir. Pendant des semaines, ils étaient ivres d'enthousiasme et de whiskey. Ils achetaient des cadeaux pour leurs frères et sœurs, dévalisaient John Lewis pour leur mère. Et puis ils allaient à Paddington attendre le train, faisaient de grands signes d'adieu à leurs copains, se faufilaient dans le pub le plus proche et se cuitaient à mort. Ensuite, ils prenaient le bus pour regagner leur domicile et passaient les deux semaines qui suivaient hébétés par l'alcool. Oncle Albie disait qu'il en connaissait plusieurs qui faisaient la même chose année après année. Ils n'avaient jamais remis les pieds chez eux.

— Comment ça se fait, d'après toi ?

— Qui sait ? » Nell hausse les épaules. « On n'aura jamais que des hypothèses. En ce qui me concerne, j'ai laissé les choses prendre trop d'importance. Je savais que si je rentrais… ce ne serait pas comme dans le souvenir que je cultivais, comme dans l'image que je me faisais. La nuit où tu as appelé, Paudie, pour dire que Mammy était partie, j'ai cru que j'allais être terrassée par toutes ces choses que j'avais à dire, toutes ces choses que je ne pourrais jamais lui dire ni faire pour elle. Je ne voulais pas la voir autrement que grande et forte et pleine de vie. Je n'ai même pas été capable de venir à l'enterrement, et, crois-moi, je le regretterai toute ma vie. »

Julia lui lance un regard pénétrant, sentant peut-être qu'elle ne dit pas tout, mais décide de ne pas insister. Nell inspire profondément.

« Tu me demandais tout à l'heure, Julia, si j'essayais de punir Mammy en m'abstenant de rentrer. » Elle parle à voix si basse que les deux autres doivent tendre l'oreille. « La seule vraie réponse est non, j'imagine. Il serait sans doute plus juste de dire que je me punissais moi-même. »

Nell tourne un agrégat de grains de sucre dans son expresso – juste le bout humide de sa cuiller trempé dans le sucrier. Elle goûte : le liquide est bien chaud sans être brûlant, noir, amer, gorgé de caféine – parfait, en réalité.

Satisfaite de la réaction de son hôte, Julia se rassied dans son fauteuil en surélevant ses chevilles gonflées sur un petit tabouret.

« C'est Finian qui m'a acheté cette machine la dernière fois qu'il est venu. J'aime boire un café bien fort le matin, mais je le prends avec du lait. Bien sûr, je vais pas fermer l'œil de la nuit après ça. Mais c'est pas si souvent qu'on a de la compagnie. L'après-midi, on préfère le thé, pas vrai, Paudie ?

— Hein ? Oh, le thé. »

La longue carcasse de Paudie, qui n'a cessé de s'affaisser dans son fauteuil, est maintenant presque à l'horizontale, retenue seulement par une main qui se cramponne au dossier en un geste manifestement bien rodé. Voilà des heures que les deux femmes discutent dans le salon, où ils sont venus s'installer tous les trois après le dîner pour boire un brandy et un café. De temps à autre, Paudie émet un grognement approbateur pour signaler qu'il écoute toujours, mais la plupart du temps, il ronfle doucement dans son coin.

À plusieurs reprises, au cours du repas et depuis, Nell a pu constater que sa vision de loin était défaillante. Elle l'a testé en lui montrant des objets dans le jardin et il a dû plisser fortement les paupières pour accommoder ; une fois, même, il est sorti en lui demandant de le conduire jusqu'à l'endroit dont elle parlait. Elle s'est sentie hypocrite et mal à l'aise de se comporter ainsi, d'autant qu'il lui semblait que Julia avait compris son manège. Il ne se passe pas grand-chose dans ce couple que l'un ou l'autre ne remarque en quelques secondes.

Elle a été soulagée quand Paudie s'est éclipsé de la conversation, les laissant poursuivre seules ; un moment, elle a senti qu'il brûlait de ramener la question d'Adam sur le tapis.

« Vous devez être fous de joie à l'idée que vos garçons rentrent après toutes ces années. »

Julia balance la tête d'un côté à l'autre : pas si sûr.

« *L'idée*, oui. L'idée nous a toujours bien plu.

— Et maintenant ?

— Je ne sais pas. » Julia boit une gorgée de café au lait, replace la tasse sur sa soucoupe et repousse le tout hors de sa portée, comme si la boisson la dégoûtait soudain. « Quoi que je dise, ça paraîtra monstrueux.

— Souviens-toi que tu parles à une femme qui n'a pas assisté à l'enterrement de sa mère.

— Eh ben, je les ai au téléphone une fois par semaine. Et on a le mail maintenant : je leur envoie un message tous les matins de la semaine et j'adore ça. C'est horrible à dire, mais je vais le dire : on s'entend tous drôlement bien avec un peu de distance. Je sais quand y a du grabuge ou de l'orage dans l'air, mais je peux rester en dehors et attendre que ça se passe. Les petits-enfants voient seulement le meilleur de nous, et nous le meilleur d'eux. J'ai peur que tout ça change, et pas en bien. Aujourd'hui, je supporterais plus d'entendre Finian ou Declan m'expliquer que Papa doit se faire soigner la hanche ou les yeux. Je suis sûre que t'as remarqué, Nell ? Qu'il voit plus très bien de loin ? Bien sûr, ça veut pas dire qu'il voit pas ce qu'il voit.

— Non. Bien sûr.

— Bref, donc ils veulent se faire construire deux énormes maisons. Et non, je peux pas dire que l'idée m'enchante. Ah, on devient égoïste avec l'âge, mais surtout, une fois qu'on a goûté à la liberté, on a plus envie d'y renoncer. Les enfants passent des années à vouloir s'émanciper de nous, mais il leur vient jamais à l'idée qu'un jour, on pourrait vouloir s'émanciper d'eux. » Julia s'interrompt et observe Nell. « Mais je papote, je papote, et te voilà en train de brûler sur place ! »

Nell porte les mains à ses joues : elles sont en feu.

« Moi, c'est l'arrière de mon cou qui me travaillait, fait Julia. Une chaleur !

— Oui. Là aussi. »

Nell passe une main dans sa nuque, puis regarde ses doigts : ils luisent de sueur. Julia s'empresse d'aller lui chercher un verre d'eau glacée, qu'elle avale goulûment.

« Et parfois, je sentais un drôle de picotement avant, surtout la nuit, au lit. Tu les as aussi, les suées nocturnes ? »

Nell roule des yeux. Un cercle de transpiration entoure son cuir chevelu.

« Je serais bien en peine de décrire cette sensation-là, poursuit Julia en se rasseyant. C'était comme… un genre de pressentiment.

— Je vois de quoi tu veux parler. On dirait un avertissement ou quelque chose.

— Ah ça, je t'envie pas. Je suis bien contente d'en avoir fini avec tout ça. Même si tu seras un peu triste après, je le vois bien. Ça fait tout drôle, pour une femme, de savoir que cette partie de sa vie est derrière elle.

— Oui. »

Julia leur ressert un doigt de brandy. Elles sirotent un moment en silence, perdues dans leurs pensées. Paudie émet des sifflements et des crépitements, tel un transmetteur qui reçoit, analyse et régurgite le contenu de leur conversation.

« Ça va te faire bizarre aussi, Nell, de croiser des visages de couleur, déclare-t-il finalement dans un long bâillement.

— Pardon ? Oh, les réfugiés, tu veux dire. J'ai vu un type courir sur la plage, jour et nuit, visi…

— Ça devait être Bola. » Paudie se redresse péniblement sur son siège ; on entend presque ses os craquer. « Un Nigérian. Ça fait un an qu'il est là. Il va parfois boire une Guinness chez vous. Il a perdu sa femme. On connaît pas l'histoire, mais il a une fille qu'il essaie de faire venir.

— Il a l'air bien seul sur cette plage.

— Seul à crever. Comme tous les autres. Même s'il vous sortira pas plus d'un ou deux mots. Il est pas très aimable – rien à faire ici, le pauvre. Il devrait être là-haut, à Dublin ; il rencontrerait plus de gens comme lui. La nouvelle politique, c'est de les envoyer dans les zones rurales jusqu'à ce qu'ils aient des papiers pour travailler et tout. Seulement ça prend une éternité, et on se retrouve avec des auberges pleines de gaillards qui tournent en rond.

— À Dublin, ils trouveraient des magasins avec leur nourriture. Et on n'a pas d'églises pour eux ici, dit Julia d'un air vaguement honteux en tirant sur les fils qui dépassent au bas de sa jupe.

— J'imagine qu'ils peuvent pas se permettre de faire les difficiles, dit Paudie en jetant un coup d'œil à Nell pour voir comment elle prend la chose.

— Y a eu un temps où on était bien contents de trouver une main tendue, nous aussi, note Julia, mais elle achève la phrase sur une intonation ascendante, comme si elle réfléchissait tout haut ou posait une question.

— Ah, c'était complètement différent », fait Paudie en la rembarrant d'un geste de la main.

Le couple fixe Nell avec intensité, guettant sa réaction. Tous ces bébés noirs qu'ils ont adoptés sur le papier et qui leur retombent sur les bras.

« De notre temps, Nell, dit Julia en se léchant les lèvres et en choisissant ses mots avec soin, les seuls visages *exotiques* qu'on voyait, c'était à la télé, ou peut-être parfois un médecin à l'hôpital.

— Ah, mais c'est pas ça du tout, dit Paudie en serrant les poings, agacé.

— T'as pas mal levé le coude ce soir, Paudie, lance Julia avec un regard où se mêlent reproche et affection indulgente. Donc commence pas à t'énerver.

— Il faut sans doute un peu de temps pour s'habituer, avance Nell prudemment. Tous ces gens qui arrivent dans le pays, au lieu de... » Elle laisse sa phrase en suspens.

L'exaspération de Paudie ne fait que croître. Sa mâchoire avance, lippe obstinément refermée sur la lèvre supérieure.

« Y a plein de tricheurs aussi. » Il ignore le regard d'avertissement de Julia et agite un doigt osseux à l'intention de Nell. « Il faut contrôler ces étrangers encore et encore, c'est moi qui te le dis. C'est l'avenir qui en dépend. Tu me suis, Nell ? Tu me suis ? »

Il pourrait parler d'Adam aussi bien que du Nigérian.

« Je te suis, dit Nell d'une voix calme, voyant qu'il recommence à s'énerver.

— Et je me laisserai pas traiter de quelque chose que j'ai pas encore décidé d'être. »

Paudie hausse le ton, indigné, et racle les accoudoirs rembourrés en une vaine tentative pour se redresser davantage.

« Calme-toi, Paudie, le gronde Julia. Personne dans cette pièce t'a traité de raciste.

— Tantôt je suis raciste, tantôt j'ai même pas vu ce que j'ai vu contre le mur de la véranda là-haut. *Clairement* vu. Alors qu'il en a été clairement question dans cette pièce. *Clairement* question.

— Il est un peu... et encore à moitié endormi », chuchote Julia à Nell en guise d'excuse. Puis, toujours à Nell, mais plus haut : « Et il t'a pas fait trop peur, là-bas, sur la plage ?

— Adam ? demande Nell, qui commence à avoir le tournis.

— Non, Bola, le Nigérian. J'y étais moi-même un matin à ramasser les bigorneaux quand j'ai vu ce géant, y a pas d'autre mot, surgir en haut de la colline. J'ai failli me jeter dans la mer.

— C'est vrai qu'il est costaud, murmure Nell, craignant de dire quoi que ce soit qui provoque à nouveau Paudie.

— Très distant, reprend ce dernier avec un petit bruit de langue. Rien à faire ici avec des braves gens.

— N'empêche… fait Julia en haussant les épaules.

— Un grand gaillard comme ça qui passe son temps à courir. Très distant. Et un visage… »

Paudie n'achève pas sa phrase. Ses épaules montent et descendent.

« Oh, un visage aussi noir que l'as de pique », conclut Julia en empilant les tasses et en lançant un petit clin d'œil à Nell.

Celle-ci doit se mordre les lèvres pour ne pas sourire. Elle n'est pas la seule à devoir affronter des changements dans sa vie.

Des nuages d'encre passent sur un croissant de lune encore timide tandis que Paudie raccompagne Nell, torche électrique à la main. Autour du faisceau lumineux qui éclaire le chemin, la nuit est d'un noir de velours et d'une étrange immobilité. Nell regarde en l'air juste au moment où la lune est engloutie par une grosse masse de vapeur.

« Je dirais qu'il va pleuvoir, Paudie. »

Celui-ci lève les yeux à son tour.

« C'est pas pour tout de suite. Rien de bien méchant pour le moment. » Brusquement, il s'arrête, méditant quelque chose ; le faisceau lumineux balaie le ciel. « Nell, faut m'excuser si je t'ai paru désagréable à la maison tout à l'heure – si j'étais un peu grincheux.

— Jamais de la vie, répond Nell avec un sourire rassurant. Mais je vois bien que tu te fais du souci pour Ali et je suis contente que tu m'aies appelée. »

Mieux vaut ne rien évoquer d'autre. Nell fait un pas, pensant que le vieil homme est prêt à continuer, mais il reste immobile, torche électrique braquée vers le ciel. Elle attend.

« Je regrette qu'on ait pas pu faire plus pour toi et ta mère pendant toute cette période après Bridget. » Paudie abaisse la torche pour étudier la réaction de Nell. « Là. Ça faisait un paquet d'années que je voulais le dire et je l'ai dit.

— Qu'auriez-vous pu faire ? » demande Nell en se rapprochant de lui.

Il pousse un long soupir.

« Je sais pas. On voyait bien que vous alliez pas bien, toutes les deux… Sale période, Nell. Sale période. »

Le vieil homme semble prêt à en rester là, mais Nell voit bien qu'il est encore très perturbé. Et qu'il l'ait été pendant toutes ces années la touche énormément. Les rares pensées qu'elle a eues pour Julia et lui étaient, dans l'ensemble, de simples souvenirs d'enfance. À présent, elle s'aperçoit qu'elle n'a jamais été très loin de leurs pensées à eux. Peut-être ont-ils vu dans son départ précipité une forme d'échec personnel. Elle est partie, et ils ne connaissaient pas l'histoire ; ils ont eu le début, mais on les a privés du milieu, malgré la tradition qui veut qu'on explicite les vies pour les bons voisins.

On les a d'abord privés de Bridget, puis de Nell. Leur sens de l'ordre, de l'équilibre, des lignes cohérentes et prévisibles que suit chaque existence avec ses hauts et ses bas, a volé en éclats. Leur idéal de communauté soudée où les gens se tiennent les coudes et partagent leurs problèmes leur a été renvoyé en pleine figure par ces absences subites et, sans doute, par le triste spectacle des lèvres constamment scellées d'Agnes.

« C'était comme si une flamme s'était éteinte pour nous tous, Paudie. Je ne peux pas le nier… J'étais l'enfant sérieuse, je suppose qu'on pourrait dire l'enfant *sage*, tandis qu'elle… Eh bien, Bridget était lumineuse, c'est aussi simple que ça, et elle avait une place très spéciale dans le cœur de Mammy. Mais ça ne m'ennuyait pas parce qu'elle *était* spéciale. (La voix de Nell est basse, apaisante.) Elle était blonde et jolie et savait danser comme personne. Qui aurait pu lui résister ? Non, tu ne pouvais pas la ressusciter, Paudie, pas plus que je ne le pouvais, ou la pauvre Mammy. Ç'a été une dure période et, oui, il y a toujours eu ça entre Mammy et moi, mais on ne pouvait pas l'éviter. Il n'y a rien que tu aurais pu faire.

— Je te crois. Merci. »

Paudie repart, torche éclairant de nouveau le chemin, même si Nell continue à le sentir tourmenté. Arrivé au carrefour, il tourne vers elle un visage plus calme. Le bout de sa langue pointe et lèche ses lèvres minces avec hésitation.

« Je me rappelle une chose qui remonte aux tout premiers jours, quand on était tous encore sous le choc et que personne savait quoi faire pour toi ou cette pauvre Agnes. Elle pouvait à peine parler tellement elle avait de chagrin.

— Oui.

— Julia et moi, on essayait d'organiser l'enterrement et tout – on pensait pas que tu serais capable, tu étais si petite. Mais t'as insisté pour nous aider à cueillir les fleurs et à choisir les textes pour l'église. Et puis, trois jours après, t'as rouvert le pub toute seule. Je suis venu derrière le bar te donner un coup de main et j'arrêtais pas de te demander si t'étais prête. Si c'était pas trop tôt. Et jusqu'au jour d'aujourd'hui, je revois cette expression sur ton petit visage, avec tes cheveux tirés en arrière – une queue-de-cheval serrée que tu t'étais faite toi-même ce matin-là. Il faut bien que quelqu'un le fasse, tu m'as dit, d'une voix claire comme de l'eau de roche. Il faut bien que quelqu'un le fasse. Pour l'amour du ciel, t'avais quoi, sept ans ? Non, jamais j'oublierai ça. »

Il sourit timidement et tourne les talons.

La porte du pub est ouverte sur l'air de la nuit ; on entend le brouhaha des conversations. Nell décide de rentrer en passant par l'avant.

« Tu ne veux pas entrer prendre un dernier verre ?

— Ah, non, j'ai eu ma dose », fait Paudie doucement par-dessus son épaule. Il lève la torche pour la saluer. « Je vais te laisser en paix avec ta fille maintenant. »

Nell reste un moment sur le seuil à observer la salle, surprise de la trouver si pleine en ce soir de semaine. Des hommes et des femmes jeunes, pour l'essentiel, qui discutent avec animation et se bousculent sans trop se soucier de leur espace privé. Beaucoup d'accents de Dublin – des vacanciers attardés. Des pulls en coton pastel négligemment jetés sur les épaules, comme elle pensait que seuls les touristes en portaient. Des éclats de rire, un portable qui sonne – un jeune répond en rigolant et en se bouchant une oreille avec le doigt pour mieux entendre. Il y a de la vie ici, pas de doute.

Derrière le bar, Ali travaille à une allure frénétique, enchaînant les pintes de bière comme une magicienne avant de les laisser reposer sur le comptoir. Elle a les joues roses et les yeux brillants. Tout en s'affairant, elle entretient une série de conversations avec divers clients. Un clin d'œil en rendant la monnaie à un type, un petit aparté au groupe de filles assises au bout à droite, qui se mettent à glousser tant qu'elles peuvent. Ali revient sur ses pas et, d'un air courtois et intéressé, s'adresse à un vieil homme installé sur un tabouret au milieu ; elle lui laisse le temps de répondre, puis se hâte vers un client à servir un peu plus loin, non sans avoir lancé quelques mots par-dessus son épaule pour signifier au vieux qu'ils n'ont pas terminé, qu'elle va revenir. Ses doigts volent comme ceux d'une agile dactylo au-dessus d'un groupe de verres vides qu'elle fait disparaître comme par enchantement. Hop, un torchon sur l'épaule et la revoici prête à l'action. Elle lève les yeux, impatiente de poursuivre, et écoute une grosse commande en hochant la tête tout du long. Et des chips fromage-oignon ? Désolée, on est en rupture. Mais au bacon, peut-être ? Et un sachet de chips au bacon vole d'un bout à l'autre du comptoir.

Concentrée, Ali fronce légèrement les sourcils tandis que ses mains s'activent, remplissant des verres, ajoutant des glaçons à l'aide d'une pince. Arrivée vers la fin de la commande, elle s'immobilise un instant pour récapituler ; sa bouche articule des instructions silencieuses. Elle se détourne légèrement des clients, un doigt tapotant ses lèvres, et, dans ce geste, Nell a l'impression de revoir sa mère. C'est troublant. Ali ne ressemble aucunement à Agnes et pourtant tout est là, l'inclinaison de la tête, les yeux qui scrutent les bouteilles renversées pour identifier ce qui lui manque, le doigt qui appuie doucement sur ses lèvres. Enfin, elle se remémore la fin de la commande et se remet en mouvement.

Nell entre et s'arrête aussitôt, ne sachant où se mettre. Elle regarde autour d'elle, semblable à une gamine qui se retrouve seule à la fête. Des couches de fumée de cigarette s'étagent jusqu'au plafond. Quelqu'un la frôle, s'excuse, poursuit son chemin. De l'autre côté de la salle, Ali s'esclaffe en réaction à ce que vient de dire une des filles au bout du comptoir. Elle regarde dans la direction de Nell, abrite ses yeux avec sa main pour mieux voir. Petit sursaut, puis une rougeur s'épanouit sur ses joues anguleuses. Ses yeux s'agrandissent. Elle fait signe à sa mère, qui s'approche à travers la cohue, et lui désigne un tabouret vide au bar. Nell s'assied. Ses joues à elle la brûlent.

Ali s'adresse au troupeau de filles en pointant le pouce vers sa mère par-dessus son épaule. Les filles hochent la tête et haussent les sourcils avec étonnement. Ali paraît sur le point d'exploser de fierté.

« Qu'est-ce que je peux t'offrir ? crie-t-elle à Nell depuis le bout du comptoir.

— Je ne sais pas, hurle celle-ci. Je vais peut-être continuer au brandy. »

Ali saisit une bouteille de vieux cognac perchée sur une haute étagère, essuie un ballon et y verse le liquide ambre. Nell le fait tournoyer dans le fond du verre, puis goûte : l'alcool s'écoule dans son gosier en une succession d'agréables brûlures ; une sensation de bien-être s'attarde sur sa langue comme de la fumée de bois.

Ali attend, tête inclinée sur le côté. Nell sourit jusqu'aux oreilles. Elle pourrait se pencher par-dessus le comptoir pour embrasser sa fille sur les lèvres. Elle n'a pas eu ce goût en bouche depuis une éternité. Elle prend une autre gorgée, et c'est comme si elle n'avait que du bon sur la langue, comme si les années de mésentente n'avaient jamais existé. Une vague de joie la submerge.

C'est le cœur de sa fille qu'elle est en train de goûter.

« Ma mère, dit Ali, rayonnante, au vieil homme assis au milieu. Elle est de retour. »

7

De retour. Nell s'arrête un instant et regarde autour d'elle. Presque deux semaines, et elle a toujours peine à croire que les choses ont été si faciles, si fluides. Comme si elle était passée dans une vie parallèle : la Nell qui n'est jamais partie, qui est restée vivre auprès de sa mère sur sa terre natale. Peut-être est-ce le beau temps, mais elle éprouve une sérénité inhabituelle. Chaque soir, elle s'endort rassasiée d'agréables souvenirs. D'agréables promenades avec Ali, et parfois avec Grace. Après les petits ratés du démarrage, tout s'est passé sans heurt, sans événement remarquable. Et, partout, elle sent la présence d'Agnes. Elle se berce peut-être d'illusions, mais elle a l'impression que sa mère lui pardonne.

Chut. Tu es là maintenant. Continue ta promenade.

Chaque matin, elle téléphone à Henri et s'amuse à lui raconter des anecdotes idiotes sur Grace, ou les pensées qu'elle a eues la veille sur la tombe d'Agnes. Elle tente de lui peindre un tableau varié afin que les images, les odeurs, les lieux revisités le frappent avec la même saisissante immédiateté qu'elle. Bien sûr, c'est impossible, et Henri ne fait pas semblant ; c'est son enfance à elle, après tout. Néanmoins, pendant ces quelques minutes, elle se sent plus proche de lui qu'elle ne l'a été depuis bien longtemps – le genre de proximité qu'on n'atteint qu'en se dépouillant des années et en révélant l'enfant que l'on a été. Elle décrit le paysage qui se referme sur elle comme des bras accueillant son retour. Il rit lorsque son évocation devient trop fantaisiste – ça lui ressemble si peu – mais ne dit pas grand-chose quand elle l'interroge timidement sur Lucienne, sur sa décision de la quitter, comme s'il voulait délimiter deux voyages distincts, dont l'un est peut-être subordonné à l'autre.

Quand elle en a le temps, elle sort faire une promenade avant de préparer Grace pour l'école. Où que ses pas la conduisent, elle a le sentiment fort et non moins étrange que sa terre natale et sa mère ont en quelque sorte fusionné. Il n'y a rien ici qui lui évoque une *patrie*, rien de masculin dans les contours doux et mamelonnés de ces collines, les courbes basses des montagnes qui culminent progressivement en cônes arrondis. Rien d'alpin dans le vert de ces replis feuillus. Rien ne s'élance vers le ciel à l'exception des oiseaux. Même les rivages austères et balayés par les vents imitent les articulations noueuses et déformées par l'arthrite d'une vieille femme incontinente.

Un coup d'œil au ciel maussade et constipé. Où est la pluie ? Où est cette idée de l'eau qui vous traque sans cesse ? Cette implacable sécheresse n'est pas ce dont elle se souvient.

Des champs irréguliers, détrempés par la pluie, où l'eau s'étageait en miroirs sur toute la surface : voilà ce qu'elle voyait depuis la fenêtre de sa chambre. Un peu plus loin, l'impression que la mer grignotait chaque rivage et tentait de forcer l'entrée tandis que, sur la terre, l'eau dégouttait et suintait et rôdait, s'insinuant partout, remontant à travers d'infimes fissures dans le granit. Perles de mercure sur les larges feuilles des noisetiers et des aulnes, torsades de sucre d'orge blanc glaçant chaque paroi rocheuse. Même l'eau était assaillie par l'eau sous forme de perfides courants souterrains jaillissant dans les lacs. Ciels bas qui tombaient en pluie ou en brouillard, pesant sur vos épaules, alourdissant votre langue quand vous parliez, pénétrant dans vos yeux et s'accrochant à vos cils, de sorte que les visages, aussi, devenaient flous et indistincts.

Les pluies de son enfance, dotées chacune d'une personnalité propre. Il y avait la pluie fine et poudreuse que vous ne remarquiez pas avant qu'elle vous lèche le visage et vous frise instantanément les cheveux. La pluie nocturne oblique, battante, obstinée qui semblait ne jamais devoir cesser et brillait à travers la vitre du pub comme un banc de minuscules poissons argent. La pluie d'été annoncée par le tonnerre, de grosses gouttes solitaires qui crépitaient en s'écrasant sur le sol : au départ, on pouvait danser entre elles, puis un grondement impatient se faisait entendre et le ciel s'ouvrait pour en déverser de pleins tonneaux. La pluie mêlée de glace, une purée neigeuse qui, en séchant, laissait des traces de givre blanc sur vos chaussures. La pluie hivernale ballottée par le vent qui vous attaquait sous tous les angles, fouettant votre visage, traversant le dos de votre manteau, trempant les capuches, s'insinuant sous les parapluies impuissants et par le haut des bottes en caoutchouc. Il pleuviotait, bruinait, crachinait, il tombait des cordes, des seaux, des trombes d'eau. On appelait la pluie douce ou cruelle, gentille ou méchante selon l'humeur du moment. On l'appelait malédiction. On l'appelait simplement le *temps*. Ce que ce *temps*-là faisait rarement, c'était s'arrêter.

Mais lorsqu'il s'arrêtait, le ciel s'écartait comme un pansement sale et tout sur la terre paraissait nettoyé, étincelant. Tout paraissait neuf. Le vert était si frais, si pétillant, que Nell en avait presque mal aux yeux. L'air avait un goût de glace à la vanille. Les collines lointaines redevenaient distinctes et l'océan lui semblait plus vaste qu'auparavant ; chaque arbre se détachait de ses voisins, bras déployés, prenant le soleil. Tout avait toujours été là sous la pluie. Et tout a toujours été là pendant l'exil.

Néanmoins, il y a des changements qui sautent aux yeux. La mère patrie porte maintenant du rouge à lèvres. Elle s'est verni les ongles et a profité de l'été chaud et ensoleillé pour se couvrir d'un léger hâle doré. Elle conduit une chic voiture gris métallisé immatriculée l'an dernier. Elle porte de coûteux pulls en coton noués autour des épaules. Son magasin local cuit ses propres baguettes, propose des croissants frais tous les matins et a l'autorisation de vendre du vin. Elle porte un parfum capiteux, enivrant, qui persiste dans son sillage. Le parfum de l'affluence.

Plusieurs fois par jour, dès que Nick prend le relais au pub, Nell et Ali vont faire de longues promenades. Parfois là où leurs pas les conduisent, parfois en reprenant l'itinéraire d'une des pierres de mémoire d'Agnes. La plupart du temps, elles se taisent d'un commun accord, chacune craignant d'agacer l'autre par une remarque négligente ou malencontreuse. Nell a eu le temps de réfléchir à la portée réelle des changements. Au-delà des signes évidents d'une prospérité nouvelle, qui contrastent vivement avec son enfance, au-delà des grandes maisons, des voitures, des chaussures Timberland et des sweat-shirts Gap, qui pourraient tous être des phénomènes éphémères ou superficiels, elle a senti autre chose, quelque chose que, les deux premiers jours, elle avait de la peine à identifier. Ça venait de l'intérieur, de l'intérieur des gens. Ça frémissait le soir dans l'atmosphère du pub. Comme un courant sous-jacent, une acceptation tranquille de leur sort. Rien de plus que ce qu'ils méritaient. Elle a observé les visages souriants et confiants des jeunes femmes – à peine vingt ans –, la franchise mesurée de leur regard. Rien à voir avec les yeux fuyants et inquiets, l'insécurité remuante de sa génération. Elle a observé la mine assurée de ces jeunes que n'encombrent ni l'histoire de leurs parents ni celle de leurs grands-parents, et songé avec étonnement : *C'est tout ce que vous avez connu.*

Parfois, au pub, elle a eu l'impression qu'Ali cherchait à lui communiquer quelque chose. D'autres fois, alors qu'elles escaladaient une colline ou esquivaient les vagues sur le rivage, sa fille s'est soudain redressée et tournée vers elle d'un air résolu, comme pour se confier, bouche entrouverte sur une pensée encore informe. Nell a attendu, mais Ali s'est ravisée, se contentant d'un sourire léger avant de repartir.

Adam dîne en général avec elles avant d'aller travailler au pub. Nell se garde soigneusement de l'interroger devant Ali, mais il lui est arrivé de jeter un coup d'œil dans sa direction et de le prendre en train de l'observer *elle*, comme s'il tentait de discerner quelque chose. Elle soutenait alors son regard pendant quelques secondes et il finissait par détourner les yeux. Reste cette troublante impression qu'ils se tournent autour, se flairent, se soupèsent mutuellement. À table, il sort des plaisanteries bébêtes à l'intention de Grace, provoquant chez la gamine des hurlements d'hilarité forcée. Quand Nick mange avec eux, les deux hommes se donnent du « mon pote » et s'envoient gauchement des tapes viriles sur l'épaule. Pourtant, Nell sent quelque chose dans l'attitude d'Adam envers Nick, quelque chose qui ne cadre pas avec son sourire enfantin. Hier, en le regardant servir Nick de ragoût et se pencher par-dessus la table pour lui tendre son assiette, elle a cru capturer cette chose insaisissable : une ombre de mépris passant dans les yeux mouchetés de cannelle. Mais, par la suite, Adam s'est enquis de la santé de Nick avec tant de sollicitude et d'intérêt apparents qu'elle s'est dit qu'elle avait dû rêver. En réalité, si elle garde l'œil sur lui en sa présence, Adam lui coûte à peine une pensée lorsqu'il n'est pas là.

Ce qu'on ne sait pas sur quelqu'un, on a tendance à l'inventer. C'est ainsi qu'une immobilité silencieuse, un pouvoir réfléchissant semblable à celui d'une toile constituent la qualité majeure de certains acteurs. La faculté d'être tout le monde, de refléter les humeurs et sentiments du jour. Adam, en est-elle venue à penser, est comme le *temps*.

Elle remonte à travers champs et s'apprête à enjamber le mur de pierre sèche quand sa voix retentit derrière elle. Elle sursaute, manque trébucher et se retourne vivement.

« Désolé, dit-il. Je pensais que vous m'aviez vu. Je ne voulais pas arriver comme un voleur. »

C'est la première fois, depuis le lendemain de son arrivée, qu'elle a l'occasion de lui parler en tête à tête. Elle s'assied sur le mur, espérant qu'il va l'imiter. Ce qu'il fait, et elle a soudain l'impression qu'il attendait ce moment, lui aussi. Il croise les mains de façon contemplative sur un sac en plastique qui bruit sur ses genoux. Tous deux respirent profondément en observant le duvet blanc du ciel, comme s'ils partageaient le même rituel chaque matin. Elle va être en retard pour Grace, mais ça n'a pas d'importance. L'enfant est habituée à se préparer seule pour l'école ; c'est pour son propre plaisir qu'elle s'en est occupée jusqu'ici. Elle observe le profil d'Adam du coin de l'œil. Il regarde Terence, le poney. Soudain, il se tourne vers elle avec un grand sourire désarmant de blancheur.

« Vous avez l'air heureuse, dit-il.

— Vraiment ?

— Plus heureuse. Que quand vous êtes arrivée, je veux dire.

— C'est sans doute le cas.

— Ça doit faire bizarre, quand même, de rentrer après si longtemps.

— Eh bien, oui. C'est bizarre, mais agréable.» Elle réfléchit une seconde et ajoute : «Jusqu'ici.

— Combien de temps vous allez rester, vous croyez ?»

La question a quelque chose d'étrangement abrupt, voire d'abusif, comme si c'était Nell l'intruse, et non Adam lui-même. Deux jours plus tôt, elle a surpris un bout de conversation qui, pour la même raison, lui est un peu resté en travers de la gorge. Ali parlait d'une fête de la moisson à laquelle elle voulait emmener Nell ; Adam lui a rétorqué que sa mère serait déjà partie. Nell n'a pas entendu ses mots exacts, car elle arrivait juste dans la cuisine, mais il n'a pas dit «sans doute» ni «peut-être» : il a dit «partie».

«Et vous ? demande-t-elle d'une voix aimable et détachée. Combien de temps vous allez rester ?»

Il fait une petite moue, hausse les épaules de façon exagérée. Qui peut le dire ? Qui peut dire quoi que ce soit sur quoi que ce soit avec une quelconque certitude ? Nell a la nette impression qu'il se moque d'elle. Ou, du moins, qu'il joue un jeu obéissant à ses propres règles. Il ne peut pas savoir qu'elle est elle-même une créature si solitaire qu'elle connaît bien la différence entre conversation anodine et investigation. Il ne s'est pas assis sur ce mur pour respirer le grand air.

«D'où venez-vous ? demande-t-elle en heurtant nonchalamment deux pierres détachées du mur.

— À l'origine ? Du Kent, si on veut. Mais on bougeait beaucoup.

— On ? Votre famille ?

— Mon père et moi. On était seuls tous les deux. On a surtout vécu dans des mobile homes. Il ne tenait pas en place bien longtemps.

— Ça devait être déstabilisant pour un jeune garçon.

— On s'habitue à tout, j'imagine.

— Vous y retournez parfois ?

— Dans le Kent ? Non. Aucune raison d'y retourner. Le vieux a cassé sa pipe il y a des années. L'alcool, précise-t-il avant que Nell ne pose la question. C'est même incroyable qu'il ait tenu si longtemps.»

Il sort une cigarette roulée de sa poche, l'allume et inhale profondément. Une lueur d'amusement brille dans les yeux de tweed. Les lèvres pleines et roses s'écartent. Il tourne légèrement la tête et décoche à Nell un nouveau sourire éclatant. Pas de doute, il est beau à couper le souffle et, pas de doute, il la teste, lui jetant quelques miettes afin d'obtenir en retour ce qu'il veut savoir. Nell sourit à son tour – un sourire parfaitement aimable, mais qui n'atteint pas tout à fait ses yeux. Il attend qu'elle le bombarde de questions, au lieu de quoi elle laisse le silence s'installer et éprouve une pointe de satisfaction à le voir se troubler.

« Vous croyez que vous pourriez rentrer pour de bon ? » demande-t-il au bout d'un moment.

Nell prend son temps. Balance la tête d'un côté à l'autre.

« Peut-être. » Elle laisse délibérément errer son regard vers la demande de permis de construire placardée sur le sorbier. Qui sait ? Elle pourrait avoir envie de construire elle aussi. « Maintenant que j'ai sauté le pas... » Elle remplace la fin de la phrase par un haussement d'épaules. « Et vous ?

— Je ne sais pas. »

Il paraît soudain sérieux ; ses beaux yeux balaient les champs, remontent vers la maison, puis redescendent vers la caravane, comme s'il était en proie à un conflit intérieur, le ménestrel ambulant d'un côté, de l'autre la partie de lui qui rêve de se poser, de s'enraciner quelque part.

Nell lui adresse un sourire compréhensif et encourageant, avec les yeux aussi cette fois.

« Je pourrais sans doute me sentir chez moi ici, ajoute-t-il doucement.

— Ici ? »

Nell continue à sourire, mais il vient de commettre sa première erreur – et il le sait.

« Par ici, je veux dire. Dans le coin. » Un petit pli est apparu sur son front, mais il se reprend bien vite et se lève d'un mouvement fluide et plein de grâce. « Qui sait ? fait-il, et il commence à redescendre le champ.

— Adam ? »

Il se retourne. Nell désigne le sac en plastique qu'il a toujours à la main.

« Quelque chose pour la maison ?

— Juste quelques herbes. Tenez, donnez-les à Ali de ma part.

— Je n'en reconnais pas la moitié. Que diable va-t-elle nous cuisiner avec ça ?

— Oh, ce n'est pas pour la cuisine, dit Adam en soufflant un nuage de fumée sur le côté. C'est pour Nick. Elle sait quoi faire avec. »

« Non ! Tu ne peux pas me forcer ! » s'époumone Grace.

Des veines saillent rageusement sur son cou. Elle a les yeux gonflés comme des ris de veau et paraît épuisée, mais pas seulement – chacun de ses gestes exprime une colère intense et presque douloureuse. Nell a débarqué en plein dans une violente dispute entre la mère et la fille. Elle regarde sa montre : Grace est déjà en retard pour l'école et sa tenue d'uniforme n'est qu'à moitié mise. Ali, lèvres serrées, lui enfile de force les manches de son cardigan, puis s'agenouille et lui fourre les pieds dans ses chaussures.

« Tu vas à l'école, point final. »

La concorde de cette dernière semaine était trop belle pour durer. La mort dans l'âme, Nell regarde tour à tour sa fille et sa petite-fille. Peut-être qu'elles se sont de nouveau chamaillées hier à propos de ces fichus psaumes et que, par chance, elle n'a pas assisté à la scène. Et n'a-t-elle pas entendu l'escalier grincer au milieu de la nuit ? Elle a cru que c'était un rêve, mais c'était peut-être Grace qui descendait chercher l'un de ses chats préférés. Pas étonnant que la petite ait l'air en manque de sommeil.

« Nell, parle-lui, toi. Elle ne veut pas m'écouter.

— Qu'est-ce qui se passe, Gracie ? Pourquoi tu ne veux pas aller à l'école, mon chou ? C'est tes devoirs ?

— J'y vais pas, c'est tout.

— Mange tes céréales, ordonne Ali. Tu es déjà en retard. »

Elle respire lourdement, tentant de se calmer. Elle ajoute du lait dans le bol de Frosties et le pousse vers Grace.

Jusqu'ici, Nell a adoré les moments paisibles qu'elle passait avec Grace le matin. Leur normalité – Grace mâchonnant ses céréales, les yeux encore pleins de sommeil, une joue rosie par le contact de l'oreiller, les cheveux à peine brossés. Le sourire distrait qu'elle lui adressait de temps à autre avant de replonger dans les profondeurs de son rêve éveillé. La goutte de lait qui roulait parfois sur son menton pointu et restait suspendue à l'extrémité jusqu'à ce que Nell l'essuie d'un doigt. Le sac à dos négligemment jeté contre la porte. Chaque matin le début d'un grand jour nouveau.

Pas ce matin. La lune de miel est bel et bien terminée.

« Mange ! »

Ali soulève et repose violemment le bol sur la table, envoyant valser la moitié de son contenu.

Rapide comme l'éclair, le bras de Grace part et balaie le bol, qui va s'écraser sur le sol. Le nœud a resurgi sur son front et saille comme un poing ; son visage est écarlate.

« Tu ne m'écoutes pas ! Tu ne m'écoutes jamais ! »

Ali s'effondre sur une chaise, tête entre les mains.

« Grace, tu vas me faire pleurer.

— Tant mieux !

— Peut-être qu'elle ne se sent pas bien, Ali. Peut-être qu'une journée d'absence ne serait pas…

— Tu ne comprends pas, Nell. Ce serait le troisième jour ce mois-ci. Le trimestre dernier, il y en a eu douze. *Douze jours*. J'ai déjà reçu un avertissement de l'école.

— Grace. »

C'est Nick. Il est debout au pied de l'escalier, habillé, l'air exsangue et spectral dans la lumière grise du matin.

Grace a le souffle court et haletant. Elle remue la bouche sans arrêt, tentant de refouler ses larmes. Elle a perdu la bataille et elle le sait. L'artillerie lourde est arrivée. Comment pourrait-elle résister à un père si malade, et qui la fixe d'un air si triste et si aimant ? Elle se décompose, non sans avoir lancé à sa mère un regard de reproche haineux qui la force à baisser les yeux.

Nick se dirige en silence vers sa fille et lui relève le menton. Elle le regarde et un lourd sanglot contenu s'échappe de sa gorge. Des larmes luisent sur ses joues. Nell a la nette impression que ce qui se joue entre ces trois-là n'est que partiellement lié à l'école.

« Allez, poussin, fait Nick d'une voix apaisante. Viens maintenant. Je vais te conduire. »

Grace hésite un instant, ravalant d'autres sanglots. Elle s'écarte rageusement lorsque Ali tente de lisser des épis dans ses cheveux. Sans un mot, elle se retourne, passe une des bretelles du sac à dos sur son épaule et sort derrière son père par la véranda.

Nell regarde sa fille, dans l'expectative. Au bout d'un moment, elle pose le sac contenant les herbes d'Adam sur la table. Ali hoche simplement la tête, puis passe ses mains sur ses joues et y appuie le menton, doigts de part et d'autre de la mâchoire inférieure. Sa mère fait un pas vers elle, mais elle l'arrête en levant une main. Nell reste sur place, indécise.

« Elle est sans doute juste fatiguée, dit-elle. Je suis sûre de l'avoir entendue déambuler cette nuit. »

Ali la regarde, puis détourne les yeux, pose les poings sur la table et se hisse sur ses jambes avec lassitude. Elle inspire profondément, rassemblant ses forces, et se dirige vers le pub pour attaquer les corvées du matin.

« Je ramasserai les morceaux plus tard », dit-elle en désignant le bol brisé.

Le village n'a pas beaucoup changé. Certes, elle a croisé des dizaines de nouvelles habitations étagées sur les collines périphériques, mais le centre se compose toujours d'une rue sinueuse bordée de petites maisons d'un étage peintes de couleurs vives, de deux ou trois épiceries à banne rayée et de deux pubs, dont le plus imposant a été rendu à sa pierre d'origine avec, devant la façade, des bancs en bois qui font face à la circulation. L'église est toujours peinte en blanc et se dresse un peu à l'écart, d'une taille incongrue comparée aux maisonnettes environnantes. Un peu plus loin, une boutique d'artisanat et un café coincé dans une ruelle sans issue.

Nell s'immobilise au milieu du village. Les automobilistes doivent braquer pour contourner les voitures garées sur l'étroit trottoir. À cette heure de la journée, il règne une atmosphère somnolente, presque de sieste, qu'accentue le ciel bas et sombre. Deux jeunes filles en tee-shirt et jean lacéré passent, bras dessus bras dessous, en riant. Elles parlent une langue étrangère. Nell les prend d'abord pour des touristes tardives mais, en voyant l'une d'elles entrer dans le pub et se mettre à servir, elle comprend qu'elles doivent faire partie du contingent kosovar du foyer. Ali a déjà parlé de recruter du personnel temporaire au foyer. Personne, parmi les gens du coin, n'est prêt à travailler pour le maigre salaire qu'elle est en mesure d'offrir.

Un chien flaire les chevilles de Nell et elle prend soudain conscience qu'elle est clouée sur place depuis peut-être une demi-heure. Comme si cette rue représentait un Stop impératif dans le parcours de sa vie et qu'elle était coincée au milieu, incapable d'avancer, mais répugnant à reculer. Ici même, sous ses pieds, un trottoir qu'elle arpentait chaque matin pour aller à l'école, posant ses pieds presque au même endroit pour rentrer chez elle après la dernière sonnerie. Elle connaissait tout le monde dans ces maisons. Disait Bonjour, B'jour, Salut deux fois par jour, à l'aller et au retour. À l'époque, elle pensait qu'elle resterait ici toute sa vie. Comment pouvait-on partir ? Pourquoi l'aurait-on fait ? Que pouvait-il y avoir de plus ?

La confiserie où elle dépensait son argent de poche hebdomadaire a fait place à une maison d'habitation avec une fenêtre panoramique festonnée de lobélies et de géraniums. En revanche, elle constate avec bonheur que des petits chiens suffisants se pavanent toujours dans la rue, se chamaillant, semble-t-il, papotant ou échangeant les nouvelles. Ils vont de porte en porte et, s'ils pouvaient s'avancer furtivement avec les pattes croisées sur la poitrine et la bouche déformée par les ragots, nul doute qu'ils le feraient. Truffe remuante et fouineuse, moignon rigide en guise de queue, ils se déplacent à toute allure, évitant les voitures avec aussi peu d'effort que si elles n'existaient pas. Lulu se ferait aplatir en quelques secondes.

Lulu. En cet instant, Nell se verrait bien blottie dans son appartement avec la petite chienne irascible. Attendant le bruit familier de la porte de l'ascenseur qui se ferme, des pas d'Henri qui s'arrêtent devant la porte. Drôle de s'apercevoir, après des années de déplacements, que c'est ici qu'il lui manque viscéralement. Un manque comparable à la sourde vague de chagrin qui l'a envahie ce matin lorsqu'il a dû raccrocher brusquement, alors qu'il lui parlait d'une crise au Domaine.

Elle se remet en chemin, s'attendant presque à rencontrer la jeune Nell au détour d'une rue, bretelles du cartable croisées sur la poitrine, chaussettes blanches montant jusqu'aux genoux, sourcils froncés d'un air soucieux et distrait. B'jour, b'jour, b'jour.

Arrivée en haut de la rue, elle entre dans la pharmacie. À l'intérieur, un vieux type chaussé de lunettes à monture noire rafistolées avec du scotch renouvelle sa provision d'huile essentielle d'arbre à thé, de lotion apaisante et de lotion anti-poux. Elle n'a pas pu se retenir plus longtemps et a commencé à traiter Grace la semaine dernière. Elle jette un coup d'œil furtif au rayon phytothérapie, cherchant quelque chose contre les bouffées de chaleur qu'elle n'aurait pas déjà essayé à Paris. Besoin d'aide ? demande le pharmacien. Non, non, répond-elle, elle regarde. Le type observe qu'un peu de pluie ne ferait pas de mal maintenant, après le temps sec de ces deux derniers mois. C'est bizarre, poursuit-il, mais ça le travaille depuis qu'elle est passée l'autre jour : son visage lui dit vraiment quelque chose. Nell décline son identité. Oh, mon Dieu, fait-il. Il était à l'école avec elle, quelques classes au-dessus, bien sûr, mais il s'en souvient. Et elle qui lui trouvait l'air vieux.

Est-ce qu'elle n'avait pas une sœur, aussi ? Un terrible accident, s'il a bonne mémoire. Oui, Bridget. Noyée dans le lac d'Eagle Rock. Le pharmacien hoche la tête sobrement. Il y a un panneau là-haut maintenant, dit-il, pour attirer l'attention sur ce courant souterrain qui débouche dans le lac. Il n'y a plus eu d'accidents, Dieu merci.

Ils bavardent encore un moment, qui est devenu quoi, qui est allé où, qui est revenu. Comment se fait-il qu'il ne l'ait encore jamais croisée en ville pendant les vacances ? Nell hausse les épaules, fait une petite moue – bizarre. Elle paie ses achats et sort. Le type lui tient la porte.

Le village s'achève brusquement un peu plus loin. La route grimpe et en regardant derrière elle, elle voit l'océan au loin, nettement plus bas que le village. Les haies hautes et folles sont entrecoupées de rangées de troènes bien entretenues protégeant des pavillons et de nouvelles maisons en pierre qui empiètent sur la nature sauvage. Les nuages sont gorgés de pluie et de lumière contenues. Les haies exhalent une odeur moite et minérale, comme si elles avaient conscience de leur maturité. Elles ont fait leur boulot pour une année supplémentaire. Elles veulent un peu de repos, de tranquillité.

Nell marche encore une dizaine de minutes et elles font progressivement place à des murets. Une série de pavillons blancs proprets avec des pelouses tondues et des arceaux de roses flétries précède son ancienne école primaire, qui se dresse à l'écart et en retrait de la route. Un rectangle blanc garni de hautes et étroites croisées et d'un toit d'ardoise noir, mignon tout plein avec sa plaque gravée sur la façade. De son temps, il n'y avait que ce bâtiment, mais il paraît maintenant vide – ou peut-être ne sert-il plus que de lieu de réception occasionnel, car l'école principale, une vaste structure moderne en préfabriqué, se trouve derrière. Comme si la bâtisse d'origine avait été préservée dans un souci purement décoratif. La première cour de récréation est déserte, mais Nell entend les rires et les cris des enfants un peu plus loin. Elle emprunte un étroit passage qui longe les bâtiments, espérant entrevoir Grace, et scrute la cour à travers un grillage en acier. Des arbustes et des buissons obstruent la vue, mais elle aperçoit des jambes qui martèlent le béton, un ballon de foot qui va et vient au milieu d'un groupe de garçons. Des fillettes d'âge varié se lancent une balle en poussant des hurlements de plaisir.

Elle s'est glissée dehors tout à l'heure sans dire à Ali où elle allait. Toute la matinée, elle a été hantée par les larmes d'impuissance qu'elle avait vues briller sur les joues de Grace. Elle s'est dit qu'elle pourrait peut-être l'apercevoir à l'école en train de jouer, heureuse. Qu'elles pourraient peut-être rentrer à pied toutes les deux. Ses yeux balaient la cour d'un mur à l'autre et son cœur bondit d'excitation chaque fois qu'elle croit reconnaître sa petite-fille dans telle ou telle gamine rieuse.

Mais, quand son regard s'arrête sur elle pour de bon, Grace n'est pas en train de rire. Elle est adossée contre un mur, immobile ; seuls ses talons martèlent la brique derrière elle, trahissant son ennui. Elle est comme entourée d'un halo d'exclusion. De temps à autre, elle tourne la tête pour suivre la course d'une autre fille et son corps frêle se raidit pour réfréner ce besoin quasi irrépressible qu'ont les jeunes enfants de courir l'un après l'autre. Un peu plus loin contre le mur, deux fillettes à la peau noire et aux cheveux tressés se tiennent la main en balançant le bras, également à l'écart. Mais leur isolement paraît plus choisi, plus délibéré que celui de Grace. Un professeur sort du bâtiment en agitant une vieille cloche dont le tintement familier trouble Nell. Les enfants convergent d'un pas léger pour former de longues files irrégulières et commencent à rentrer en bon ordre. Grace, qui est restée en arrière, fait alors quelque chose qui arrache à sa grand-mère un cri involontaire. Elle connaît si bien ce geste. Elle sait exactement ce que Grace cherche à communiquer en se penchant pour rattacher la bride de sa chaussure. Elle essaie de dire : J'aurais joué moi aussi, si cette chaussure tenait mieux. Et elle se le redit tous les jours pour amoindrir sa souffrance parce que personne ne veut jouer avec elle.

Nell couvre sa bouche de ses mains. Des larmes picotent le revers de ses paupières. Grace a rejoint l'arrière de la file clopin-clopant, fixant toujours d'un air agacé ces enquiquinantes chaussures qui, en réalité, la porteraient à la vitesse de l'éclair si une autre paire de chaussures daignait les poursuivre. Trois filles de son âge coiffées de queues-de-cheval soyeuses de longueur inégale trépignent en riant juste devant elle. Quand Grace, qui est tout à fait au bout de la file, se rapproche d'un pas, l'une des gamines pivote sur elle-même, la foudroie du regard et, d'un coup de coude, la force à reculer. Les queues-de-cheval rentrent dans le bâtiment en se balançant avec excitation. Grace soulève légèrement le pied sur le côté pour jeter à cette bride récalcitrante un dernier coup d'œil irrité. Le nœud saille sur son front comme un bas-relief. Et Nell sent son cœur se fendre quand, arrivée juste devant la porte, elle tente un petit saut insouciant qui ressemble au bond tiède et mou d'un chien frôlé par un pare-chocs. La porte se referme et Grace est avalée par le bâtiment. La dernière enfant à rentrer. Sans aucun doute la dernière à sortir. Nell quitte son poste d'observation.

Les premiers mois d'école après la mort de Bridget ont été très étranges. Outre les émotions en pagaille qu'elle était bien incapable de démêler, il y avait des choses simples, concrètes, qui la désarçonnaient jour après jour. Un seul pique-nique pour l'école posé sur la table de la cuisine. Des fanfreluches pour une seule paire de nattes dans la salle de bains. Le bruit de ses pas sur le chemin de l'école, distinct et singulier, suivant son propre rythme, n'accélérant plus pour rattraper sa sœur, ne ralentissant plus pour l'attendre. Il y avait la quantité illimitée de frites au dîner et les deux tranches de *Battenberg cake* si elle voulait, parce que le gâteau tiendrait quand même trois jours entre sa mère et elle. Sa réserve de bonbons qui durait une éternité depuis qu'elle n'était plus menacée par des doigts chapardeurs. Et, le soir, un seul jeu de livres et de cahiers étalé sur le sol du boudoir, d'où elle n'entendait plus Bridget répéter sans fin ses gammes au piano sous l'œil vigilant de sa mère.

Au départ, il y a eu des coups d'œil apitoyés, des regards larmoyants et des messes basses interrompues lorsqu'elle s'approchait d'un groupe d'enfants dans la cour de l'école. Bridget était de loin la plus populaire des deux sœurs : meneuse de bande enflammée et créatrice de jeux, la fille à qui on demandait la permission d'entrer dans son équipe de chasse à la volée – *En-trez dans notre équipe de chasse à la voléééé !* –, la fille à qui on abandonnait sa corde à sauter si elle exprimait un intérêt pour celle-ci, la fille dont la longue écharpe rouge la désignait comme capitaine, s'il pouvait subsister le moindre doute à ce sujet. Une écharpe qui se nouait autour des jambes pour les courses à trois pattes, délimitait des zones, volait dans le vent comme l'insigne rouge du courage lorsque des bandes rivales se défiaient, s'enroulait autour du dos pour la chasse enchaînée – *En-trez dans notre équipe de chasse enchaînéééé !* En classe, Bridget était la fille qui répondait aux professeurs – jamais au point de s'attirer de vrais ennuis, mais assez pour entretenir en permanence la flamme de son leadership.

Quand on la défiait, elle pouvait se montrer sans pitié : on était banni de sa compagnie, de sa sphère de souveraineté, par un regard cinglant, un mot cassant et un geste brusque. Inversement, lorsqu'elle voulait vous témoigner sa faveur, c'était comme le premier jour des grandes vacances. Elle vous gardait à ses côtés, vous demandait votre avis devant tout le monde, vous défendait haut et fort si surgissait ne fût-ce que l'ombre d'une critique de la part d'une personne tombée en disgrâce. C'était enivrant. Et ne l'était pas moins pour Nell, sa sœur cadette, qui, pour l'essentiel, avait droit au même traitement que tout le monde. Et souffrait comme tout le monde quand Bridget lui retirait brutalement son appui, sans avertissement ni explication. Lorsqu'on était bien vu de la reine, on l'était de tout le petit peuple inconstant de la cour de récréation ; lorsqu'on était proscrit par elle, on était seul.

Toutefois, être la sœur de Bridget vous conférait un certain prestige. Si celle-ci pouvait se montrer impitoyable envers Nell, renforçant du même coup son pouvoir tribal, les autres avaient l'intuition – qu'ils se gardaient bien de vérifier – que, s'ils s'avisaient de traiter Nell aussi durement qu'elle le faisait parfois, cela ne leur vaudrait rien de bon. De sorte que Nell était dans une certaine mesure protégée, à l'abri dans les orbes spectraux entourant l'étoile de sa sœur. Elle était trop sage pour tenter d'éclipser celle-ci ou d'exercer la moindre attraction sur les autres débris qui gravitaient avec elle. Elle était calme et studieuse, préférait les livres aux jeux d'extérieur et sa trousse bien rangée aux cordes à sauter à poignées clinquantes. En sport, Bridget courait plus vite, sautait plus loin, était plus rusée que tous les autres élèves, même ceux de sixième année. Nell regardait. Et applaudissait quand sa sœur lui lançait un regard de côté pour vérifier qu'elle applaudissait.

Pendant un temps, après la mort de Bridget, tout s'est passé comme si son absence même exerçait encore un pouvoir d'attraction. Comme si les élèves de sa classe et de la cour de récré se pressaient encore autour de l'espace vide qu'elle avait un jour si brillamment occupé. On parlait d'elle sur un ton plein de crainte et de respect ; en réalité, elle avait atteint à l'ultime transcendance : elle était devenue une divinité. Jusqu'au jour où un timide courant contestataire – d'abord sans répercussions apparentes – est apparu et, lentement mais sûrement, a grossi pour devenir un flot d'humiliations anciennes, de griefs et de rancœurs longuement entretenus qui a renversé Bridget de son piédestal.

En l'espace de quelques mois, elle est devenue la sale petite garce qui emmerdait tant tout le monde. Il y avait quelque chose de jouissif, de libérateur dans ce revirement. Bridget était morte et il n'y avait rien qu'on ne pût dire à son sujet, rien dont on ne pût la blâmer. Les victimes de sa tyrannie étaient libres. Son ex-meilleure amie, Avril O'Mahoney, avait pris la tête de la révolution. La suivante numéro un avait vu sa chance de porter la couronne, et la première manifestation de son règne a été cet inévitable et sanglant sacrifice.

Ont suivi des années de persécution implacable et raffinée de la sœur de la reine défunte. Nell n'avait aucune chance. D'un côté, la drôlerie de Bridget, la fulgurance de sa présence, le fol éclat de ses yeux faisaient cruellement défaut. Personne – pas même Avril O'Mahoney dans ses meilleurs moments – ne pouvait imaginer jeux moitié aussi amusants et farfelus que ceux qu'elle sortait sans effort de son chapeau. De l'autre, l'occasion était belle de se venger pour toutes les cruelles moqueries, les blagues sur les grosses, les humiliations. La méchanceté croissait d'elle-même. Si, dans leur for intérieur, beaucoup de filles de l'âge de Nell ou plus âgées qu'elle la considéraient comme une victime innocente et la plaignaient, en groupe, il y avait quelque chose d'irrésistible, quelque chose d'enivrant à voir une autre que soi se faire maltraiter. Et pour de bon. Et tous les jours, de sorte qu'on était sûre d'être soi-même épargnée.

Nell était isolée. Personne n'osait marcher à ses côtés pour aller à l'école ou rentrer. Bien trop risqué. Sa trousse était régulièrement pillée. On épinglait des mots sur le dos de son cardigan d'école. On brisait si souvent son thermos qu'Agnes a fini par lui donner une bouteille de lait en plastique tous les matins. On ne perdait pas une occasion de lui enfoncer la tête dans les toilettes infectes de la cour. Les bonnes sœurs voyaient bien ce qui se passait et, de temps à autre, sortaient un petit couplet rebattu et inefficace sur le crime odieux de la persécution. Si cela avait le moindre effet, c'était celui d'aggraver les choses. Qui pouvait prendre les leçons hypocrites des bonnes sœurs au sérieux ? Ces femmes étaient elles-mêmes passées maîtres dans l'art de la persécution. C'étaient des bourreaux diplômés.

Les élèves étaient grisées par leur propre cruauté, à la fois révoltées et fascinées de découvrir jusqu'où elles étaient prêtes à aller. Nell était la victime parfaite : elle se plaignait rarement, endurait tout tête baissée, acceptait leurs excès comme s'ils n'étaient que son dû. Elle a appris à pleurer juste au bon moment, quand leur soif était assez étanchée pour se calmer quelque temps. Elle a appris à se fondre dans les murs de la cour pour ne pas se faire remarquer ni s'attirer de vexations. Elle a appris des jeux auxquels elle pouvait jouer dans sa tête tout en gardant en permanence un visage de marbre. Elle a appris à se faufiler comme un animal apeuré, à glisser dans et hors de l'ombre, à tirer les heures interminables de la récréation en marchant à grands pas silencieux derrière la tôle ondulée rouillée de l'abri. Quand des filles faisaient le tour et la trouvaient, leurs yeux brillaient voracement, comme si elles venaient de retrouver par hasard des friandises depuis longtemps oubliées dans leur cachette.

Durant toutes ces années de brimades, Nell n'a rien dit à sa mère. Agnes avait des soupçons, bien sûr. Comment n'en aurait-elle pas eu quand sa fille rentrait tous les jours couverte de bleus, mais sans camarade qui puisse en être l'auteur ? Nell a hésité une ou deux fois, mais n'a pu se résoudre à se confier à sa mère. C'était comme une peau sombre et palpitante sous son épiderme. Elle sentait qu'elle serait physiquement malade si elle tentait d'en parler. Comment aurait-elle pu dire à une mère dévastée par la perte de son enfant de lumière que tout le monde haïssait le terne petit oiseau qui lui restait ? Non, cette pensée était trop proche de son cœur, trop proche pour être formulée ou, même, pour lui tirer des larmes.

Elle a donc retourné la haine contre elle-même – impossible de faire autrement, même si, au début, elle a tenté de l'empêcher de s'insinuer à l'intérieur, sous cette première strate protectrice. Et puis il y avait Agnes elle-même : son sourire étrange, ambivalent n'incitait pas aux épanchements. À la maison aussi, la perte de Bridget était comme un roc immuable dont elles ne pouvaient qu'effleurer la surface des yeux, chacune de son côté.

Les choses ont commencé à s'améliorer en quatrième année et, en sixième année, le souvenir de Bridget était presque effacé de la mémoire de tous les élèves sauf Nell. Une jeune Française, Aimée, est arrivée dans sa classe. Elle était discrète et studieuse, elle aussi. Son anglais n'était pas parfait et Nell l'a aidée. Surtout, Aimée n'avait pas assisté à ses années de purgatoire. Par la suite, les deux filles ont été adoptées par un cercle plus large de gamines sages et bûcheuses. Aimée leur apprenait à dire Je t'aime en français dans un coin de la cour de récré. Je t'aime et tu es si belle que ça me brise le cœur. Et elles se pâmaient, mains sur la poitrine, enivrées par le sentiment de leur propre distinction. Je t'aime et tu es si belle que ça me brise le cœur. Voilà ce qui les faisait rêver.

Nell ne se faisait plus éjecter de la queue pour accéder au robinet. Elle prenait soin de faire passer son sachet de bonbons à la classe entière et ne se plaignait jamais quand il lui revenait vide. Elle était bonne en calcul et laissait toute personne qui le désirait copier sur son cahier avant d'entrer en classe. Elle arrivait tôt le matin précisément pour cette raison. Sur le chemin du retour, elle traînait derrière le groupe de filles sages, accélérant chaque fois un peu l'allure – jusqu'au jour où elle les a rattrapées. Elle a remonté la pente progressivement. Rien de spectaculaire, rien de comparable aux retours en grâce éclatants et faramineux qui occupaient ses rêves. Mais tout valait mieux que le fond qu'elle avait touché. De cette longue période de vexations, toutefois, elle avait tiré une unique et utile leçon : elle avait appris à être seule. Elle avait appris les deux principaux avantages de la solitude : primo, on ne peut pas froisser sa propre susceptibilité ; deuzio, on ne peut pas non plus froisser celle des autres.

En entrant dans le secondaire, à l'époque où les hormones et la puberté faisaient des ravages chez toutes les filles, Nell était protégée par une discrète et rassurante cuirasse en acier. Un jour, elle est passée près d'Avril O'Mahoney dans le car scolaire et s'est entendue dire doucement : Va te faire foutre. Qu'est-ce que t'as dit ? Vous l'avez entendue ? Vous avez entendu ce qu'elle m'a dit ? Nell s'est arrêtée au milieu du couloir et retournée lentement, posément. Puis, tout haut cette fois : J'ai dit Va te faire foutre.

Ç'a été le jour où Bridget a cessé de hanter ses rêves et où Nell a cessé de hanter sa propre maison. Le jour où elle a compris qu'elle partirait, et à la première occasion.

Elle quitte le cimetière et fait le tour de l'église pour sortir. Soudain, la vue des marches menant au portail lui coupe le souffle. C'est comme si elle venait de pénétrer dans une vieille photo – une de celles qui vous sautent au visage en vous rappelant que telle époque a existé, que vous avez été telle personne. Les pierres tombales sont trop planifiées, trop cliniques, une date de naissance et une de mort, un nom, une ou deux lignes pour résumer une vie. Le vrai mémorial, ce sont ces marches. Les yeux de Nell parcourent une à une leurs anfractuosités, leurs crevasses moussues, leurs bords arrondis et luisants. Elle s'assied au sommet un moment, bras autour des genoux. Elle pourrait fermer les yeux, caresser ces marches avec les doigts et les lire comme du braille. Pendant toutes ces années, elles se sont conservées, avec leurs moindres fissures et crevasses, dans un coin de sa conscience – de même que chaque messe, chaque communion, chaque confession ou enterrement qui leur est associé. Nous sommes façonnés par de grands événements ; les naissances, les maladies, les morts opèrent des coupes sombres dans notre existence, lui font prendre une nouvelle direction, y laissent des marques indélébiles. Mais ce sont les petites choses – une volée de marches, un regard déçu, une boucle de chaussure luisante, des trahisons minuscules, un Va te faire foutre bien senti, les heures passées derrière un abri rouillé et dégoulinant de pluie, l'accumulation sans fin de pierres de mémoire empilées l'une sur l'autre – qui nous font peu à peu prendre forme.

Nell entre dans l'église ; elle meurt d'envie de serrer Grace dans ses bras. Il fait frais à l'intérieur, murs vanille et vitraux sombres. Bancs en chêne avec des prie-Dieu rembourrés pour s'agenouiller. Elle s'assied au fond et regarde les cierges vacillants qui brûlent devant l'autel. L'idée d'une prière lui traverse l'esprit, comme un instinct, la réponse à un écho lointain. Voilà des années qu'elle a cessé de croire, et son athéisme est bien plus ancré que la croyance irréfléchie de son enfance. Pourtant, elle joint les mains automatiquement et s'agenouille sur le prie-Dieu. Presque comme si Agnes était derrière elle et insistait tout bas.

Elle entend encore les douces intonations des prières de sa mère, le *pp-pp* de ses lèvres qui se pressaient l'une contre l'autre, le « Amen » rond et sonore qui précédait un nouvel *Ave*. Un jour, elle a vu Agnes traverser la rue de l'épicerie à l'église, les bras chargés de sacs. Elle avait environ neuf ans, la pire période de son martyre à l'école. Son cœur a fait un petit bond : elles allaient pouvoir rentrer ensemble. Un jour de répit, sans les quolibets et les insultes qui la suivaient d'ordinaire jusqu'à la maison.

En entrant dans l'église, elle s'est penchée pour ramasser un morceau de schiste poli et luisant. Puis, avec la pierre logée dans le creux de sa main, elle a remonté l'allée centrale sur la pointe des pieds. Bras en appui sur le banc le plus proche de l'autel, Agnes priait avec une telle intensité que ses épaules s'élevaient et s'abaissaient légèrement. Trois cierges neufs scintillaient sur le support posé près du chancel en cuivre jaune. Nell s'est glissée sur le banc situé derrière sa mère, savourant chaque seconde qui passait : seules toutes les deux dans la pénombre de la chapelle, ensemble.

Elle s'est penchée pour tapoter l'épaule de sa mère avec la pierre et la lui a présentée dans sa paume ouverte, mais Agnes s'est figée. Pendant une fraction de seconde, elle a tressailli comme si elle venait de se brûler. Des larmes silencieuses dégoulinaient sur ses joues et Nell a pris conscience – trop tard – que sa mère ne priait pas : elle pleurait. Elle a vu son visage horrifié reflété dans les pupilles noires jumelles. Sa main s'est refermée sur le morceau de schiste, prête à se rétracter, mais Agnes s'est ressaisie à temps. Elle a pris la pierre, l'a glissée dans la poche de son manteau et s'est penchée en arrière pour caresser la joue de Nell. Mais celle-ci avait déjà quitté son banc et courait, toujours sur la pointe des pieds, dans l'allée centrale. Elle a couru jusque dans la rue. Plus tard ce soir-là, elle a fourragé dans la poche de manteau de sa mère, trouvé la pierre et dévalé les champs jusqu'à la petite crique. Là, elle a jeté la pierre dans l'océan avide aussi loin qu'elle le pouvait. Elle n'en a plus jamais offert.

La main droite de Nell fait le signe de la croix – impossible de résister. Elle décide d'attendre Grace et va se rasseoir dehors, en haut des marches, jusqu'au moment où le premier chapelet d'enfants commence à défiler. Les trois queues-de-cheval passent en fouettant l'air, bras dessus bras dessous, chaussures noires vernies foulant élégamment le trottoir. Nell descend alors dans la rue et aperçoit Grace qui les suit à distance, complètement seule. Elle prend soin de l'appeler tout haut, avec une pointe d'excitation dans la voix. Le visage de Grace s'éclaire ; elle se jette dans les bras de sa grand-mère. Du coin de l'œil, Nell voit les queues-de-cheval se retourner, surprises, et la jauger de la tête aux pieds. L'une d'entre elles porte à sa bouche une sucette aussi ronde que ses yeux.

Très bien, mesdemoiselles. Le gong a sonné. C'est parti pour le premier round.

« On va aller dans ce magasin là-bas, Gracie, dit Nell toujours aussi fort, et on t'achètera tout ce qui te fait envie.

— Tout ?

— Tout. »

Grace rayonne. Elle lance aux trois filles un regard par en dessous et a la satisfaction de constater qu'elles sont aussi attentives qu'elle l'espérait. Elle prend la main de sa grand-mère et toutes deux traversent la rue en balançant les bras. Les gamines sont maintenant en plein conciliabule. Dans le magasin, Grace tourne sur elle-même comme un derviche et jette tout ce qui lui tombe sous la main dans un panier avant que sa grand-mère ne change d'avis. Des boîtes de chocolats, une trousse, des BD, de longs carambars, des bouteilles de Lucozade – Nell sait qu'elle a horreur de ça –, une orange, une pomme, trois paquets de bonbons à la menthe, des bubble-gums, des sucettes, plusieurs boîtes de nourriture pour chat, un pain de mie en tranches. Nell soulève ce dernier, hausse les épaules – qu'importe –, le laisse retomber dans le panier. Grand-mère et petite-fille ressortent en chancelant sous le poids de leurs sacs, attentives à l'intense surveillance dont elles font l'objet sur le trottoir d'en face. En passant, Grace sort plusieurs articles des sacs et les tient en l'air pour les faire admirer. Ooh ! Aah ! Un Megachew Bar, le plus long bonbon du monde. Elle en a toujours rêvé.

Nell doit se détourner pour cacher son sourire. *Inutile de t'apprendre le jeu, ma jolie.*

Bruits de succion frénétiques tandis qu'elles poursuivent leur chemin. Plus aucune trace de la fureur de ce matin. Le ver rose visqueux de trente centimètres de long disparaît entièrement dans la bouche de Grace. Puis en ressort, tout baveux, avec un bruit sec. Le niveau de concentration de la gamine est tout bonnement phénoménal. Elle fera le bonheur d'un homme un de ces jours, songe la grand-mère indigne.

« Tout va bien, Grace ? » demande-t-elle en se penchant pour embrasser doucement les cheveux bruns.

La tête s'incline brièvement. « Ouais. »

Un vieux tacot passe en toussant et en crachant. Nell prend soudain conscience que le conducteur n'est autre qu'Adam et se retourne vivement. Il tend le bras dehors pour leur faire signe. La main de Nell lui rend son salut, trop tard.

Grace suit la voiture du regard jusqu'à ce qu'elle disparaisse à un carrefour. Sous ses yeux, la peau est bleuâtre, tendue, fatiguée. Elle jette son Megachew Bar dans le fossé avant de repartir.

« Y avait une mouche dessus », dit-elle par-dessus son épaule voûtée.

8

Ali est en train de confectionner des tourtes aux pommes et aux mûres. Un spectacle à ne pas manquer – Nell dissimule un sourire. De la farine partout, sur la table, sur le sol ou plutôt sur le revêtement improvisé fait de vieux journaux étalés par terre. Dans les épis d'Ali et le long de sa joue. Sur le bol de mûres humides et juteuses qu'elle a été cueillir. Elle adresse un bref sourire à sa mère et sa fille et soulève un cercle de pâte brunâtre et grumeleuse pour le faire admirer.

« Miam », fait Grace sans conviction.

L'enfant avale un verre de lait, essuie sa moustache blanche d'un revers de main. Ses yeux s'agrandissent un peu lorsqu'elle voit Nell sur le point de dire à Ali : Tu ne sais même pas qu'il faut beurrer le moule avant d'y mettre la pâte ? Mais Nell ne dit rien, parce que cette tourte est l'offrande de paix d'Ali à sa fille. Elle ne dit rien non plus quand Ali balance dans le moule les quartiers de vieilles pommes et les mûres enfarinées et les recouvre de pâte en oubliant de les sucrer.

« Ce n'est que la première, dit Ali. J'en fais deux.

— Je me demandais justement si une seule suffirait. »

Sur le rebord de l'évier, un mélange d'herbes visqueux gît au fond d'un pichet transparent. Nell l'a déjà aperçu une ou deux fois et n'a pas voulu poser de questions. Il y a des informations dont elle peut se passer. Certainement une potion pour les rendre tous plus verts et meilleurs. Elle en a sans doute absorbé sans le savoir.

« On a croisé Adam en rentrant. Où allait-il ?

— Je crois qu'il avait rendez-vous avec un des frères Kearney. Les entrepreneurs.

— Oh. Pour voir une maison ?

— Des plans de maison. Pour le site d'en bas. Au cas où il déciderait de construire. »

Ali jette un bref coup d'œil par-dessus son épaule. Nell parvient à rester de marbre, mais tout juste. Formidables, ces projets de construction ; où en sont les projets d'achat ?

« Et l'école, Grace ? Ç'a été, finalement ? »

La voix d'Ali est si enjouée qu'elle entraînerait des foules.

Grace hausse les épaules avec une petite moue. Elle s'efforce de faire une bulle avec son chewing-gum rose. Un chat noir et blanc décrit des huit autour de ses chevilles. Elle se penche pour le prendre dans ses bras et enfouit son nez dans son cou.

« Tu pourrais inviter quelqu'un à dîner, si ça te dit. »

Grace fait semblant de ne pas entendre ; elle parle au chat à voix basse. Le téléphone sonne dans le pub. Quelqu'un décroche. Ali lance un regard à sa mère pour voir si elle a noté qu'il était réparé.

« On s'en sert aussi pour la maison, dit-elle. On ne reçoit pas beaucoup d'appels. »

Elle se dirige vers le fourneau en fredonnant *Amazing Grace* et en pinçant la joue de sa fille au passage. La première tourte est enfournée brutalement, la porte refermée avec satisfaction. Ali consulte sa montre et se tapote fébrilement la poitrine.

« Là. Combien tu crois, environ deux heures ? Moins ? »

Nell inspire profondément en dodelinant de la tête.

« Je jetterais un coup d'œil dans, oh, disons moins d'une heure.

— Tu crois ?

— Juste pour vérifier. Avec ce fourneau, tu sais.

— Oui, c'est vrai. Je crois que je pourrais me mettre à la pâtisserie, tu sais. Ça détend plutôt. »

Pourtant, une veine rampante saille sur la tempe d'Ali, signalant le début d'une de ses migraines. Confectionner non pas une, mais deux tourtes à la fois représente une grosse somme d'efforts pour elle. Pendant une seconde, Nell se sent fière de sa fille.

« Tu adorais faire des gâteaux quand tu étais petite.

— Vraiment ? Où ça ?

— Chez oncle Albie. On pâtissait comme des petites folles. »

Ali fronce les sourcils, fouillant dans sa mémoire, et passe une main enfarinée sur sa joue encore intacte. Avec un chevron blanc de chaque côté, elle ressemble à une squaw mohican.

« Bizarre. Maintenant que tu m'en parles, je revois bien quelque chose – des gâteaux individuels en forme de papillon, avec de la crème au milieu.

— C'est ça. On les évidait au centre pour faire deux ailes.

— Mais c'était avec Mary Kate, non ?

— Non, Ali, c'était avec moi.

— Je sais ! On va organiser une fête pâtisserie. » Ali bat des mains et tourne des yeux brillants vers sa fille, laquelle n'a pas l'air très enthousiaste. « Ça te dit, Gracie ? Je suis sûre que tes amies adoreraient. Qu'est-ce que tu en penses ? »

Grace regarde le chat glisser par-dessus son bras en un long mouvement continu ; il se déroule comme une cape d'hermine.

« Ouais, d'accord.

— Demain, peut-être ?

— Bientôt.

— Bon. Alors je ferais bien de me mettre à cette deuxième tourte. J'aurais dû te demander de rapporter de la crème, Nell. Mais je crois qu'on a de la glace. » Ali verse de la farine non tamisée dans un saladier. « Qu'est-ce qu'il y a dans ces sacs, Gracie ? »

Nell gémit intérieurement et s'apprête à les faire disparaître, mais, déjà, Grace déballe fièrement son butin. L'un après l'autre, elle vide les sacs sur la table couverte de farine. Ali croise les bras et hoche la tête tandis que les boîtes de chocolats dorées succèdent aux bonbons à la menthe vert foncé. Hoche la tête tandis que les emballages rayés s'entassent en monticules bruissants. Des tubes de Refreshers roulent sur le sol. Les papiers de sucettes scintillent comme des rubis. La table est ensevelie.

« Eh, fait Ali avec un petit sourire figé, inexpressif. On dirait une fête.

— Et j'avais même pas été sage », fait Grace étonnée.

Si elle pouvait se flanquer un bon coup de pied au cul, Nell n'hésiterait pas une seconde. Bien sûr, elle ne cherchait pas à damer le pion à Ali et à ses gâteaux, mais à présent le mal est fait. Elle descend le champ en inspirant profondément. Elle aimerait tant fermer les yeux et se réveiller dans son appartement, au milieu de ses propres affaires et de sa propre vie. En l'espace d'une journée, son séjour a pris un tour entièrement nouveau. Elle sent que tout part à vau-l'eau. La douce nostalgie qu'elle éprouvait ces derniers jours lui glisse entre les doigts ; les souvenirs lui paraissent désagréables, âcres et bien trop vifs, avec des contours sombres et déprimants. Des choses depuis longtemps oubliées qui se tenaient en embuscade, attendant de pouvoir lui sauter à la gorge. Et il y a cette seconde peau qui la gratte, cette démangeaison qui la pousse à s'éloigner pour être seule. Voilà des années qu'elle n'avait pas passé tant de temps entourée.

Ses visites à Oxford étaient bien souvent des missions destinées à prendre le vent, à voir si Ali était retombée dans l'héroïne ou non. Elle réservait une chambre d'hôtel dans le coin pour éviter le chaos de l'appartement de sa fille. Il n'y avait pas de place pour elle, disait-elle, bien que Nick eût acheté un canapé-lit d'occasion. Pas dans votre salon, disait-elle, je ne peux pas vous faire ça. Et elle refusait de loger chez oncle Albie et Mary Kate parce que ç'aurait été injuste, vu qu'elle refusait de loger chez Ali. Disait-elle.

Quand Ali et Grace venaient à Paris, c'était généralement pour un long week-end, et il y avait mille excursions à caser dans ce court laps de temps. Leurs pieds touchaient à peine le sol. Il y avait aussi des vacances, bien sûr – offertes par Nell. Ali et Grace la rejoignaient dans un aéroport situé sur le parcours d'une de ses tournées de dégustation. Un endroit où il faisait chaud, pour qu'elles puissent s'occuper sur la plage ou au bord de la piscine pendant que Nell travaillait. Et puis il y avait les Noëls où elle les faisait venir dans un chalet à la montagne. Nick, qui les avait accompagnées une ou deux fois, était un excellent skieur. Ali n'avait jamais apppris, mais semblait satisfaite de regarder sa mère emmener sa fille sur les pistes pour débutants – cette dernière parée de la combinaison de ski matelassée, avec capuche garnie de fourrure, que Nell lui avait offerte pour Noël. Regarde ce que Nan m'a acheté – et j'avais même pas été sage.

Quand Agnes était encore en vie, avant la naissance de Grace, ils se retrouvaient tous chez oncle Albie et Mary Kate pour Noël, parfois pour Pâques aussi. Nell dormait alors dans son ancienne chambre en haut de la maison. Jamais plus de quelques nuits, parce qu'elle profitait toujours de ce qu'elle était en Angleterre pour organiser un voyage professionnel à Londres. T'es toujours par monts et par vaux, lui disait Agnes ; tu mourras jeune à force de courir. Depuis des années, elle n'achevait plus par : L'année prochaine, on sera tous autour d'une table dans le Kerry et ce sera bien plus tranquille, pas vrai ?

Il n'y a eu qu'une seule occasion – un Noël à Paris – où elle a regardé Nell droit dans les yeux et lui a posé la question sans détour. Tu ne rentreras pas. Jamais. C'est ça ? Nell s'est servi une tranche de dinde et s'est mise à la couper en minuscules morceaux. Non, je ne dirais pas ça, a-t-elle fait, je ne dirais pas jamais. Mais… pas tout de suite. J'ai essayé, Mammy. J'ai essayé. Agnes a posé sa fourchette et son couteau côte à côte dans son assiette. Jamais, a-t-elle répété avec une sombre résignation. Pendant le restant de la journée, chacune a évité de croiser le regard de l'autre. Nell est partie pour Sydney deux jours plus tard, laissant sa mère et sa fille achever les vacances seules dans l'appartement. T'es toujours par monts et par vaux, lui a dit Agnes à l'aéroport ; tu mourras jeune à force de courir.

Mais Nell ne trouvait rien d'épuisant à ces constants déplacements. Elle se sentait plutôt électrisée par la perspective du prochain voyage, les bagages à faire avant le prochain aéroport. D'une manière ou d'une autre, c'était toujours elle qui partait.

Même si, elle doit bien l'admettre, elle a beaucoup ralenti ces derniers temps. Une ou deux fois, elle a même annulé à la dernière minute et est allée se mettre au lit avec de l'eau chaude additionnée de citron et de miel pour tenter de se convaincre qu'elle couvait un rhume. Dans ces moments-là, elle reste allongée sous la couette à écouter le silence résonner dans sa chambre, comme si elle pouvait le toucher. Parfois, elle risque une main dehors pour le laisser enrober sa peau. Et le sentir pénétrer, traversant les couches l'une après l'autre, remontant jusqu'à son aisselle, évitant son sternum, s'insinuant dans l'enchevêtrement complexe de muscles et de tissus pour percer jusqu'à son cœur. Alors, elle connaît la paix du tombeau que sa mère lui a si souvent prédit.

Nell passe ses mains sur son visage. C'est ça, songe-t-elle – le commerce quotidien, les transactions quotidiennes entre les humains, les peurs non formulées, les coups involontaires que l'on porte et que l'on reçoit –, c'est ça qui est réellement épuisant. Ça qui est sans fin.

A-t-elle trop attendu pour supporter ce commerce quotidien avec Henri ? Répondre à ses questions quand elle n'a pas envie de parler. S'interroger sur son humeur quand il est silencieux : a-t-elle fait, ou dit, quelque chose de mal ? Une présence en continu, l'appartement déjà plein de lui et de ses affaires quand elle rentre de voyage. Son visage sur l'oreiller d'à côté tous les matins, ses ronflements la nuit. Le bruit de vaisselle dans la cuisine quand il prépare le dîner, et la conversation tout au long du repas, elle qui mange généralement avec, pour tout accompagnement, le souffle des pages tournées de son livre. Pis encore, au moment où elle s'apprête à partir, une voix qui lui demande : Tu rentres quand ?

Ces pensées sont interrompues par le hennissement du poney ; détaché de sa longe, il broute l'herbe maigre à côté de la caravane. Nell jette un rapide coup d'œil par-dessus son épaule. On ne peut pas la voir de la maison, en tout cas pas du rez-de-chaussée. C'est peut-être sa seule chance d'inspecter l'intérieur de la caravane. Elle se rapproche du véhicule. Nouveau coup d'œil vers le haut du champ : toujours personne. Sa décision est prise avant qu'elle ait eu le temps de réfléchir. Elle tourne résolument la poignée de la porte, s'attendant à rencontrer une résistance, mais le battant s'ouvre sans difficulté. Elle inspire bruyamment en gonflant les poumons, entre et referme derrière elle.

À l'intérieur, elle reste un moment immobile à souffler, puis inhale à fond. Elle s'attendait à une odeur de renfermé, de fumée, à une odeur corporelle, de sueur peut-être, ou bien de linge sale, de cuisine – après tout, qu'est-ce que ce tas de ferraille sinon une boîte à odeurs ?

Un réceptacle fermé pour tous les effluves humains possibles et imaginables ? Mais, curieusement, l'air est pur et ne livre aucune indication olfactive sur *lui*.

Nell s'est toujours fiée à son nez pour nuancer et compléter le tableau ; elle décide si quelqu'un lui plaît ou non aux secrets que trahit sa peau. Des émanations révélatrices, aussi lisibles pour elle que l'est pour d'autres le langage du corps. Henri a d'abord rigolé quand elle lui en a parlé. Il a trouvé l'idée absurde, *respirer* les gens comme on respire un vin. Et s'ils venaient de péter ? a-t-il lancé pour plaisanter. Et si… Oh, tais-toi, j'aurais mieux fait de ne rien dire.

Des mois plus tard, il a avoué à Nell qu'il avait testé sa petite manie. Sentir les gens. Et, même s'il répugnait à le reconnaître, il se pouvait qu'elle n'ait pas complètement tort. Cela étant, il n'a pas pu garder son sérieux quand Nell lui a demandé des exemples. Il a préféré se moquer d'eux-mêmes et de leur imagination. Comme si c'était possible. L'âme suintant par les pores sudorifères.

L'âme d'Adam, en tout cas, refuse de se dévoiler. Nell inspire à nouveau, mais en dehors d'une faible et résiduelle senteur poivrée – une note de hasch –, l'atmosphère est comme désodorisée.

L'intérieur de la caravane la surprend aussi : il est beaucoup plus spacieux qu'elle ne l'avait imaginé. Tout est compact, avec un côté maison de poupée, et soigneusement rangé. Pas un livre qui traîne, un cendrier plein ou un fond de café dans une tasse témoignant que l'endroit est habité. Cela lui rappelle presque son propre appartement.

Sur une des cloisons, il y a un petit évier métallique avec des placards encastrés plaqués bois alignés au-dessus et au-dessous. En ouvrant l'un d'entre eux, Nell découvre un réfrigérateur qui ne contient que du lait, quelques œufs et un sac de tomates. Dans le bac à légumes, des sacs en plastique transparents renfermant apparemment les mêmes herbes que celles qu'Adam lui a données pour Ali. Derrière une autre porte, elle trouve un petit W.-C. Il y a aussi une armoire simple avec des étagères en bas. À l'intérieur, une paire de baskets, deux ou trois pulls, un jean de rechange, des caleçons et des tee-shirts roulés en boule tout au fond.

Elle se dirige vers l'autre extrémité de la caravane. Une rangée de coussins le long de chaque paroi, une table pliante au milieu. Les coussins se soulèvent et se tirent pour former des lits, un de chaque côté – en réalité, quand les deux sont tirés, ils doivent former un lit double occupant toute la largeur du véhicule. Nell s'en retourne vers les rangées de placards et les ouvre l'un après l'autre. Juste une ou deux casseroles, des tasses, des assiettes dépareillées, des soucoupes orphelines et trois bols. Une série de tiroirs révèle le même genre d'ensemble disparate : ustensiles de cuisine, poêle, couverts de forme et de taille variables, torchons.

Nell ouvre les tiroirs avec un sentiment d'urgence croissant. Il doit bien y avoir quelque chose. Une enveloppe, un passeport, un permis de conduire, une carte de sécu – au nom du ciel, quelque chose, n'importe quoi, qui indique que ce type vient de quelque part. Qui montre qu'il existe, qu'il est répertorié sur un ordinateur quelconque. Comment peut-il y avoir si peu d'un homme ? Juste l'endroit où il dort, les vêtements qu'il porte, les assiettes dans lesquelles il mange, le trône sur lequel il fait ses besoins. Nell balaie la caravane du regard, cherchant une étagère, un placard, une porte cachée qui lui auraient échappé. Mais, apparemment, son inventaire est complet. Il n'y a rien d'autre. Elle reste debout au milieu de la caravane, épaules haussées jusqu'aux oreilles, mains levées, paumes tournées vers le ciel en signe d'impuissance. C'est proprement impossible. Tout le monde garde *quelque chose*.

L'un des coussins qu'elle a soulevés dépasse encore légèrement. Elle le tapote pour le remettre en place, mais il ne s'aligne pas parfaitement avec le suivant. Il y a un petit interstice entre les deux et au-dessous, par terre, à travers les ressorts métalliques du lit, elle aperçoit quelque chose. À toute allure, sentant le rouge de la panique lui monter aux joues, elle ôte tous les coussins. Elle ne distingue pas grand-chose dans le recoin obscur, mais il y a un petit trou entre les ressorts ; elle y plonge la main et, centimètre après centimètre, ses doigts tâtent le sol poussiéreux jusqu'à rencontrer une mince liasse de papiers. Elle réussit à en extraire quelques-uns, les glisse rapidement sous la ceinture de son jean et rabat son pull par-dessus. Il y a encore quelque chose de dur sous le lit. Le bout de son majeur caresse du métal froid, un objet cylindrique. Au moment où elle étire le bras pour tenter de l'attraper, le bruit de ferraille d'un pot d'échappement cassé retentit tout près. Elle a juste le temps de se redresser et de reposer les coussins : Adam apparaît dans l'encadrement de la porte, un pied en équilibre sur la marche et l'autre encore dans le champ.

Nell se contente de le regarder. Il n'y a rien à dire, vraiment.

En dehors d'une rapide contraction et dilatation des pupilles, rien, dans son visage, ne trahit ce qu'il pense de cette intrusion. Ses yeux vont et viennent, cherchant à déterminer où Nell a pu aller, ce qu'elle a pu voir. Comme elle se tient près du canapé-lit, il va deviner qu'elle a été fouiller en dessous. En un mouvement souple qui la fait sursauter, il grimpe à l'intérieur et ferme la porte derrière lui.

« Qu'est-ce que vous faites ?

— Je voulais juste voir à quoi ça ressemblait à l'intérieur. Les caravanes… me fascinent. » *Les caravanes quoi ? Doux Jésus.* « La façon dont elles sont conçues, s'enfonce Nell. Vous savez, les choses qui ont différentes fonctions. Comme les canapés qui se transforment en lits, ajoute-t-elle d'une voix exsangue. Je suis désolée. J'aurais dû demander. Mais vous n'étiez pas là, donc je suis… »

Adam fronce les sourcils d'un air concentré, méditatif – un homme isolé dans sa cellule, oublieux des murs, profondément retiré en lui-même. Bien qu'il ait les pouces accrochés à la ceinture de son jean et n'ait pas fait un pas, sa présence emplit la caravane. Les pupilles de ses yeux fauves continuent à se dilater et se contracter d'une façon assez perturbante tout en fixant Nell. Celle-ci sent la sueur dégouliner dans sa nuque. Elle pose les deux mains sur sa taille pour retenir les papiers. Déjà, l'un d'entre eux menace de glisser par-dessus sa ceinture. S'il tombe, il lui semble qu'elle-même s'affaissera pour mourir.

« Je suis désolée, répète-t-elle pour briser ce silence troublant. Écoutez, je vais vous laisser. »

Un petit pas vers l'avant, mais Adam ne bouge pas. Tout ce qu'elle a réussi à faire, c'est à se rapprocher de lui. Et c'est bien la dernière chose qu'elle souhaitait, car elle aperçoit maintenant le renflement blanchi qui ourle sa lèvre supérieure. Sa respiration est haletante. Il est plus que fâché : il écume de rage.

Malgré tout, il réussit à conserver une voix calme pour demander : « Dites-moi un truc. Pourquoi les gens croient qu'ils peuvent faire ça ? Comme si une caravane n'était pas la maison de quelqu'un, ne méritait pas le même traitement. Vous n'entreriez pas comme ça dans une maison, si ? Dans la maison de quelqu'un – n'importe qui ? »

Mais ce champ n'est pas le champ de n'importe qui. C'est celui de ma fille.

Nell le pense, mais ne le dit pas, parce que ça reviendrait à admettre qu'elle est entrée dans un but bien précis. Mieux vaut qu'à défaut d'y croire, ils fassent tous les deux comme si elle avait juste eu un geste un peu impoli, un peu inconsidéré.

« Vous avez tout à fait raison, dit-elle d'un ton détaché, bien décidée à ne pas montrer qu'elle est intimidée.

— Vraiment ? Tout à fait raison ? Merci. »

Nell cligne des yeux, surprise. Bien sûr qu'il a raison ; elle ne faisait que le prendre de haut. Il est parfaitement conscient que c'est un piètre logement qu'il défend, qu'il ne possède même pas le sol sur lequel il vit. Ils savent tous les deux qu'elle est en position de force. Il pourrait difficilement appeler la police. Nell le regarde abaisser, impuissant, ses épaules hérissées, pousser un soupir plein de frustration, et a soudain l'impression de voir au-delà de ce moment. De voir les innombrables moments qui l'ont précédé, toutes ces humiliations qu'il a dû subir enfant, adolescent et maintenant adulte, lui qui, à l'âge de trente ans, dépend encore de la générosité d'inconnus. Nell sait ce que c'est que d'être le paria, d'être *différent*. Et aussi que cette différence peut devenir une drogue. Addictive jusqu'à l'obsession.

« Adam, je vois bien que je vous ai blessé. Pardonnez-moi d'avoir été indiscrète. Ça n'arrivera plus. »

Le regard d'Adam remonte vers elle en vacillant. D'abord sceptique, il scrute son visage, y cherchant des signes de duplicité. Comme il n'en trouve aucun, sa colère et sa frustration semblent s'évanouir. Les nuages noirs massés sur son visage s'écartent pour laisser place au soleil – de nouveau cet éblouissant sourire. Impossible de ne pas y répondre par un autre sourire. Il se rapproche, interceptant l'air et la lumière, si bien qu'il n'y a plus que lui. Cette énergie rebelle qui circule en silence dans son corps. Des grains de sable emprisonnés dans une coquille de verre lisse.

« Vous n'êtes indiscrète que si vous n'êtes pas invitée.

— Donc je suis invitée maintenant ? Merci », fait Nell d'un ton léger et badin, de plus en plus consciente de la position embarrassante dans laquelle ils se sont mis. Comme deux comédiens amateurs qui se font face, mais sont incapables de se servir de leurs mains avec naturel. Celles de Nell sont deux lourds moignons rivés à ses côtés.

« Moi aussi, dit Adam, je suis un invité ici.

— Oui. Je sais. Ali m'a expliqué.

— Elle dit que ma présence vous inquiète. Que c'est pour ça que vous êtes venue.

— Peut-être. » Nell baisse la tête ; des mèches folles masquent son visage. « Mais de toute façon, il était temps que je rentre. »

Impossible de ne pas ressentir fortement la proximité physique d'Adam. Elle devrait profiter de ce moment pour l'interroger sans détour sur ses intentions. S'il a de l'argent pour acheter ce terrain, comme Ali le prétend, elle en a vu fort peu de signes ici – pas même un chéquier. Mais, bizarrement, elle a comme perdu sa langue.

« Qu'est-ce qu'Ali vous a dit sur moi, au fait ? demande Adam.

— Pas grand-chose.

— Elle parle de vous sans arrêt.

— Vraiment ?

— Le plus souvent en bien. Ouais. »

Adam décroche ses pouces de son jean, étire langoureusement ses bras vers l'arrière en entrecroisant les doigts. Ce mouvement arque tout son corps, comme s'il tentait de se rapprocher, mais que quelqu'un le retenait par-derrière.

« Alors, Nell, qu'est-ce que vous voulez savoir ? C'est quoi, la question qui vous brûle ? »

Sa franchise la déstabilise un instant.

« Je crois que vous pouvez l'imaginer par vous-même.

— Est-ce que je vais arnaquer Ali ? Profiter de sa gentillesse et de sa générosité ? » Adam sourit, mais Nell détecte quelque chose d'amer, une inflexion métallique dans sa voix. « Elle est adulte, vous savez. Je crois qu'elle est capable de se défendre toute seule.

— Vraiment, vous croyez ? Je n'en suis pas si sûre.

— Donc vous comptez rester jusqu'à ce que vous en soyez sûre. C'est ça ?

— Ça vous pose un problème ? »

Ils sourient tous les deux à présent ; leur ton est si détaché qu'ils pourraient être en train de parler de la pluie et du beau temps. Et dans une certaine mesure, songe Nell, c'est le cas. Sauf qu'Adam est bien plus compliqué que la pluie, elle en est certaine. Et qu'il n'a répondu à aucune question : il n'a fait que poser les siennes.

Il réfléchit un moment dans un silence lourd et chargé. Nell cille à nouveau lorsque ses mains, qui sont restées croisées dans son dos, se détachent subitement et que son corps tendu retrouve sa grâce fluide, nonchalante. Un sourire décontracté se forme lentement sur ses lèvres, incitant à la confiance, à la confidence.

« Pourquoi ça me poserait un problème ? Vous êtes de la famille. Moi, je ne suis que l'invité.

— Un invité précieux. Vous avez été d'un grand secours à Ali et à Nick. Je vous en remercie. »

Là. Voilà qui devrait être suffisamment condescendant pour poser clairement les limites. Mais Adam n'a pas l'air offensé ; il paraît même plutôt amusé.

« Vous ne faites pas facilement confiance aux gens, hein ?

— Non, en effet.

— J'imagine que c'est pour ça que vous, moi – on est seuls. »

Nell sursaute lorsqu'il tend le bras vers elle pour écarter les mèches rebelles de son visage et les passer doucement derrière son oreille. En retirant sa main, il lui effleure la peau du bout des doigts et ce contact enflamme sa joue. Elle n'aurait qu'un pas à faire pour être tout contre lui ; la tentation est presque irrésistible. Son sourire est si tendre, comme s'il attendait qu'elle lui confie toute son histoire. Quel soulagement ce serait de balayer les soupçons, de poser la tête sur son épaule et d'attendre que ses bras la serrent contre lui. De sentir sa jeunesse circuler en elle, la rendre humide et vivante et en quelque sorte neuve, *présente* à nouveau.

Tête penchée sur le côté, Adam se demande comment elle va réagir à ce qui était, de facto, une atteinte à sa personne. Son sourire est timide maintenant, interrogateur : a-t-il dépassé la mesure ? En l'espace d'une seconde, Nell comprend qu'elle a été jouée comme un ukulélé.

Elle attend que la bouffée de chaleur s'apaise pour planter ses yeux dans ceux d'Adam, et son regard lui dit qu'il vient de commettre une grave erreur. Elle a la satisfaction de voir le doute voiler ses iris fauves, ses pupilles se dilater brusquement, un pli léger se former sur son front. Lentement, elle tend le bras vers lui et pose la main sur sa poitrine en exerçant une petite poussée. Il se penche légèrement vers elle, prêt à dire quelque chose, mais elle accentue la pression jusqu'à ce qu'il soit obligé soit de résister, soit de reculer. Il a un instant d'hésitation, ne sachant encore trop comment interpréter le message. Puis il fait un brusque écart de côté, libérant le passage vers la porte. Pendant une fraction de seconde, ses traits harmonieux sont à nouveau gâtés par des nuages tumultueux – l'expression complexe et disgracieuse d'un adolescent éconduit. Nell prend son temps pour sortir et veille à ne pas se retourner ni fermer la porte derrière elle. Elle sent le regard d'Adam dans son dos pendant toute la traversée du champ.

Une fois franchi le mur de pierre, elle cesse de retenir son souffle et inspire profondément. L'air est vivant de nouveau ; au loin, une odeur âcre de pommes de pin fendues, de baies desséchées, de pourriture d'octobre et d'embruns.

L'arrière de la maison se rapproche : enduit écaillé laissant voir la brique, conduites noires qui s'exhibent depuis le toit jusqu'au sol, formant un réseau envahissant de cicatrices sombres. Nell se voit petite fille derrière ces murs, papillonnant de pièce en pièce dans l'obscurité silencieuse. Aucun son pour postuler son existence sinon le grincement occasionnel d'une marche qu'elle monte ou descend. Une faible lumière filtre à travers les vitres perlées de pluie. Elle se faufile dans des couloirs vides, dans des pièces vides, cherchant quelqu'un. Hantant sa propre maison. Peut-être y est-elle toujours. Peut-être n'a-t-elle jamais vraiment été nulle part ailleurs.

C'était un fusil sous les coussins. Elle en est certaine.

« Il aime peut-être la chasse, je ne sais pas. Puisqu'il n'a rien dit. Qu'il ne t'a pas menacée…

— Je ne lui fais pas confiance, Henri. C'était très, très subtil. Presque virtuose. Ça pourrait si facilement passer inaperçu. La manière dont il fait mine de t'inviter à poser des questions alors qu'en fait c'est toi qui es interrogé. Et ensuite, il a écarté mes cheveux de mon visage.

— Ah ah. La vraie marque du serial killer.

— Tu veux bien arrêter de te moquer de moi ? Henri, il y a quelqu'un avec toi ?

— Je t'expliquerai plus tard.

— M'expliquer quoi ?

— Nell, je ne peux pas rester longtemps. Écoute, réfléchis juste à ça : peut-être que c'est toi.

— Qu'est-ce que tu veux dire ?

— Je crois que tu le sais.

— Tu penses que je fais une fixation sur lui pour éviter de penser au reste. À nous.

— Ne rentrons pas là-dedans, pas maintenant… Donc il n'y a rien du tout dans ces papiers que tu lui as pris ? »

Nell feuillette la liasse une fois de plus.

« Des conneries. Exactement ce qu'on s'attend à trouver chez un type qui bouge beaucoup. Une carte. Quelques prospectus d'hôtels ou d'auberges. Une enveloppe vide, bon sang.

— Eh bien, je ne crois pas qu'Agatha Christie s'en retournera dans sa tombe.

— Où es-tu ? Qu'est-ce que c'est que tout ce bruit derrière toi ?

— Des voitures. Je suis à Paris. » Une pause. « Non, je n'ai pas emménagé, si c'est ce que tu penses.

— Ce n'est pas ce que je pensais. À vrai dire… »

Ce que j'espérais. Est-ce vraiment ça ?

« Nell, il faut que j'y aille.

— Henri…

— Je t'appellerai demain. Essaie de te détendre, d'accord ?

— Non, attends. »

Mais il a raccroché. La messagerie se déclenche à la seconde où Nell réessaie son numéro. Curieusement, ça lui fait l'effet d'un coup de poing dans les tripes. Elle ouvre la bouche pour dire quelque chose, consciente que, depuis plusieurs secondes, elle ne fait que souffler dans l'appareil. Du bout de sa chaussure, elle roule une des pierres de mémoire d'Agnes sur une latte du plancher. Elle se sent bête, une gamine, quelqu'un qui a oublié comment réagir en tant qu'adulte, les complexités et les ruses des relations entre adultes.

« Henri, c'est moi. Écoute, je voulais juste te dire… Ce que j'aimerais que tu saches… Bon Dieu, je déteste laisser des messages sur ces foutues machines. Tu me manques. O.K., je te parlerai demain, ou si tu as une seconde, tu peux essayer plus tard ce soir. O.K., c'est tout. Tu me manques. Désolée, ce message est complètement idiot. Je t'aime. Au revoir. »

Elle reste assise, parfaitement immobile, tandis que le soir envahit les murs de sa chambre. Un silence inhabituel règne dans la maison.

Dans son bain, Grace crie à tue-tête et fait gicler l'eau comme un dauphin à moitié échoué. Nell l'a de nouveau traitée au shampoing anti-poux avant d'éponger avec du désinfectant chaque centimètre carré de son corps mince et grêlé de piqûres. La salle de bains sent la pharmacie. Une ou deux vieilles contusions jaunies sont visibles près de la clavicule de l'enfant, comme si quelqu'un l'avait prise brutalement par le cou. Bien sûr, Nell n'obtient pas de réponse lorsqu'elle l'interroge, mais en son for intérieur, elle est certaine que les queues-de-cheval y sont pour quelque chose. Le dos de Grace a exactement la forme d'un violon ; il s'affine au niveau de la taille avec une précision sculpturale. De petits tourbillons de poils soyeux se forment le long de ses avant-bras et juste au-dessus de ses fesses. Ses cheveux bruns rincés tombent en cascade entre ses omoplates, lisses et brillants comme la fourrure d'une loutre. Elle adore l'eau – sans doute d'autant plus qu'elle y est si peu habituée, songe Nell, serviette dans les mains, en l'implorant pour la dixième fois de sortir.

« Non non non, chantonne Grace. Encore une minuuute !

— Grace, ça fait déjà une heure que tu es là-dedans. Regarde, l'eau est froide.

— Mais je vais pas y retourner avant un bout de temps, pas vrai ?

— Coquine. C'est du chantage. D'accord. Encore cinq minutes, le temps que je chasse quelques chats de ta chambre. Et je ne me laisserai pas faire cette fois.

— Nan ? Tu veux bien m'apporter ma Barbie Jewel Girl ? »

Nell déniche la poupée dans un coin de la chambre avec deux chatons lovés autour. Elle prend ceux-ci par le cou et les dépose en haut des marches. Immédiatement, ils se retournent vers la porte, mais elle les pousse du pied sans trop de délicatesse. Avec de stridents miaulements de protestation, ils descendent l'escalier. Nell laisse tomber la poupée dans l'eau du bain et retourne dans la chambre. Heureuse d'être à nouveau occupée, à nouveau en mouvement.

Elle trouve un autre chaton sous le lit et un matou à l'air féroce blotti dans un coffre à jouets. Elle les envoie balader tous les deux. L'odeur est suffocante. Elle ouvre la fenêtre en grand, puis ôte vivement le linge de lit, retourne le matelas, le recouvre de draps propres séchés sur le fourneau et enfile une nouvelle housse sur la couette. Elle est en train de rassembler le linge sale dans ses bras quand les premiers halètements lui parviennent de la salle de bains. *Han han han*. Grace ? Qui se noie ? Elle laisse tomber le linge et court.

Assise dans la baignoire, Grace tient sa Barbie jambes grandes écartées.

« *Han, han*, ahane-t-elle, le visage grimaçant.

— Qu'est-ce que tu fais ? » demande Nell.

Grace sourit jusqu'aux oreilles et se met à glousser.

« Elle fait un bébé, répond-elle, rayonnante, et elle pousse un long gémissement en tordant sa Barbie dans tous les sens.

— Je vois. Elle *accouche*. » Nell présente à nouveau la serviette ouverte à sa petite-fille et, cette fois, l'expression de son visage n'admet aucune discussion. « Allons, jeune demoiselle. On a rendez-vous avec un peigne fin, toutes les deux. »

Pendant l'heure qui suit, toute la maison résonne des braillements de Grace. Debout devant sa grand-mère dans la chambre de celle-ci, elle ne cesse de gigoter et de lui envoyer ses coudes osseux dans le ventre. C'est une lutte à mort, et Nell est déterminée à la remporter.

« Tu me fais mal ! hurle Grace.

— Tu préfères te faire manger vivante, c'est ça ?

— Au moins, y aurait quelque chose à manger. Toi, tu m'arraches la tête.

— Ne sois pas si…

— Quand est-ce que tu rentres chez toi, d'abord ? »

Nell s'immobilise, peigne en l'air.

« Tu veux que je m'en aille ?

— Nooon, fait Grace avec un soupçon de remords. C'est juste que d'habitude, tu t'en vas au bout de pas très longtemps.

— C'est vrai, concède Nell. D'habitude, je m'en vais au bout de pas très longtemps. Mais pas cette fois, Grace, si ça te convient. »

Grace fait celle qui s'en fiche, mais Nell voit bien qu'elle est secrètement ravie. Elle poursuit son épouillage en silence pendant quelques minutes, puis, avec un geste théâtral, elle ôte la serviette des épaules de sa petite-fille. Sans attendre d'autre signal, Grace détale, manquant trébucher au sortir de la chambre de torture.

L'odeur des tourtes d'Ali flotte jusqu'à Nell tandis qu'elle descend l'escalier. Elles sentent étonnamment bon, même si elles sont sans doute un peu brûlées. Elle frappe doucement à la porte de Nick.

« Je peux te monter quelque chose, Nick ? »

Il fait signe que non. Ses yeux sont rouges et ruissellent de toute part, mais ce ne sont pas des larmes, constate Nell avec soulagement. Une bougie vacillante projette des ombres géantes sur le mur du fond. Nick montre ses yeux en faisant la grimace.

« J'essaie de lire et me voilà incontinent. »

Nell sort des mouchoirs en papier d'une boîte et les lui tend. Il s'essuie les joues et se mouche bruyamment. Il doit se sentir bien seul, cloîtré dans cette chambre sinistre presque toute la journée. Sans compter la frustration de se voir si affaibli juste au moment où sa vie allait prendre une forme et une direction, avec le pub à gérer. Après les années d'errance, de déplacements sans rime ni raison, sa tête était prête à se ranger, mais son corps a tout fait capoter. À présent, il n'y a plus que ce marasme, avec des jours moins mauvais que d'autres, et ce qu'il peut espérer de mieux des heures qui passent, c'est que quelqu'un entrera pour lui tenir compagnie un moment. Rien ne le surprendra quand il commencera à vieillir : il sait déjà à quoi s'en tenir.

Sur la table de nuit, outre les innombrables flacons de pilules, il y a de petits paquets de papier d'aluminium, une tasse de thé intacte couverte d'une peau de lait figée et à côté, au fond d'un verre, un reste de ce liquide vert et visqueux que Nell a vu plusieurs fois dans la cuisine. Elle soulève le verre et l'examine à la lueur de la bougie. Des particules brunes tournoient dans l'épais mélange.

« Les herbes d'Adam. » Nick sourit, puis tire la langue pour montrer combien il les trouve infectes. Il frissonne. « Je ne peux jamais me résoudre à finir le verre.

— Donc ces herbes étaient pour toi ?

— Je crois qu'il se prend un peu pour un guérisseur, pour te dire la vérité. Mais peu importe – j'ai déjà essayé tout le reste.

— Et il prépare ça tous les jours ?

— Presque tous les jours. Ou Ali. Et, crois-moi, c'est aussi dégoûtant que ça en a l'air. »

Nell plonge son nez dans le verre et la puanteur la fait grimacer – une odeur de décomposition végétale et d'égout, certainement pas d'herbes. Elle prend une minuscule gorgée et la fait tournoyer dans sa bouche. Les milliers d'infimes nodules qui tapissent sa langue, si habitués à analyser, à décoder la syntaxe du goût, ne détectent presque rien de familier dans cette substance. De la mélisse, peut-être, et une pointe de menthe, mais elles ne font que masquer, bien plus que souligner, la tonalité d'ensemble, aigre et astringente.

« Je peux dire honnêtement, déclare-t-elle en scrutant de nouveau le contenu du verre et en fermant ses narines à tout nouvel assaut, que c'est la chose la plus répugnante que j'aie sentie ou goûtée de ma vie.

— Dans ce cas, ça ne peut que me faire du bien », dit Nick avec un sourire. Il lui reprend le verre et le vide. « Bah. » Autre grimace frémissante.

« Nick, commence Nell prudemment, je me demandais si tu avais remarqué quelque chose de bizarre chez Grace ces derniers temps. Elle n'a pas l'air très heureuse. »

Coup d'œil éclair, puis Nick se concentre sur un point au-dessus de la tête de Nell.

« Non, en effet, dit-il au bout d'un moment.

— Est-ce qu'on peut faire quelque chose ? » insiste Nell doucement.

Nick inspire profondément. Pendant une seconde, elle croit qu'il va se mettre à pleurer, mais il finit par expirer en secouant légèrement la tête. À l'évidence, il y a déjà réfléchi. Peut-être même qu'il ne pense qu'à ça, et que c'est par souci pour sa fille qu'il n'entre pas à l'hôpital pour se livrer à une investigation digne de ce nom.

« Peut-être que tu peux, toi, dit-il finalement. Moi, non. » Puis, avec une pointe de dégoût dans la voix : « Comment je pourrais faire quoi que ce soit ?

— Tu ne seras pas toujours malade. Essaie de ne pas raisonner comme ça.

— Malade ? Ça n'a rien à voir. J'aimerais bien que ce soit si simple.

— Que quoi soit si simple ?

— Rien. Rien, répète-t-il en haussant les épaules. Je me lamente juste sur moi-même.

— Nick… »

Il l'interrompt en levant une main.

« Je me contente de rester. C'est tout. C'est tout ce que je sais faire. »

Nell le regarde avec surprise. Il a toujours été un peu falot, agaçant, même, par son côté absent, à la fois à côté de ses pompes et suffisamment agile pour se faufiler entre les gens, parti avant même que vous ayez remarqué sa présence – mais il a été constant. Et la raison de sa constance est qu'il aime Ali, à sa manière – simplement et inconditionnellement. Nell n'avait jamais vraiment intégré cette donnée, peut-être parce que Nick n'est pas le genre d'homme à parler d'amour, ni à s'attendre à ce que l'amour vienne dans sa direction. En cas de besoin, elle imagine qu'il devait en parler avec une certaine ironie, en agnostique de l'amour, jusqu'au jour où le dénuement affectif d'Ali l'a pris à la gorge et forcé à passer de l'autre côté de la barrière qu'il avait jusqu'alors observée de si loin. Il a peut-être initié Ali à l'héroïne, mais elle l'a initié à cette drogue qu'était Ali. Que peut-il y avoir de plus puissant, pour un homme dépourvu d'estime de soi, qu'une femme qui en possède encore moins ? Nell repense à ce qu'il a dit sur les membres de sa famille, à l'humour mordant et cruel qu'ils employaient à la fois pour persécuter les autres et se protéger eux-mêmes. Nick n'a jamais donné de surnom à Ali, ni même de petit nom affectueux. Voilà, songe Nell, qui est certainement de bon augure.

« On va voir ce qu'on peut faire », dit-elle en tapotant la main moite de Nick.

Elle emploie le « on » à dessein – il se sent suffisamment inutile comme ça.

Elle se retourne avant de sortir : ses paupières s'affaissent déjà lourdement ; un soupir saccadé et le voilà rendormi. En bas, dans la cuisine, Ali rit avec une affectation de gamine. Elle lève les yeux vers sa mère en l'entendant descendre.

« Regarde, dit-elle, fébrile, en montrant les deux tourtes sur le fourneau. Bingo ! Il y avait un peu de brûlé sur les bords, mais je l'ai ôté. J'en ai mangé une tranche et c'était bon. Un brin acide, mais c'est comme ça que je l'aime. »

Assis à table, Grace et Adam sont en train de saucer leur bol avec des croûtes de pain. Les cheveux de Grace sont encore mouillés, mais son visage est laiteux et un rouge chaleureux colore ses pommettes. Un chaton est blotti sur ses genoux.

« Tu prendras du ragoût, Nell ? demande Ali en servant sa mère. Adam ? Un peu plus ?

— Non. J'en ai déjà eu plein, merci. »

Il n'a pas eu un regard pour Nell. Maintenant qu'il a terminé son repas, il est impatient de s'échapper, elle le voit bien. Ses épaules se contractent, ses genoux tressautent sous la table. Il veut se lever, sortir, s'en aller – comme elle le comprend ! Ça la surprend, de le comprendre si bien. Quand enfin il lève les yeux vers elle, elle est frappée par l'amertume non dissimulée qu'elle lit dans son regard. Exactement ce que sa mère avait coutume d'appeler une bonne grosse bouderie. Comme si, tout à l'heure, il lui avait offert quelque chose qu'il prisait, chérissait particulièrement, et qu'elle le lui avait renvoyé au visage. Lui-même, bien sûr : voilà ce qu'il offrait – elle en est certaine maintenant. Elle tire une chaise en prenant soin de conserver un sourire neutre et détaché. Une sonnerie retentit dans le pub ; Adam recule aussitôt son siège, mais Ali l'arrête d'une main.

« Je m'en occupe », dit-elle, et elle se précipite derrière le rideau.

Nell contemple son ragoût. De bœuf, semble-t-il, même si c'est difficile à deviner tant la viande a bouilli. Des rondelles de carottes en décomposition se noient sans espoir de retour dans la sauce presque noire.

« C'est délicieux », déclare Grace en tendant le bras vers la marmite pour y tremper un autre morceau de pain. Un filet de liquide granuleux dégouline sur son menton.

Adam joue avec les quelques gouttes qui restent au fond de son bol. Il dessine une grille à l'aide d'un croûton, puis mastique celui-ci avec une concentration presque comique. Le tressautement de ses jambes fait légèrement vibrer toutes les chaises, mais il ne semble pas s'en apercevoir. Nell avale une bouchée en tentant de la faire descendre sans la goûter. La tentative échoue misérablement. Elle réprime un haut-le-cœur.

Nouvelle bouchée. Cette fois, elle est obligée de mâcher. Bien que la viande soit décomposée par des heures de cuisson, elle est toujours nerveuse et résiste opiniâtrement, comme du chewing-gum. Nell en a mal à la mâchoire. Vraiment, elle mérite un prix d'héroïsme pour les repas qu'elle réussit à ingérer depuis qu'elle est ici. Elle inspire profondément et tente d'étaler un peu de ragoût sur du pain pour voir si ça améliore les choses. Une rondelle de carotte gélatineuse descend de travers ; elle s'étrangle et, les yeux pleins de larmes, tend la main vers son verre d'eau. Quand elle y voit de nouveau clair, elle s'aperçoit qu'Adam observe chacun de ses gestes avec intensité. Son corps tendu dégage une animosité sombre, brutale. Même quand elle le regarde franchement, il continue à la fixer d'un air hostile. C'est un miracle que Grace n'ait rien remarqué.

« Et maintenant, tourte aux pommes et aux mûres », lance celle-ci avec jubilation.

Ali revient du pub en s'essuyant les mains sur un torchon.

« Attends, Adam. » Elle pose une main sur son épaule. Transfère presque la moitié d'une tourte sur une assiette et la fait glisser vers lui. « Ne pars pas avant le dessert.

— Non. Pas pour moi. »

Il tente à nouveau de se lever, mais Ali lui appuie sur l'épaule. Son sourire crispé ressemble à une grimace.

« Bien sûr que si. Elle est faite maison ! »

Adam secoue la tête et repousse l'assiette vers le centre de la table. Ali se cramponne toujours à son épaule.

« Bien sûr que si », répète-t-elle mollement.

Nell sent ses propres jambes se mettre à remuer nerveusement. Elle voudrait crier à Ali de laisser tomber. On en a déjà assez parlé, de la tourte maison. Mais Ali est comme obsédée. Grace se met à chuchoter frénétiquement à l'oreille du chaton. Ali ramène l'assiette sous le nez d'Adam. Ses yeux renvoient des éclats de lumière. Elle coupe la part en deux.

« Tu arriveras bien à en manger la moitié ?

— Ali... » commence Nell.

Adam marmonne quelque chose. Son corps mince est bandé comme un arc. Tête tournée sur le côté, il fixe avec fureur les doigts d'Ali qui enserrent son épaule. Il bout de colère.

« Ça ne peut pas te faire de mal de goûter, insiste Ali d'une voix étranglée et faussement joviale. Allez, juste une bouchée. »

Soudain, le bras d'Adam part et balaie brutalement la main d'Ali. Sa chaise recule avec un gémissement strident. Il garde les paupières baissées, mais ses joues sont en feu et de rapides inspirations font frémir ses narines. Le contour de sa bouche est blanc, drainé de son sang.

« Tu me prends pour quoi ? Ton putain de chien ? »

Les chuchotements de Grace montent d'un ton. Ali recule un peu, une main sur la poitrine. Elle s'efforce de prendre l'air amusé, mais échoue lamentablement. Sa lèvre inférieure tremble de façon éloquente.

« Je suis désolée, Adam. C'est juste...

— Je n'aime pas les gâteaux. Je n'ai jamais aimé ça, dit-il en se radoucissant un peu.

— Eh bien, voilà qui est bon à savoir. »

Ali tente un faible sourire. Ses épaules palpitent comme deux frêles moineaux. Elle lance un regard à Nell pour voir si sa mère a pris la mesure de son humiliation. Nell se concentre sur son ragoût et fredonne à voix basse.

« Je vais aller... » Adam s'interrompt, fait un signe de tête vers le pub. « Ouais. »

Il tourne les talons et quitte la pièce.

Suit un moment de silence, troublé seulement par le constant marmonnement de Grace à l'oreille du chaton et le non moins constant fredonnement de Nell. Les traits d'Ali sont tirés ; elle se frotte le coin de l'œil avec un doigt. Enfin, elle emporte l'assiette délictueuse et la vide dans la poubelle. Elle reste debout devant l'évier, dos tourné à sa mère et sa fille, tête basse, appuyée sur ses bras tendus. Les articulations de ses doigts sont blanches.

« Je peux avoir mon dessert, Mama ? demande Grace.

— Bien sûr, chérie », fait Ali en se retournant, un grand sourire plaqué sur le visage. Elle suspend un couteau au-dessus de la tourte. « Une part comment ?

— Comme celle qu'Adam n'a pas voulue.

— En voilà une bonne fille. »

Ali apporte l'énorme part à Grace. Sur sa tempe, le ver bleuâtre palpite de façon visible. Elle appuie dessus avec ses doigts.

« Migraine ? bredouille Nell au milieu d'une bouchée de tendons qui refuse de descendre.

— Quoi ? Oh, ouais. Pas bien méchante. Je survivrai. »

Nell saisit le poignet de sa fille.

« Va t'allonger. Attends que ça passe. »

Ali la regarde. Elle a les larmes aux yeux. Elle hoche la tête brièvement.

« Peut-être une petite heure. J'ai eu une journée chargée. »

Tandis qu'elle monte l'escalier d'un pas lourd, si différent de son sauve-qui-peut habituel, Grace dévore sa tourte à belles dents. Dès qu'elle entend la porte se refermer à l'étage, elle repousse son assiette. Rapide coup d'œil à Nell pour lui intimer l'ordre de ne rien dire sur rien dans l'immédiat. Celle-ci renonce à avaler la boulette gluante qu'elle a dans la bouche et l'en extrait avec un soupir de soulagement.

Attends que ça passe.

Mais est-ce que ça passera ? Nell était si occupée à observer Adam qu'elle en a oublié de garder l'œil sur sa fille. Comment a-t-elle pu ne pas voir dès le départ ? Ce que Grace comprend instinctivement. Nick aussi, peut-être. Ali a enfin trouvé son port, mais elle a perdu son cœur.

Grace est partie nourrir Terence près de la caravane. Avant ça, elle a disposé des récipients métalliques remplis de restes de ragoût pour au moins une douzaine de chats à l'extérieur, et une demi-douzaine dans la cuisine. Elle a versé du lait dans des bols pour les chatons, avec, au centre, un peu de la pâtée qu'elles ont achetée au magasin ; les monticules émergeaient comme des mini-volcans environnés de champs de neige. Elle a appelé ses protégés en utilisant ses petits cris de chat habituels et ils sont descendus aussitôt, dégringolant presque l'escalier les uns sur les autres. Tout en faisant la vaisselle, Nell a observé du coin de l'œil la manière dont elle s'agenouillait pour leur murmurer quelques mots à tour de rôle tandis qu'ils dévoraient leur dîner. Les petits ont également eu droit à une caresse chacun. Grace a divisé son attention équitablement, presque méthodiquement entre eux tous. Une fois les écuelles vides, elle est allée les rincer au robinet extérieur. Les a rangées dans l'arrière-cuisine pour demain. A fait claquer ses doigts en fronçant légèrement les sourcils : Et maintenant ? Ah oui, Terence. Et elle est partie. Tous ces efforts pour que les chats, les chatons, le poney puissent vivre un autre jour. Sans condition, sans dette, sans reconnaissance escomptée. Nell a regardé la silhouette fantomatique traverser le premier champ, puis disparaître derrière le mur de pierre.

Quand Grace le franchit en sens inverse, le ciel a viré à l'indigo sale. Vingt minutes au moins. Sans doute fallait-il aussi à Terence son lot de caresses et de murmures. Si seulement les gens pouvaient se contenter de ça, se dit Nell. Si seulement un geste tendre et un murmure apaisant pouvaient soulager la douleur de vivre ordinaire. Et pourtant, il y a des moments où l'on n'a rien d'autre. Quand quelqu'un meurt, par exemple, qu'y a-t-il d'autre à faire face au chagrin que caresser et murmurer – tout notre savoir, toutes nos certitudes réduits à des gestes primaires et instinctifs ? Des grognements de compassion quand les mots sont trop affectés, trop tout.

Désolé de ce qui s'est passé, désolé pour vous, ont marmonné quelques voisins. Désolé. Du fond du cœur. Ils faisaient la queue pour serrer la main d'Agnes avant de déferler dans la cuisine. Elle était debout à la porte et hochait la tête mécaniquement. Pendant ce temps, Nell aidait Paudie et Julia à remplir d'innombrables théières, à apporter du pub des whiskeys pour les hommes, des xérès et des limonades rouges pour les femmes. Bridget n'était même pas sortie du lac ; il s'est encore écoulé deux jours avant que les plongeurs parviennent à repêcher son cadavre. Et pourtant tout le monde, Nell comprise, semblait chercher des yeux un petit corps exposé sur la table de la cuisine ou allongé sur une civière dans un coin. Un objet à tout ce chagrin. S'il y avait eu une mort, il devait bien y avoir un corps ? À défaut, Nell, en servant tasse après tasse, nourrissait toujours le mince et risible espoir que d'un instant à l'autre, Bridget allait passer la porte, visage illuminé par le halo d'or de ses cheveux, et regarder avec curiosité cette foule assemblée : Quel est ce jeu ? Je ne connais pas ce jeu. Bon, eh bien, quelles sont les règles ? Et elle devinait, à l'étrange manière qu'avait sa mère d'incliner sans cesse la tête vers la porte, qu'Agnes nourrissait le même espoir futile. Tant qu'elles n'avaient pas vu Bridget morte, elles pouvaient encore la voir vivante.

Elle sursaute quand Grace entre en trombe dans la cuisine.

« Fini !

— Eh bien, c'est l'heure des devoirs, j'imagine. Tu veux apporter un thé à Mama d'abord ? »

Nell rince et sèche une tasse, manquant renverser d'un coup de coude le pichet qui contient le remède vert d'Adam. Elle le met au frigo, ne sachant trop si le mélange est censé se conserver. Grace prend la tasse de thé et monte l'escalier lentement, avec précaution, en la tenant à deux mains.

Quand enfin on a ramené Bridget, seule Agnes a été autorisée à la voir. Le corps en décomposition arraché à son repaire lacustre était considéré comme un spectacle trop choquant pour une petite fille. Nell n'a vu qu'un bout de doigt noirci dépassant du linceul. Agnes a surpris son regard et s'est empressée d'arranger les plis de l'étoffe. Ensuite, elle a passé toute la nuit dans la cuisine, de sorte que Nell n'a eu aucune chance d'aller voir. Au matin, le corbillard est arrivé pour emmener Bridget à l'église. Il n'y aurait pas de morgue.

Au cimetière, il y a eu d'autres poignées de main, d'autres Désolé pour vous, des hommes avec la casquette sur la poitrine, des femmes serrant convulsivement l'avant-bras d'Agnes ; ç'aurait si facilement pu être un de leurs propres enfants. Il pleuvait à torrents sur les têtes massées au bord de la fosse. Nell a regardé les premières pelletées de terre graveleuse se transformer en argile suintante qui s'écoulait en traînées grises à la surface du cercueil. Le prêtre a fait un signe de croix au-dessus de la gueule ouverte de la tombe. Paudie et Julia se sont agenouillés pour y placer des médailles pieuses et des scapulaires. La maîtresse de Bridget y a laissé tomber une cravate aux couleurs de l'école. Avril O'Mahoney, sa meilleure corde à sauter enroulée sur elle-même. Nell a été prise de panique. Qu'allait-elle jeter là-dedans ? Pourquoi ne lui avait-on rien dit ?

Agnes a fourragé dans les poches profondes de son manteau et en a sorti plusieurs pierres. De gros galets bien lisses, ornés de son écriture si caractéristique. Ses doigts les ont lâchés l'un après l'autre dans la tombe, où ils ont heurté le bois avec un bruit sourd.

Nell luttait avec le premier bouton de son manteau. Enfin, il a cédé et elle a passé la main à l'intérieur pour saisir le bout de l'écharpe rouge de Bridget, dans laquelle Julia l'avait étroitement emmitouflée ce matin-là. Elle a commencé à la dérouler en se débattant tandis que la boucle intérieure se resserrait autour de son cou. Déjà, les hommes reprenaient leur pelle. Nell se trémoussait, tenant ce qu'elle avait réussi à dérouler d'écharpe haut dans les airs. Julia et Paudie ont interrompu leurs prières pour la regarder. Juste au moment où l'écheveau libérait enfin son cou, Agnes s'est retournée. Ses yeux se sont enflammés, mais elle n'a rien dit. Elle a pris l'écharpe à Nell et l'a maintenue contre sa poitrine avec son menton tandis que ses mains la repliaient doucement. Elle a passé l'étroit rectangle ainsi obtenu dans l'intervalle entre deux de ses boutons et l'a gardé posé sur ses seins, à l'intérieur de son manteau, ce qui lui donnait l'air d'un poulet trop nourri. Les mains vides de Nell sont retombées mollement.

Et maintenant, Mammy, cette écharpe sera toujours entre nous.

Nell attend le retour de Grace. Ne la voyant pas revenir, elle monte une deuxième tasse de thé – pour Nick.

Ils sont allongés tous les trois à la lueur de la bougie, Nick à moitié endormi, Grace blottie entre ses parents, bras autour du cou de son père. Nell surprend les doigts de l'enfant qui caressent tendrement, légèrement son visage, suivant la courbe du front et l'arête du nez, puis effleurant la lèvre inférieure ; une investigation délicate, par petites touches, comme si elle traitait son père avec la même douceur inarticulée que ses chats. Nick sourit dans son demi-sommeil et Grace resserre son étreinte protectrice.

Ali, pâle et la mine défaite, est allongée tout habillée sur le couvre-lit. Sa bible à la main, elle lutte pour déchiffrer les minuscules caractères dans la pénombre et ne remarque pas la présence de sa mère à la porte. Elle scande quelque chose qui ressemble à un psaume. Au milieu d'un vers, elle s'interrompt et pousse doucement le dos de Grace du coude pour qu'elle achève le passage. C'est un étrange tableau, une scène anormale de la vie d'une famille anormale. Et pourtant, il y a quelque chose de vulnérable et, oui, de pathétique chez ces trois-là, dans leur saisissante réunion, qui fait déglutir Nell douloureusement. La voilà. Sa famille. Dans des circonstances qu'elle n'aurait jamais pu prédire, et pourtant la voilà. L'œuvre de sa vie, pas si bonne, pas si mauvaise. Ils se débrouillent, à leur manière. Si elle pouvait fermer la porte et les préserver à jamais dans ce moment de calme, elle le ferait volontiers.

Elle décide de les laisser en paix et retourne dans la cuisine avec la tasse pleine. Elle s'assied devant la table et commence à boire le thé elle-même. Cette histoire de religion pourrait-elle être la source des problèmes de Grace à l'école ? Avant qu'Ali n'arrive en Irlande et n'embrasse soudain la chose sacrée avec le zèle de Saül sur la route de Damas, Grace n'avait aucune instruction religieuse. Ali et Nick étaient pour ainsi dire des athées militants. Ou peut-être que c'est l'accent de Grace, pas encore suffisamment local, naviguant quelque part au milieu de la mer d'Irlande. Nell décide de rendre visite à sa maîtresse afin d'avoir une fois pour toutes le fin mot de l'affaire.

Un vent léger fait vibrer la fenêtre de la cuisine. Après une journée grise et torpide, la nuit a surgi rapidement. Le ciel – les quatre petits carrés qu'elle en voit – est strié d'obscurité charbonneuse. Quelques grosses gouttes espacées viennent s'écraser sur la vitre. Puis le silence.

Nell attend les torrents, les trombes d'eau. Elle attend ce qu'on appelait le *temps*. Il ne peut plus être loin.

9

C'est tante Hannah qui a vu la première que Nell était enceinte. Elle était venue leur rendre visite de Galway, comme elle le faisait deux fois par an, et elle l'a surprise un matin en train de rendre tripes et boyaux dans la salle de bains. En réalité, elle l'observait, tête penchée sur le côté, depuis plusieurs jours. Ses seins gonflés ne lui avaient pas échappé.

« Ça fait combien de temps, ma fille ? » lui a-t-elle demandé ce matin-là.

Nell savait qu'il était inutile de nier.

« Environ quatre mois.

— Je vois, a fait Hannah en lui massant le dos pour apaiser les haut-le-cœur. Je suis étonnée que tu te sois laissés attraper, je mentirais si je te disais le contraire. Tu connais les choses de la vie, pourtant ?

— On était saouls. »

Et tandis que Hannah lui maintenait la tête pour l'empêcher de tomber dans le lavabo, Nell lui a, brièvement et sans trop de détails, raconté la fameuse nuit. Elle a notamment omis la bouteille à l'effigie de Notre-Dame de Lourdes. On pouvait difficilement parler de véritable expérience sexuelle ; elle n'avait vraiment pas eu de chance.

« Pas de chance ? a répété Hannah. On croirait que tu as tout fait pour tomber enceinte, ma fille.

— S'il te plaît, ne dis rien à Mammy.

— Elle mettra pas bien longtemps à s'en apercevoir. Et puis, tu peux pas lui flanquer un bébé sur les bras comme ça. Il va y avoir des décisions à prendre, donc on va aller lui parler. Quand tu auras fini de vomir. »

C'était bien le pragmatisme de tante Hannah. Nell n'a pu réprimer un sourire.

« Elle va me dévorer toute crue.

— Elle sera en colère, pas de doute. Mais, ma foi, t'es pas la première et tu seras pas la dernière. Enfin qu'est-ce qui t'a pris ? Toi qui as toujours été une fille si sensée. Je savais même pas que tu voyais quelqu'un.

— Non. Je veux dire, on ne se voit plus.

— C'est pas un homme marié, au moins ? a demandé tante Hannah en fronçant les sourcils.

— Non », a répondu Nell en crachant un dernier filet de bave dans le lavabo. Hannah lui a tamponné la bouche avec une serviette. « C'est juste un gars – il n'y a eu que cette fois-là, comme je disais. Pas la peine qu'il le sache.

— Ma foi, il le saura bien quand il te verra pousser un landau, hein ? T'as mieux à faire que de l'épouser, en tout cas. Bon. Viens maintenant. Qu'on en finisse avec cette histoire. » Hannah a pris la main de Nell, puis s'est arrêtée net. « Et pour l'amour du ciel, ma fille, va pas lui raconter que ça s'est passé au cimetière. »

Agnes était au pub en train de préparer la journée. La porte était encore fermée. Tante Hannah a poussé Nell légèrement devant elle. En voyant leur mine sérieuse, Agnes a aussitôt cessé d'essuyer les verres. Hannah a fait un signe de tête à Nell – Vas-y, crache le morceau. Mais la jeune fille est restée là, tête baissée, à se balancer d'un pied sur l'autre.

« Nell ? » a fait Agnes, rompant le silence.

« Oh, Nell », a-t-elle repris après un long moment d'une voix tremblante de déception.

De déception – pas de colère ni de reproche. Nell aurait préféré des cris, des récriminations, tout plutôt que cette déception silencieuse et résignée. Quand enfin elle a levé les yeux et rencontré ceux de sa mère, elle y a vu un regard qu'elle n'y avait vu qu'une seule fois, et son menton est lourdement retombé sur son cou. À cet instant, elle a su avec une absolue certitude – pas de façon puérile ou théâtrale, bien que tout fût réuni pour un drame familial, mais avec une viscérale clarté – qu'elle ne survivrait pas à ce regard une troisième fois. Elle avait pris la bonne décision.

« Je suis désolée, Mammy, mais j'ai déjà…

— Chut. Laisse-moi réfléchir maintenant. »

Pendant les deux heures qui ont suivi, Agnes et tante Hannah ont calmement passé en revue toute une série d'options. Agnes a laissé le pub fermé et ignoré les coups occasionnels frappés à la porte ou aux carreaux. Elle et sa sœur ont vidé trois théières et rempli trois cendriers de cigarettes à moitié fumées. Nell pouvait aller accoucher à Cork ; ensuite, il faudrait prendre quelqu'un pour aider quand elle retournerait à l'école. Même chose pour l'université, bien sûr. Agnes ne pouvait pas tout faire en plus du pub. Hannah se proposait de venir donner un coup de main les premières semaines. Ce serait le moment le plus difficile à passer, jusqu'à ce qu'elles aient pris leurs habitudes. Ou bien Nell pouvait interrompre ses études un an – c'était une idée. Ou, mieux peut-être, elle pouvait aller à Oxford chez Albie et Mary Kate. Celle-ci serait sûrement enchantée d'avoir un bébé à garder. Elle pourrait faire le trajet en avion avec Nell une fois les choses bien en place. Hannah était favorable à cette solution – bien sûr, elle était prête à venir si sa sœur le jugeait préférable. À aucun moment l'adoption n'a été évoquée. À aucun moment, durant cette discussion initiale, Agnes n'a demandé à savoir qui était le père. Ça avait aussi peu d'importance pour elle que pour Nell.

Celle-ci les a écoutées tout du long. C'était de son avenir qu'on décidait, là, à la table de la cuisine. Déjà, le bébé était propriété commune. Il n'y aurait pas d'université. Il y aurait un pub à gérer et un nouveau-né, dans cet ordre. Une fille – il ne lui est jamais venu à l'esprit qu'elle pouvait être enceinte d'un garçon. Plus tard, il y aurait une mamie gâteuse apprenant à sa petite-fille à jouer du piano. Et au bout du compte, trois générations de femmes servant des pintes de bière. Trois séries de pierres de mémoire jalonnant trois routes conduisant vers nulle part.

« C'est déjà fait, a-t-elle dit aux deux femmes.

— Qu'est-ce qui est déjà fait ?

— J'ai déjà parlé à oncle Albie au téléphone. Il est d'accord pour que j'aille là-bas. »

Les deux sœurs ont croisé les bras et l'ont dévisagée.

« Tu allais partir sans même m'en parler, a fait Agnes d'une voix blanche. J'allais tout apprendre par téléphone, j'imagine. Charmant. Vraiment charmant, Nell. »

Ce que Nell n'a pas précisé à ce stade, c'est qu'elle n'avait aucune intention de revenir.

Dans le pub, derrière le rideau protecteur, le bruit de voix s'est intensifié. Il y a du monde – une musique qu'elle avait depuis longtemps oubliée : de longs rires rocailleux, le heurt d'une bouteille contre un verre, des allumettes grattées maintes fois avant de s'enflammer, le pchitt pchitt des bouteilles que l'on ouvre, le tintement de la vieille caisse enregistreuse, le cliquetis des pièces qui tombent et la sonnerie bien nette du tiroir qui se referme. Le brouhaha enfle et se répand dans la cuisine. Pour cette raison, elle faisait toujours ses devoirs dans le boudoir. Il était parfois difficile de ne pas voir le pub comme une extension de sa propre famille, de sa propre maison. C'était comme une invasion continue. Même le jour de Noël, Agnes servait des boissons gratuites à ses bons clients pour les remercier de leur fidélité avant de revenir s'occuper de la dinde et du jambon. Le plus souvent, elle proposait à un pauvre bougre solitaire de se joindre à elles, s'il n'avait pas mieux à faire ailleurs, et ses filles avaient tout intérêt à bien l'accueillir. Ce n'était pas juste pour les affaires : c'était une simple question de savoir-vivre et de bon voisinage. Il arrivait à Nell de penser qu'il y avait bien trop de voisins dans ce monde – et qu'ils mangeaient tous dans sa cuisine.

Vers l'âge de quatorze ans, elle a commencé à remarquer un changement d'atmosphère quand elle passait derrière le bar pour relayer sa mère. La pauvre Nell, le petit oiseau terne, grandissait. Elle regardait les hommes et prenait leur commande avec la même réserve courtoise, mais ses yeux bleu marine étaient frangés d'épaisses couches de mascara noir et son sourire étudié, souvent ennuyé, se formait sur des lèvres brillantes de vaseline. Elle refusait toujours de se laisser entraîner dans les conversations oiseuses et décousues auxquelles s'adonnait si facilement sa mère, mais commençait à exprimer ses opinions par une œillade de côté ou un geste pour ramener une mèche derrière son oreille. Une goutte d'eau dans l'océan de la coquetterie universelle, mais dans ce pub-là, à cette époque-là, c'était spectaculaire.

Elle voyait certains des jeunes clients la reluquer. En se demandant si elle l'avait déjà fait, si elle accepterait de le faire avec eux. Les visages alignés au bar tous les soirs représentaient le monde qui venait vers elle et vers sa mère. Les occasions étaient rares où c'étaient elles qui allaient vers le monde. Le pub régentait leur vie ; le tic-tac de sa pendule se confondait avec les battements de leur cœur. Même le sommeil était réglé par la cloche annonçant la dernière commande. L'air qu'elles respiraient empestait la bière éventée, les Afton Major, le foin mouillé en temps de fenaison. Les aigres pets de bière brune dont l'odeur mettait des heures à se dissiper. Quand l'un d'entre eux retentissait au comptoir, Agnes disait : Mr Guinness qui fait son boulot. Cet air les suivait au lit, se glissait sous les draps, passait la nuit avec elles. Il s'accrochait à leurs vêtements, se faufilait entre les fibres, résistait même aux lavages à haute température. Le matin, un voile de fumée granuleuse planait au-dessus de la table de la cuisine. Il ne semblait pas importuner Agnes, mais, arrivée à l'âge de quatorze ou quinze ans, Nell se sentait proche de l'étouffement.

Son seul répit, c'étaient les promenades qu'elle faisait seule ou en compagnie de sa mère.

« Il y a eu un match de *hurling*. » La voix d'Adam, toute proche, la tétanise. Il est penché sur son oreille. Nell a l'impression qu'il a fait exprès de la surprendre. « Je vais devoir aller chercher Ali. Trop de monde. »

Il s'éloigne ; elle sent encore son haleine humide sur sa peau.

« Non, ne la dérangez pas. Je vais venir. »

Adam se retourne et, sans prendre la peine de masquer sa surprise : « Il y a trop de monde. Je n'aurai pas le temps de vous apprendre les ficelles.

— Cette maison était ma maison. Je travaillais dans ce pub tous les jours que le bon Dieu fait. Je crois que je connais les ficelles. »

Adam hésite, une main sur la rampe. Nell se lève. Une sonnerie impatiente retentit derrière le rideau. Adam pose un pied sur la première marche, prêt à braver l'interdiction de Nell en montant à l'étage.

« Laissez-la tranquille », dit-elle fermement. Sa maison. Sa fille. Elle se dirige vers le pub, se retourne avant d'entrer. « Adam ? »

Le pied d'Adam reste une seconde suspendu dans les airs. Il lève les yeux, regarde Nell par-dessus son épaule. Ses deux pieds sont de retour sur le sol de la cuisine. Pour cette fois, il a décidé de ne pas défier l'autorité qu'elle s'était attribuée. Mais, à en juger par son air furieux, il ne va pas tarder à la mettre réellement à l'épreuve.

C'est comme si le reste de sa vie n'avait jamais existé. Les derniers pas séparant la cuisine du pub, le franchissement du rideau, les visages curieux, les verres penchés dans sa direction, les volutes spectrales de fumée qui enveloppent ses cheveux, les cendriers débordants qui réclament son attention – tous là depuis toujours à l'attendre.

Avant leur départ pour l'aéroport, Agnes a tenté une dernière fois, laconiquement, de lui faire changer d'avis. Comme si elle savait que sa fille s'en allait pour de bon. Elles continuaient à parler de son départ comme de quelque chose de provisoire, mais Nell avait fourré absolument tout ce qu'elle possédait dans la malle posée sur le siège arrière de la Morris Minor.

« Je suis pas si sûre que c'est une bonne idée, a déclaré Agnes en boutonnant le haut de son manteau.

— On en a déjà parlé, Mammy. Ce sera plus simple pour toi si je ne suis pas là avec un ventre qui gonfle tous les jours.

— Ça, ça regarde que moi. »

Nell a tapoté le sol du pied.

« Bon, on y va ?

— Veille à bien t'emmitoufler. Albie dit qu'ils ont souvent de la neige », a poursuivi Agnes en mettant son chapeau.

Elles étaient à peine arrivées en bas du chemin qu'Agnes a freiné brutalement en apercevant Paudie qui s'en allait vers le village. Avec elle, le moindre trajet en voiture était une série d'arrêts et de redémarrages, de détours dans des directions opposées pour déposer tel ou tel devant sa porte. C'était un miracle qu'elles arrivent jamais où que ce soit. Et de fait, quand il pleuvait – ce qui était presque toujours le cas –, elles n'arrivaient nulle part. La voiture se transformait en taxi local. Les seules personnes pour lesquelles elles ne s'arrêtaient pas étaient les vrais auto-stoppeurs, les jeunes en jean avec de longs cheveux mal peignés. Ce culot, lançait Agnes à leurs pouces qui dépassaient sur le bord de la route. Quel culot !

« Pas aujourd'hui, a dit Nell en désignant la haute silhouette de Paudie devant elles, puis la malle posée à l'arrière.

— T'as raison », a fait Agnes, et elle a écrasé l'accélérateur si fort qu'elles ont failli le renverser.

Elles sont restées silencieuses pendant le reste du trajet. De temps à autre, Agnes faisait claquer sa langue pour souligner l'imprudence d'un autre conducteur. Elle-même a maintenu un digne soixante-cinq à l'heure tout du long. Il y avait tant à dire qu'elles étaient incapables de prononcer une parole.

Arrivées devant la porte d'embarquement, elles se sont arrêtées, hésitantes, et ont regardé les autres se faire leurs adieux. Agnes a fourré un *Woman* et un *Woman's Own* dans la main de Nell.

« Tu seras contente de les avoir. Là-haut. »

Le dernier appel pour le vol de Nell a retenti.

« C'est moi.

— C'est toi. »

Elles se sont étreintes brièvement. Nell a inspiré profondément dans le cou de sa mère. Agnes s'est raidie, a fait un pas involontaire en arrière. Puis elle s'est détournée avec un sanglot étouffé.

« Nell. Si j'ai pas... Si tu as pu croire...

— Ne le dis pas, a fait Nell avec un mouvement de recul. S'il te plaît, Mammy. Pas maintenant. S'il te plaît. »

Agnes a fait un nouveau pas en arrière en se tapotant la poitrine. Deux taches livides s'épanouissaient sur ses pommettes. Ses yeux ont balayé le sol, leur mouvement visible sous le profond capuchon des paupières.

« On peut faire comme si c'était dit ?
— On peut faire comme si c'était dit. »
Nell a rapidement embrassé la joue de sa mère, puis a plaqué une main sur sa bouche et détalé comme un lapin. Elle ne s'est retournée que sur la dernière marche de la passerelle donnant accès à l'avion. Dans la marée humaine qui se pressait contre la vitre, elle a cru distinguer un chapeau à plume. Mais elle ne pouvait pas en être sûre.

Ça revient comme le vélo, songe-t-elle en coupant la mousse d'une pinte de Guinness avec la spatule, puis en replaçant le verre sous le robinet pour achever de le remplir. Elle laisse la bière reposer pendant qu'elle s'occupe du restant de la commande. Un whiskey, un demi de lager, de la monnaie pour le distributeur de cigarettes. Les prix sont pour la plupart indiqués à côté des boissons. Nell fait le total de tête, prend le billet qu'on lui offre, rend la monnaie, tend la bière noire et blanche parfaitement proportionnée à son destinataire. Elle a atteint sa vitesse de croisière à présent ; elle a à peine besoin de demander à Adam où se trouvent les choses ou combien elles coûtent.

Son cœur a d'abord chaviré face à cette mer de visages ; ses mains tremblaient en tenant le premier verre. Mais avant d'avoir pu réfléchir, elle s'est retrouvée en train de servir et ça lui a paru tout naturel. Certains clients parmi les plus âgés l'ont reconnue aussitôt. Elle ne pouvait en dire autant de son côté, mais, si elle était incapable de citer leurs noms ou d'identifier leurs visages individuellement, elle avait une vague intuition de la famille à laquelle chacun pouvait appartenir. Des générations entières tracées par l'arc d'un sourcil ou le dessin des rides sur un front.

Au départ, elle a été accueillie avec une curiosité retenue et une sincère cordialité. Deux jeunes filles ont pris la peine de s'enquérir d'Ali. Elles semblaient déçues de ne pas la voir, comme si elle faisait désormais partie de la texture de leurs journées. Le vieux type assis sur le tabouret du milieu lui a donné des nouvelles d'un bateau qu'il réparait et demandé de les transmettre à sa fille – ça l'intéresserait sûrement puisqu'elle s'était tenue informée de ses progrès. Quelqu'un d'autre a voulu avoir des nouvelles de Grace et de sa ménagerie. Nell a répondu à chacun en rosissant de plaisir. Avant d'avoir pris conscience de ce qui lui arrivait, elle s'est retrouvée entraînée dans des conversations à bâtons rompus entamées par Ali les soirs précédents. Des conversations qui n'auraient ni fin ni conclusion réelles, mais iraient simplement leur petit bonhomme de chemin avant d'être reprises par la personne qui servirait au bar le lendemain. Le monde qui venait vers elle.

Adam travaillait à un bout du comptoir tandis qu'elle occupait l'autre, du côté du rideau. Elle a noté, non sans amusement, qu'il n'avait pas grand-chose à offrir en matière de bavardage anodin. On ne lui en réclamait d'ailleurs pas. Mais on lui faisait plutôt bon accueil. Il paraissait calme sous la pression, comme si son agitation interne était apaisée par le constant mouvement de ses membres. À sa manière, discrète et mesurée, il paraissait plutôt à l'aise. Peut-être même un peu trop chez lui.

En entrant, Paudie a écarquillé les yeux, puis plissé les paupières, comme s'il tentait d'intégrer la présence de Nell derrière le bar. Il a ouvert la bouche pour commenter l'événement, mais s'est finalement contenté de sourire et de commander la première pinte de son quota du soir. Consciente qu'il observait chacun de ses gestes, Nell a tiré sa bière avec encore plus de soin que les autres. Quand elle l'a posée sur le comptoir, il a hoché la tête d'un air approbateur. Pas une goutte débordant sur le côté, comme il l'a toujours aimée. Pas une bulle sur le col jaunâtre, juste un champignon lisse bombant par-dessus le bord. Dessous, un noir dense et opaque sur toute la hauteur du verre ; Nell ne servirait jamais une bière avant qu'elle ait complètement reposé. Paudie a attendu qu'elle soit exactement à son goût tout en remuant la bouche – un petit rituel de préparation que Nell a aussitôt reconnu. Il a avalé la première gorgée, essuyé sa lèvre supérieure avec le dos de sa main, hoché la tête une nouvelle fois. Parfaite.

Il n'avait pas salué Adam en entrant et est resté légèrement tourné dans la direction opposée. Bien qu'il n'ait rien dit, Nell s'est raidie sous son regard scrutateur chaque fois qu'elle devait poser une question à Adam – et, chaque fois qu'elle le frôlait dans l'espace exigu dont ils disposaient derrière le bar, elle a vu Paudie baisser les yeux imperceptiblement.

Elle-même trouvait cette proximité franchement perturbante. De temps à autre, quand il était pressé de passer, Adam devait poser les mains sur ses hanches pour la pousser légèrement et elle manquait faire un bond. Elle sentait son souffle sur sa nuque et s'attendait presque à recevoir un baiser. Et, oui, il y avait quelque chose d'illicite et d'enivrant dans ces rapprochements involontaires. Pas difficile de comprendre comment Ali pouvait en être affectée, soir après soir, quand il pleuvait des cordes dehors et qu'ici, il y avait cette étroite proximité, ces hanches minces qui glissaient en silence derrière elle, ce chuchotement de doigts sur sa taille pour l'entraîner un peu sur la gauche. Bien sûr, elle devait le vivre comme une danse nuptiale secrète et connue d'eux seuls. En dehors de sa présence physique presque éhontée, Nell commençait à comprendre l'attrait d'Adam, ce puissant magnétisme qu'il exerçait : il était la chose qu'on ne peut avoir ; entièrement seul et tourné vers lui-même, il ne se laissait jamais posséder. Exactement le genre d'homme qu'une femme cherche pour se briser le cœur.

Sur le côté, tout au fond de la salle, près du distributeur de cigarettes et de la porte des toilettes, Bola, le Nigérian, est assis seul à une table devant sa première pinte de Guinness, bien qu'il soit là depuis plus d'une heure. Sur la paroi de son verre, des cercles de mousse concentriques divisent le temps en intervalles successifs de vingt minutes. Il y a deux chaises vides à sa table. Il ne semble connaître personne. Dans cette congrégation de visages blancs ou légèrement tannés, avec sa tête penchée comme pour prier, il fait penser à la statuette de saint Martin de Porrès qu'Agnes conservait autrefois dans la cuisine.

Il est entré à un moment où le rythme des commandes avait un peu diminué. Nell a tiré sa bière et tenté un brin de causette. Juste un petit défi qu'elle se lançait à elle-même, en réalité, pour tester ses nouvelles compétences de conversation de comptoir. Elle l'avait vu courir sur la plage plusieurs fois. D'où venait-il ? De Lagos, a-t-il répondu. Et comment trouvait-il l'endroit, après Lagos, après Dublin ? a-t-elle demandé en reprenant son verre pour achever de le remplir. Paisible, a-t-il répondu avec une pointe d'ironie. Puis, habilement, il a orienté la conversation sur elle. Elle a expliqué qu'elle était la mère d'Ali et que c'était son premier séjour au pays depuis plus de trente ans. Elle a cru sentir chez lui un soupçon de tristesse lorsqu'il s'est demandé tout haut s'il resterait absent aussi longtemps. Du Nigeria, bien sûr.

Il a bu une première gorgée et Nell est allée s'occuper d'une commande, pensant le trouver parti à son retour. Paudie avait raison, il n'avait pas l'air très causant; pourtant, quelque chose lui disait qu'il avait envie de communiquer. De près, il s'avérait bien plus jeune qu'elle ne l'avait imaginé. Une peau luisante du brun le plus profond tendue sur des pommettes arrondies. Des cheveux coupés ras. Des yeux coiffés de lourdes paupières et s'effilant vers un coin légèrement incliné. Ils avaient un air hagard qui lui donnait l'air plus vieux jusqu'au moment où il prenait la parole. Des lèvres roses, pleines et charnues aux arêtes bien nettes. Il était plus grand que tous les autres hommes présents au bar. Et baissait légèrement la tête, comme s'il était conscient du fait.

Il est resté sur place quelque temps, posant à Nell des questions en apparence anodines quand elle repassait près de lui. Sur son retour, sur les changements, sur sa fille – jusqu'au moment où elle a compris qu'il cherchait à se rassurer sur sa propre fille. Il ne l'avait pas vue depuis très longtemps. Pour sa sécurité, on l'avait envoyée vivre chez la sœur de Bola et, à présent, elle ne pouvait plus quitter le Nigeria avant que sa tante obtienne également des papiers. Quand sa femme était morte, il avait dû partir en pleine nuit sans dire au revoir. Depuis, l'enfant s'était sans doute toujours sentie abandonnée. Mais il se rachèterait. Quand elle viendrait. Si elle venait. Chaque semaine, il attendait les papiers. Si difficiles à obtenir maintenant, avec ce nouveau programme de rapatriement vers le Nigeria.

Il n'envisageait donc pas de rentrer ? a demandé Nell. Il a secoué la tête doucement et avalé une autre petite gorgée, attentif à faire durer sa bière. Il n'avait pas besoin d'égrener trop de souvenirs. Nell l'a interrogé sur sa femme. Il a dit qu'elle était journaliste, et lui architecte. Comment était-elle morte ? Il a frappé sa poitrine avec un doigt.

Cinq, a-t-il dit, dans le cœur. Des balles ? Non. Non, a-t-il répété au bout d'un moment. Un couteau. Nell aurait aimé le questionner davantage, mais son visage s'était comme fermé. Ses yeux sombres, presque noirs, fixaient un point près des bouteilles renversées. Elle savait que, si elle insistait, il lui ferait des réponses polies, mais mécaniques. Et elle comprenait instinctivement que c'était tout ce qu'il avait, tout ce qu'il possédait – son histoire. Combien de fois déjà avait-il été contraint de l'utiliser, de la troquer contre un asile, une aumône compatissante, de sorte qu'à chaque évocation il avait dû se sentir diminué – la mort violente de sa femme offerte en pâture afin d'assurer sa sécurité et la future sécurité d'une fille qui, selon toute probabilité, le reconnaîtrait à peine.

Parfois, a songé Nell, c'est tout ce qu'on a quand on s'en va. Les vêtements que l'on porte et son histoire. Comparée à celle de Bola, la sienne était si simple, si *évidente*. Une Irlandaise de seize ans à Oxford. Partie de chez elle pour mettre au monde son bébé. Toutes ses pierres de mémoire réduites à ça. Et celles de Bola étalées comme des babioles dans un bazar en plein air, vendues au rabais – juste le prix de sa survie. Je suis désolée pour vous, a-t-elle dit en posant instinctivement une main sur la sienne. Du fond du cœur. Bola a haussé les épaules. Bien sûr, a-t-il répondu. Pas de façon sarcastique, ni même défensive. Les gens mouraient, ceux qui restaient étaient désolés, et ceux qui devaient vivre avec le deuil étaient simplement, ineffablement, plus désolés que les autres.

« Une Guinness, s'il vous plaît. »

C'est lui de nouveau, pour sa deuxième pinte. À en juger par les cercles blancs qui jalonnent la première, celle-ci durera jusqu'à l'heure de la fermeture. Nell remplit à demi le verre, finit de servir une autre commande, encaisse.

« Dites-moi, fait-elle en inclinant de nouveau le verre de Bola sous le robinet. Vous pensez que vous vous sentirez un jour chez vous ici ?

— Je ne sais pas, répond-il en triant de la monnaie avec son pouce. Mais j'espère que ce sera le cas de ma fille. Ou de sa fille. » Il hausse les épaules et regarde Nell. « Quand on ne peut pas rentrer chez soi, c'est l'endroit où on est qui devient chez soi. »

Nell sourit : oui, elle peut le suivre là-dessus. Elle observe la nuit d'encre par la fenêtre.

« Vous allez courir dans ce noir ?

— J'ai une lampe de poche, dit-il.

— Si vous faisiez du stop, quelqu'un vous prendrait, marmonne un homme derrière lui.

— Et comment qu'on le verrait ? demande un autre en rigolant.

— On me verrait si je souriais », fait Bola en retroussant les lèvres pour montrer ses dents étincelantes.

C'est plus une grimace qu'un sourire, mais, visiblement, ni lui ni les deux autres ne sont vexés. Ce ne sont que des plaisanteries de comptoir, et Bola y est parfaitement apte. Il rapporte sa bière à sa table en se faufilant dans la foule avec l'habileté d'un joueur de foot. Nell surprend l'expression de Paudie quand le géant nigérian passe près de lui. Pendant une fraction de seconde, un air de peur authentique passe sur le visage du vieil homme. Puis il se penche à nouveau sur sa bière d'un air méditatif et hausse les épaules pour se débarrasser d'une pensée importune.

Les clients commencent à se disperser vers onze heures et, à la demie, il n'y a plus qu'une poignée de traînards. Ils lancent à Adam des regards silencieux et pénétrants, se demandant certainement s'il leur accordera un dernier verre. Mais il les ignore et, au bout du compte, ils abandonnent la partie. Paudie fait un signe de tête à Nell et sort. Ceux qui restent le suivent peu après. On n'entend plus que le bruit de l'eau qui coule tandis que Nell lave et rince verre sur verre. Adam vide les cendriers, passe l'éponge sur le comptoir, puis va dans la cuisine et en rapporte une boîte métallique.

« La caisse », explique-t-il, voyant que Nell le regarde avec curiosité.

Il lisse les billets et les répartit par piles à l'intérieur, puis en prend plusieurs gros et les fourre dans la poche de son jean. À nouveau, il surprend un regard de Nell.

« Un arrangement que j'ai avec Ali.

— Quoi ? Vous prenez quand vous en avez besoin ?

— En gros, oui. »

Sait-il qu'Ali est amoureuse de lui ? Bien sûr qu'il le sait.

Nell se sert un brandy. Adam hoche la tête quand elle désigne un autre verre. Il empile les cendriers dégoulinants à l'envers, fait un tas de torchons à laver, vérifie les portes des armoires frigorifiques et n'oublie pas d'éteindre les lumières derrière eux en passant dans la cuisine. Comme s'il était l'hôte accomplissant les corvées du soir et elle, l'invitée que l'on escorte vers ses appartements. Elle s'assied, s'attendant à ce qu'il fasse de même, mais il reste debout et descend son brandy cul sec.

Ensuite, il ouvre le frigo et s'accroupit devant. La cicatrice ronde et luisante pointe par-dessus son jean. Il sort une brique de lait et va se redresser quand il aperçoit au fond le mélange à base d'herbes. Il sort le pichet et le vide dans l'évier.

« Je préfère en faire du frais tous les jours.

— Qu'est-ce qu'il y a dedans ?

— Des choses et d'autres.

— Et moi qui m'imaginais une recette de famille ultra-précise.

— Non, répond-il en haussant les épaules. Rien de précis. Je l'adapte au fur et à mesure. »

Comme ta vie. Comme ton histoire. Et tu ne triches pas.

« Adam ? »

Il tourne la tête vers elle, attentif, une main déjà sur la poignée de la porte. Nell se tapote le bas du dos.

« D'où vient cette cicatrice ?

— Ça ? » Il pivote sur lui-même pour regarder son dos et frotte machinalement l'ancienne blessure. « C'est drôlement vieux. Je suis tombé sur un verre. »

Sujet clos, mais Nell insiste : « Vous aviez quel âge ?

— Je ne sais pas. Huit ans, neuf peut-être.

— Bizarre. On a tendance à penser qu'un verre se briserait, comme ça. »

Elle joint les poignets et ouvre les mains. Adam hausse les épaules, de marbre et regardant derrière elle.

« Ça fait plutôt penser, poursuit-elle, au genre de blessure qu'on vous ferait en vous enfonçant une bouteille cassée dans le dos. »

Cette fois, Adam la regarde ; sa langue explore nerveusement l'intérieur de sa joue. Quelques tourments qu'il ait pu endurer aux mains d'un père vagabond et alcoolique, il ne les dévoilera pas. Le genre fort et silencieux, songe Nell en riant tristement en elle-même. Au cinéma, des types taciturnes, mais sur lesquels on peut compter. Dans la vraie vie, des cellules de prison sur pattes.

« Bonsoir, lance Adam par-dessus son épaule.

— Bonne nuit, Adam. »

Dans la cuisine silencieuse, Nell tend l'oreille comme si, au-delà du silence, les conversations se poursuivaient. Ou comme si l'enceinte arrondie du silence abritait en son cœur un écho faible et lointain, mais vibrant encore d'innombrables paroles, de bribes qu'elle entendra si elle écoute assez bien. Les mots que sa mère répétait tous les soirs : Allez, les filles, au lit maintenant, et n'oubliez pas les dents et les prières. Le prompt assentiment des verrous coulissant dans leur fourreau de métal, le cliquetis des clés suivi d'un bruit sec, puis d'un nouveau cliquetis, les chaises raclant le sol pour reprendre leur place sous la table en formica, une cavalcade dans l'escalier, la course pour être au lit la première. Des gloussements étouffés. La pluie qui arpente sur la pointe des pieds les ardoises du toit.

Ce n'est pas le silence qu'elle a entendu pendant toutes ces années dans son appartement parisien ; si elle tendait l'oreille, c'était pour percevoir le souvenir du son.

Un glaçage de farine, souvenir des tourtes d'Ali, couvre encore presque toutes les surfaces de la cuisine. Nell essore une lavette humide et commence à essuyer. Elle ne peut se résoudre à laisser la cuisine de sa mère dans cet état pour la nuit. Agnes aimait que tout soit rangé, les surfaces nettoyées, les sols balayés. Nell ramasse les feuilles de journal éparpillées sur les carreaux. Quelque chose attire son regard. Une photo de Nick et Ali debout devant le pub, publiée par le journal local. Elle déchiffre à grand-peine l'article, qui est jauni et maculé de taches. Juste un commentaire bienveillant et amical sur la récente arrivée d'Ali, venue reprendre le pub de sa grand-mère. Sur ses intentions, la manière traditionnelle dont elle compte gérer l'établissement. Sur le bon œil dont les gens du coin voient cette continuité. Un papier échangé contre un achat d'espace publicitaire, certainement. Nell s'apprête à froisser la page lorsqu'elle est frappée par la date inscrite en haut. Une semaine, deux tout au plus, avant l'arrivée d'Adam. Une arrivée inopinée qui n'était peut-être pas si fortuite, tout compte fait.

Elle rince encore deux ou trois objets sous l'eau courante. Le pichet transparent est maintenant presque vide, mais il reste quelques millimètres du mélange au fond. Elle jette un regard autour d'elle, vide une des bouteilles de Lucozade de Grace dans l'évier et y verse le liquide visqueux. Celui-ci s'écoule lentement, telle une lave verte grossie par le verre. Nell rebouche la bouteille et la glisse sous son pull avant de monter dans sa chambre.

Longtemps après avoir quitté la cuisine, elle imagine des ombres dansant sur les carreaux, des fantômes aux membres souples, aux gestes fluides et pleins d'aisance.

Le rêve est revenu. Le rêve qu'elle n'a pas fait, lui semble-t-il, depuis des siècles, celui où elle cherche de l'air, mais ne parvient à inhaler que de l'eau mousseuse. Elle inspire à nouveau et s'étouffe sur le raz-de-marée qui afflue au fond de sa gorge. Elle aperçoit de la lumière là-haut, quelque part. Si seulement elle pouvait… Mais quelque chose l'empêche de remonter, l'attire vers les profondeurs. C'est la main de Bridget qui enserre sa cheville comme un étau. Elle tente de se retenir d'inspirer, mais c'est impossible. L'eau envahit sa tête, ses oreilles, ses yeux, se déverse en un impitoyable torrent le long de sa trachée. Ses poumons glougloutent. Si seulement elle pouvait…

Elle se réveille, haletante. Ses draps et sa chemise de nuit sont trempés de sueur. Sa température doit être volcanique, nucléaire. Pendant quelques secondes, elle ne sait plus où elle est. Puis, lentement, la chambre se dessine autour d'elle. La pluie martèle la fenêtre en un staccato rythmé. Le *temps*, enfin. De longues gouttes s'écoulent en ruisseaux tortueux sur les carreaux.

Le vent se renforce et fait vibrer la fenêtre. Ça se fâche maintenant, disait Agnes.

Quand les rêves devenaient si terrifiants qu'elle se mettait à crier en pleine nuit, Agnes montait la voir dans la chambre du haut, une liseuse rose jetée sur ses fortes épaules. Si Nell semblait incapable de se rendormir, elle la soulevait dans ses bras comme un paquet inerte et la portait jusqu'à sa propre chambre.

C'était le vieux matelas à l'époque, celui qui avait un creux au milieu. Il sentait sa mère – l'odeur qu'elle imaginait que sa mère sentirait de l'intérieur si elle était blottie au fond de ses entrailles. Au-dessus de la tête du lit, il y avait une petite veilleuse rouge qui jetait une lueur rose et chaude sur un côté de la chambre. Les billes rondes qui dégoulinaient sur les vitres reflétaient mille veilleuses. Quand elle fermait à demi les yeux, Nell avait l'impression de regarder droit les étoiles.

Il leur fallait toujours un moment à toutes deux pour se rendormir. Le ventre d'Agnes gargouillait, son souffle se détendait et devenait sifflant. Avec ce creux au milieu du lit, elles n'avaient d'autre choix que de dormir l'une contre l'autre, Nell allongée sur le dos, hanche déboîtée sur le côté afin de toucher le dos tourné de sa mère. Si le rêve reprenait et la faisait geindre dans son sommeil, Agnes remuait un peu le popotin pour lui faire sentir qu'elle était toujours là. Parfois, Nell se forçait à rester éveillée toute la nuit et écoutait le flux et le reflux de la respiration d'Agnes qui épousait le rythme de la pluie à la fenêtre ; au bout d'un moment, il devenait impossible de les distinguer, si bien qu'il lui semblait que sa mère *pleuvait*.

Quand les rêves ont commencé à s'estomper, ne la visitant plus que tous les deux mois environ, et non presque toutes les nuits, Nell a regretté la proximité trouble et silencieuse de ces nuits dans le lit de sa mère. Le jour restaurait la netteté des contours, la clarté de la vision, et il devenait alors impossible d'ignorer la trajectoire du regard défait d'Agnes, fixé sur un espace vide juste à côté de sa fille. Où que se tînt Nell, ce vide se tenait à côté d'elle. Un espace qui, paradoxalement, était occupé par une absence.

Un grincement dans l'escalier la fait sursauter. Elle gagne la porte de sa chambre sur la pointe des pieds et l'entrebâille.

« Grace ? C'est toi ? »

Grace se fige au milieu de la dernière volée de marches. Elle est encore tout habillée ; elle a dû s'endormir dans le lit de ses parents.

Nell pensait qu'elle était montée dans sa chambre il y a des heures. L'enfant ne se retourne pas.

« Tu veux dormir ici avec moi, chérie ? »

Dans la pénombre, Nell distingue juste le non que fait Grace en secouant rapidement la tête. Elle marmonne quelque chose, puis gravit en trébuchant les dernières marches. Nell entend la porte de sa chambre se refermer. Elle reste sur place un moment, les yeux rivés sur la cage d'escalier obscure. Ça doit être son imagination, décrète-t-elle, et elle retourne sans bruit se coucher.

L'eau se jette contre les vitres qu'elle dévale en rideaux vacillants. Nell reste allongée sur le dos en se déhanchant inconsciemment vers le côté opposé du lit, comme si elle cherchait quelqu'un. Non, se dit-elle en observant la fenêtre inondée ; c'était juste un jeu de lumière dans les cheveux de Grace qui les faisait paraître mouillés. Elle n'a pas pu sortir *là-dessous*.

10

Bridget ressemblait à la ballerine virevoltante de la boîte à bijoux d'Agnes, laquelle contenait essentiellement des boutons et des pièces de monnaie. Perchée sur la table de la cuisine, elle pirouettait encore et encore, son écharpe rouge volant autour d'elle, ses cheveux dorés étincelant comme de la paille au soleil. Ses joues étaient rouges et ses yeux avaient quelque chose de fou, de dément. Elle aurait pu tourner sur elle-même à jamais. Ses pieds chaussés de bas pivotaient facilement sur le formica lisse comme du verre.

« Tu veux bien cesser maintenant, Bridget, a ri Agnes en frappant dans ses mains. Tu vas attraper le tournis. »

Dans le coin opposé de la cuisine, Nell coupait soigneusement les croûtes d'un sandwich au jambon destiné à un client.

Bridget s'est mise à rire frénétiquement.

« Je n'arrêterai jamais. Jamais ! »

À ce moment, Julia est entrée avec un modèle de crochet à prêter à Nell, qui voulait se faire un poncho avec une frange. Selon ses propres dires, Julia n'avait jamais rencontré d'enfant de son âge aussi douée pour le tricot et le crochet.

« Mon Dieu, s'est-elle exclamée en voyant Bridget. Attention au tournis.

— Une vraie biche, celle-là », a dit Agnes.

Plantées au milieu de la pièce, les deux femmes écarquillaient un peu plus les yeux à chaque tour et poussaient de petits cris d'étonnement. Aiguillonnée, comme toujours, par la présence d'un public, Bridget s'est mise à pirouetter encore plus vite. En même temps, elle faisait tournoyer l'écharpe au-dessus de sa tête à la manière d'un lasso, de sorte que dans le flou du mouvement, on ne savait plus où finissait son bras et où débutait le long écheveau de laine. Nell fredonnait en découpant le sandwich en quatre parfaits triangles. Du coin de l'œil, elle observait sa mère : ses yeux brillaient, ses joues étaient roses comme celles d'une gamine, sa main pressait sa poitrine. Sans s'arrêter ou presque, Bridget a exécuté un impeccable revirement et s'est mise à tourner dans l'autre sens.

« Regardez-moi ça, a fait Agnes.

— Je n'arrêterai jamais. Jamais jamais jamais !

— T'as vu ta sœur un peu, Nell ? a demandé Julia par-dessus son épaule.

— Il faut des pointes pour le faire bien, a dit Nell.

— Faire quoi bien ? a demandé Bridget.

— La danse classique. Ce n'est pas de la vraie danse classique si tu n'as pas de chaussures à pointes. N'importe quel imbécile peut tourner sur une table.

— Pas toi ! a fait Bridget, haletante. Je t'ai vue essayer hier soir. T'es tombée sur le cul.

— Bridget ! » a protesté Agnes.

Mais, aussitôt après, elle a plaqué une main sur sa bouche pour masquer un petit rire et Julia a pouffé, elle aussi.

Les joues de Nell étaient en feu. Bridget avait dû l'épier du haut de l'escalier et n'avait rien dit. Si c'était la pitié qui l'avait retenue, il ne pouvait y avoir pire humiliation.

« Allons, les filles, a fait Agnes, même s'il n'y avait qu'une seule fille en train de s'amuser. Venez maintenant. Les clients vont pas se servir tout seuls. Et s'ils s'y mettent, on sera dans le pétrin. » La sempiternelle blague faiblarde qu'elle sortait au moins une fois par jour. « Bridget ? Tu vas être malade. Arrête maintenant.

— Juste un dernier truc. Regardez. »

Là-dessus, Bridget a pédalé furieusement avec un pied pour prendre assez d'élan puis – agile en effet comme une biche, dans un mouvement si exquis et cristallin que le cœur de Nell s'est figé – a levé la jambe derrière elle. Ensuite, elle s'est inclinée à partir de la taille tout en continuant à tourner sur le bout de son pied. Aussi droite et déliée qu'un compas ouvert pivotant sur sa pointe. Elle a bien dû faire quatre tours sur elle-même avant de ralentir, puis de s'arrêter. Ses yeux se sont posés triomphalement sur Nell.

« Tu vois ? Toi qui sais tout. Ce n'était pas du tout de la danse classique.

— Du patinage artistique ! s'est exclamée Agnes, éblouie, en frappant de nouveau dans ses mains. Bridget, mais qu'est-ce qu'on va faire de toi ?

— Comment veux-tu patiner sans patins ? » a marmonné Nell avec aigreur.

Bridget a sauté de la table, saisi une pomme et mordu dedans à belles dents.

« Dans ta tête. Ta tête dit à tes pieds que tu as des patins et...

— Oh, c'est complètement idiot. Pousse-toi, Bridget, a fait Nell en la bousculant pour passer. Le client attend son sandwich depuis des heures. »

Agnes s'est mise à glousser.

« Heureusement qu'on a Nell pour nous ramener les pieds sur terre. »

Elle est en retard pour préparer le petit déjeuner de Grace. L'enfant est déjà en train de manger. Ses yeux dénués d'expression regardent fixement par la fenêtre. La pluie battante de la nuit a fait place à des crachats crépitants comme de la friture. Le ciel, gris et plombé, se retient : il reste plein d'eau à venir. Les cernes de Grace sont plus gris que les nuages.

« Tu as bien dormi, Grace ? Après être montée dans ta chambre ?

— Ouais.

— Tu m'as l'air un peu fatiguée. Et comment allait la migraine de Mama hier soir ? Mieux ? »

Grace cesse de fixer la fenêtre, mais ne répond pas. Nell va chercher son imperméable bleu marine dans la véranda. Il est dégoûtant.

« C'est celui-là ? »

Elle le présente à Grace, qui l'enfile en tendant les bras en arrière. Au moins, ses cheveux sont propres et relativement brillants.

« Ton déjeuner, se souvient Nell.

— Je l'ai déjà préparé.

— Ça ne suffira pas », dit Nell en inspectant ce que l'enfant appelle un déjeuner : un triangle de fromage à tartiner, deux biscuits au chocolat et un sachet de chips.

Rapidement, elle se met à beurrer du pain pour préparer un sandwich.

« Je vais être en retard pour le car.

— Ça n'a pas d'importance. Je te conduirai. »

Quand Nell se retourne, sa petite-fille a disparu. La porte de la véranda est encore ouverte sur la cour. Grace est dehors, accroupie, en train de caresser un chat. Il glisse sous sa main jusqu'au bout de sa queue, redresse celle-ci d'une pichenette, puis fait demi-tour pour recommencer dans l'autre sens. Voyant l'attention dont il est l'objet, deux autres surgissent de nulle part et s'approchent furtivement de leur bienfaitrice. Grace leur parle à voix basse, un flot ininterrompu de paroles dans son propre langage chat. Tout va bien, tout va bien, murmure-t-elle encore et encore telle une personne en transe. Comme s'il leur était arrivé malheur, mais qu'elle était maintenant là pour tout arranger.

« J'ai toujours trouvé que les chiens se confiaient facilement – ouarf ouarf et vous savez tout. Mais les chats ont bien plus tendance à garder leurs secrets, tu ne trouves pas ? » Nell réprime une grimace tant son approche est maladroite.

« C'est des *chats* », répond Grace d'un air dédaigneux. Un air qui signifie : Comment peux-tu nous rabaisser toutes les deux par une tentative aussi grossière ? Voyons !

« Tu as quelque chose pour te couvrir la tête ? demande Nell.

— Ça ne fait rien si je me mouille les cheveux.

— Ce serait dommage, maintenant qu'ils sont tout propres et brillants.

— Pas grave. »

Sur le mur, les dernières fleurs du rosier grimpant d'Ali ont pris un sale coup. Leurs pétales s'éparpillent sur le sol, innervés et gonflés comme des ailes de papillon gorgées d'eau. Nell cueille quelques tiges portant des roses encore intactes. Les épines sont bien espacées, mais elle n'en repère pas une et se pique. Elle suce son doigt, puis retire l'épine avec ses dents.

« Viens, Grace. Il faut qu'on y aille. »

Grace se redresse à contrecœur. Nell fait perler une goutte de sang avec l'ongle de son pouce, suce à nouveau son doigt.

« Une épine, répond-elle à la question silencieuse de l'enfant. J'ôterai les autres dans la cuisine en rentrant. Je vais mettre le bouquet dans ma chambre. Et un vase dans la tienne aussi, si tu veux. Tu aimes les roses ? À part ces fichues épines, bien sûr. »

Elle s'aperçoit qu'elle ferait tout pour obtenir un sourire, n'importe quoi – même un vague rictus ferait l'affaire. *Tout, mais ne sois pas si triste, Grace. Je t'en prie, chérie.*

Grace jette un regard morne au bouquet. Ses lèvres remuent, marmonnant quelque chose que Nell ne saisit pas tout à fait. Elle se penche vers l'enfant.

« Des fois quoi ?

— Pas grave », dit Grace en hissant son sac à dos sur ses épaules.

Elle se dirige vers la voiture, jette le sac sur le siège arrière et monte. Les yeux fixés sur un point dans le lointain, le nœud sculpté sur son front formant une spirale aussi serrée qu'un cyclone.

Tu ne me plais pas, mais alors pas du tout, songe Nell en arborant un sourire immuable. La maîtresse de Grace, miss Kelly, est assise en face d'elle dans la salle des professeurs, un froid sanctuaire au mobilier moderne agrémenté de philodendrons aux feuilles brillantes. Dès que Nell a expliqué qui elle était et demandé à lui dire un mot, la jeune femme a assigné un exercice à la classe et, sans cérémonie, lui a fait signe de la suivre. Claquant des doigts presque tout au long du couloir aseptisé.

Vingt et quelques années, de fins cheveux blonds coupés en petites vagues ébouriffées autour d'un visage pointu au nez luisant et translucide. Ce que la mère de Nell appelait autrefois une mademoiselle turlututu. Tout en efficacité fébrile et en compassion de magazine – avec, par-derrière, un petit cœur aussi dur qu'une pépite. Elle pousse une tasse de thé vers Nell à travers le large bureau. Celle-ci boit une petite gorgée et murmure un remerciement.

« Eh bien, commence miss Kelly, je commençais à me demander si quelqu'un, dans cette maison, viendrait me voir un jour. »

Cette maison.

« J'ai fait passer des mots par Grace, vous savez. »

Miss Kelly feuillette négligemment une liasse de feuilles imprimées posée près de sa soucoupe. Comme si – quand elle est ici, du moins – elle était si occupée qu'elle ne pouvait se concentrer sur une seule tâche à la fois.

« Des mots ? s'enquiert Nell. À propos de quoi ?

— Du comportement de Grace, bien sûr. J'ai demandé je ne sais combien de fois à sa mère de venir me voir.

— Quel comportement ?

— Elle est parfois franchement maussade et désagréable, je dois dire. Ces derniers temps, il y a eu une dégradation très nette. Elle ne semble faire aucun effort avec ses camarades, et quand elle en fait, ils sont… euh…

— Oui ?

— Déplacés.

— Comment ça ?

— Elle est assez au courant des choses de la vie, n'est-ce pas ?

— Pas plus que n'importe quel enfant de son âge, je dirais.

— Mmm. Peut-être. Et puis, bien sûr, il y a ce charabia qu'elle débite à longueur de journée. Des psaumes à l'ancienne et tout ça. Ses camarades ne savent pas quoi en faire, je dois dire. »

Du charabia ? La Bible ?

« On n'est plus au temps des bonnes sœurs, vous savez, ajoute miss Kelly avec un petit sourire entendu. Nous pratiquons une approche plus large, plus séculière. Notre priorité, c'est de socialiser les enfants.

— Je vois. Où voulez-vous en venir, miss Kelly ? »

Le nez translucide se fronce ; il ne daigne pas se pincer franchement. Les feuilles imprimées volent entre les doigts vifs et galopants.

« Et puis il y a ces piqûres de puces, et elle passe son temps à se gratter la tête, vous savez. » Profonde inspiration chagrinée. « Je suis désolée, mais il faut bien que quelqu'un le dise. Personne ne veut s'asseoir à côté d'elle. »

Il faut bien que quelqu'un le dise, hein ? Personne ne veut s'asseoir à côté d'elle. Sorcière.

« La mère de Grace – ma fille – tend vers un mode de vie, disons, alternatif.

— Oh, n'allez surtout pas croire que ça nous pose problème.

— Non, bien sûr, répond Nell en inclinant gracieusement la tête. Mais je vois bien en quoi ça pourrait en créer un pour ma petite-fille.

— Vous paraissez si jeune.

— Merci. Bon, je me suis déjà attaquée aux piqûres et aux poux, donc avec un peu de chance, ce petit problème-là devrait se dissiper rapidement. Quant à l'instruction biblique, j'en parlerai à ma fille. Elle peut se montrer un peu zélée quand les choses sont nouvelles pour elle – avec les meilleures intentions du monde. Vous avez songé, naturellement, qu'elle en faisait peut-être juste un peu trop dans le but d'aider Grace à s'intégrer ?

— Naturellement. »

Mademoiselle Nez-Vitreux jette à sa tasse un regard pénétrant. *Naturellement mon cul.*

« Et le père de Grace a de gros ennuis de santé ces temps-ci. » Autant tout balancer. « Ce qui rejaillit nécessairement sur le comportement de la petite.

— Nécessairement.

— Et, bien sûr, elle est fille unique et doit faire face toute seule à d'importants changements dans sa vie.

— Ce qui crée des problèmes spécifiques, vous avez parfaitement raison. Pour ma part, je suis la benjamine de quatre enfants. » Miss Kelly roule des yeux, retrousse la commissure des lèvres. « Le bébé de la famille, on peut dire. La petite dernière.

— Quoi ? Oh, oui. Bref, tout ce que j'essaie de dire, c'est qu'il faut du temps pour faire son trou où que ce soit. Après tout, ça ne fait que deux ans que Grace a quitté son école d'Oxford. Donc ce que je voulais vous demander à vous, miss Kelly, c'est : pensez-vous que l'école puisse faire quoi que ce soit pour l'aider ? »

Nell boit délicatement sa dernière gorgée de thé, fait tinter la tasse en la reposant sur la soucoupe.

« Eh bien… » dit miss Kelly d'un air dubitatif.

Nell tire sur l'ourlet de sa jupe noire, presse ses genoux l'un contre l'autre, porte un index replié à sa bouche pour s'éclaircir la gorge.

« Vous pourriez peut-être parler des chats et de son père malade. Vous savez, à quelques filles de sa classe. Leur donner la mission spéciale de s'occuper de Grace jusqu'à ce qu'elle soit un peu plus intégrée. C'est une période difficile pour elle. J'en ai connu une aussi quand j'étais petite et j'aurais adoré que quelqu'un s'occupe de moi. Les jeunes enfants peuvent être drôlement cruels, vous ne trouvez pas ? Mais ils savent aussi se montrer si gentils. »

Miss Kelly fait glisser ses doigts le long d'un crayon, le retourne, recommence dans l'autre sens. Elle examine la proposition de Nell scrupuleusement, avec une petite moue de concentration.

« C'est une idée formidable, décrète-t-elle finalement. Je la mettrai en application dès mon retour en classe. » Le crayon tombe et roule sur la table ; sujet clos. « Il suffit souvent d'une petite discussion pour faire des miracles. J'aimerais tant que tous les parents soient aussi raisonnables que vous. Certains prennent la moindre critique pour une attaque personnelle. » Miss Kelly se lève, main tendue. « Bien sûr, vous parlerez aussi à la petite des gémissements et de cette histoire de faire des bébés, n'est-ce pas ?

— Bien sûr, répond Nell en souriant, un peu interloquée.

— Nous préférons nous en tenir au programme d'information sexuelle du ministère de l'Éducation. C'est ce qui fonctionne le mieux avec les jeunes enfants. Mieux vaut ne pas les surcharger.

— Je lui en parlerai. » Nell serre la main molle – un poisson mort – une seconde fois. Avant de passer la porte, elle se retourne, sourcils froncés. « Par pure curiosité, lance-t-elle. Votre visage me dit quelque chose.

— Vraiment ?

— Il se pourrait que j'aie été à l'école avec votre mère.

— Possible en effet, dit miss Kelly, rayonnante. Elle s'appelle Avril. Avril O'Mahoney. Vous l'avez connue ? »

Agnes a sa propre pierre tombale, qu'elle doit sans doute à l'insistance d'Ali. Un rectangle de granit bleuâtre avec des caractères noirs. Il paraît encore neuf auprès de la stèle usée que se partagent son mari et sa fille. Devant, une couronne en plastique posée assez récemment et un pot de confiture rempli de fleurs d'été fanées. Le centre de la tombe est couvert d'éclats de pierre blancs, peut-être du marbre. Autour, quelques mauvaises herbes poussent au hasard, mais, à l'évidence, elles ne survivront pas bien longtemps : Ali veille au grain. « Nous chérissons ta mémoire », peut-on lire sur le granit. On aurait dû enterrer ses pierres avec elle. Bizarre qu'Ali n'y ait pas pensé. Il est vrai qu'elle avait déjà pas mal de choses sur les bras, songe Nell dans un accès de remords.

Des corneilles alignées sur un câble contemplent les tombes. Elles font de petits pas de côté l'une vers l'autre, ébouriffent leurs plumes, puis battent en retraite à la hâte, comme si l'intimité du contact leur brûlait les ailes. Quelques secondes d'immobilité rigide, puis elles repartent sur le côté, comme aimantées. Le câble vibre de corneilles qui se tamponnent. De loin, on dirait une rangée de parapluies lisses qu'on secoue pour faire tomber la pluie.

Nell se demande ce qu'il reste de sa mère. Là, sous la terre, y a-t-il encore de la chair liquéfiée sur ses os ? Et des petits rouleaux de paille de fer près de son cuir chevelu ? Son alliance a-t-elle glissé de son doigt atrophié ? Ses lèvres se sont-elles rétractées sur ses dents ? Son souvenir se sent-il… seul ?

Nell jette un regard à la ronde. Elle aurait dû apporter des fleurs – quelque chose, en tout cas. Le besoin qu'ont les hommes de déposer des objets sur une parcelle de terre qui contient un mort défie toute explication, et pourtant c'est vrai, songe-t-elle : elle se sent mesquine d'arriver les mains vides, comme si elle était rentrée au pays sans rapporter de cadeau à sa mère. Elle fourrage dans la poche profonde de son imperméable et un objet de petite taille heurte la bouteille de Lucozade. Le tube d'Amande givrée. Elle le pose près de la pierre tombale et le recouvre d'une poignée de gravier blanc.

Désolée de ce qui s'est passé. Désolée pour toi. Du fond du cœur. C'est vrai, Mammy.

Dans la rue, un léger voile de pluie recouvre les trottoirs, avec des rectangles secs sous les bannes rayées des magasins. Nell entend ses cheveux frisotter. La longue et brûlante bouffée de chaleur qui a débuté devant la tombe de sa mère commence à s'apaiser lorsqu'elle pénètre dans la pharmacie. L'homme aux lunettes rafistolées la salue de la tête. Il dit qu'elle amène la pluie mais que, pour une fois, c'est une bénédiction. Compte-t-elle encore rester dans le coin longtemps ? Nell ne sait pas trop. Encore un peu, en tout cas. Elle pose sur le comptoir un nouveau flacon d'huile essentielle d'arbre à thé, une boîte de tampons pour des règles hypothétiques, de l'huile d'onagre concentrée pour la ménopause. Le hall de gare qu'est devenu son corps.

Elle paie et sort en même temps la bouteille de Lucozade de sa poche. Le pharmacien fait la grimace lorsqu'elle l'invite à en flairer le contenu malodorant. C'est un mélange à base d'herbes que le compagnon de sa fille prend pour renforcer son système immunitaire. D'après ce qu'elle croit comprendre. Moue dubitative du type. Exactement, fait Nell. Serait-il possible… Y aurait-il moyen d'analyser le contenu pour elle ? Juste pour s'assurer que son gendre ne prend rien qui puisse se révéler préjudiciable à sa santé ? Le pharmacien remonte les lunettes cassées sur son nez. Pas d'équipement ici pour ce genre de chose. Naturellement, il l'aiderait s'il le pouvait. De nos jours, les gens s'imaginent que tout ce qui pousse dans un jardin est nécessairement bon pour eux. Ils pourraient s'infliger des dommages irréparables. Sur ce, il s'absorbe dans ses pensées si longtemps que Nell en conclut qu'il doit passer en revue les irréparables dommages en question. Elle s'apprête à rempocher la bouteille quand il la saisit par le goulot. Ce qu'il peut faire… Il a un neveu qui est technicien de laboratoire dans un hôpital de Killarney. Il lui passera le mélange ce soir. Ça risque de prendre un moment, notez. Nell lui dit combien elle lui en serait reconnaissante. Elle lui donne son numéro de portable et le remercie à nouveau. Il n'y a pas de quoi, dit-il. Il n'y a pas de quoi, répète-t-il en levant les mains lorsqu'elle lui offre de l'argent pour l'analyse.

Dehors, la bruine a cessé un petit moment. Des trouées de ciel blanc apparaissent dans le manteau de nuages. Un rai de lumière se pose un instant sur le visage de Nell, puis poursuit son chemin. Elle se retourne pour regarder la rue qui descend en serpentant. Combien d'années lui reste-t-il ? Dix ? Vingt ? Trente ? Où attendra-t-elle, couchée dans la terre, son tube de rouge à lèvres ?

Pour Henri, la question a été tranchée dès le jour de sa naissance. Comme la plupart des Bourguignons, c'est un défenseur convaincu du concept de terroir – cette idée, si séduisante pour l'esprit, qu'un bout de terrain est ce qui détermine le caractère d'un vin. Tout – l'inclinaison des rayons du soleil sur un coteau particulier, les minéraux contenus dans une parcelle de terre, sa porosité, sa propension à retenir l'eau de pluie ou, au contraire, à la laisser s'infiltrer, la direction générale du vent à travers les rangées de vigne, les levures sauvages, la proportion de roche présente dans le sol –, tout est à prendre en considération. Pas un facteur qui ne contribue à ses grands crus et premiers crus. Et au bout du compte, quand il ira en terre, il deviendra son propre vin. Comme son père avant lui, depuis longtemps enterré sur un coteau sud à un kilomètre et demi de la maison où il est né.

Nell vérifie son portable : plusieurs messages professionnels, qu'elle écoute en hochant la tête avec impatience. Déjà vingt-quatre heures et aucun signe d'Henri, pas de réponse à son message. Elle a réessayé d'appeler sans succès, mais, jusqu'ici, elle n'en a pas laissé d'autre. Peut-être qu'il hésite à présent, qu'il n'est plus aussi sûr de lui. À propos de Lucienne, de leur séparation. À propos de Nell.

L'idée lui transperce le cœur, d'autant plus douloureuse qu'elle a surgi par surprise. Peut-être qu'elle a trop attendu. Comme il aurait été simple de lui offrir sa compagnie. De dire, quand elle quittait l'appartement avec sa valise : Je serai de retour mardi, ou mercredi, ou jeudi. De dire : Parle-moi pendant que je prépare le dîner, raconte-moi ta journée. D'accepter les petites prétentions qu'il pouvait avoir sur sa vie. De le rendre… non pas durablement euphorique, mais modérément satisfait au quotidien – en mettant fin, tout simplement, aux pérégrinations de sa brosse à dents. En quoi cela aurait-il représenté un engagement si lourd ?

Ils sont passés par les différentes phases de l'amour, si semblables à celles du chagrin – le déni, la colère, l'acceptation –, donc pourquoi s'est-elle dérobée dans la dernière ligne droite ? En quoi était-il si difficile de dire : Oui, va chercher tes affaires, emménage immédiatement ? Avec Henri, elle a constaté que l'amour pouvait s'absenter, se mettre en veilleuse pendant de longues périodes, puis revenir. Un peu penaud, peut-être, un peu gêné d'être pris en train de s'inviter chez les mêmes, mais il revient. Ou peut-être qu'il *est revenu*, maintes et maintes fois, pour Henri – mais pas cette fois.

Nell frissonne malgré la douceur de l'air. Jamais, durant aucun de ses voyages, Henri ne lui a paru si loin. Dans ce lieu où résident nos pensées les plus sombres, elle comprend, avec une absolue certitude, qu'elle attendait ce moment – celui où il changerait d'avis. Qu'elle attendait qu'il l'abandonne, qu'il s'en aille, tout en se détournant de lui pour ne pas voir.

« De tout l'univers, c'est mon endroit préféré », a déclaré Agnes, debout sur la dernière butte herbeuse avant la longue plage. Elle a posé les mains sur ses hanches et tourné la tête à droite et à gauche, embrassant du regard l'étendue de sable, les minces doigts de sorcière formés par les rochers noirs avançant dans la mer, le lavis bleu clair du ciel, comme si elle pouvait revendiquer un droit sur tout ce qu'elle voyait. En elle-même, Nell a songé : Mais bien sûr, Mammy, tu n'as été nulle part ailleurs.

Derrière elles, en partie masquée par une rangée d'arbres, se dressait la maison où Daniel O'Connell avait grandi. Celle de son oncle, en réalité, comme Agnes l'avait tant de fois souligné en tentant d'inculquer à ses deux filles, puis à une seule, son propre sens des lieux. Combien de fois Nell avait-elle entendu l'histoire du « Libérateur » ? Le grand homme qui avait utilisé ses talents d'avocat pour obtenir ce qui jadis paraissait impensable, l'émancipation des catholiques irlandais. L'orateur légendaire, l'élégant tacticien ou le renard intrigant, animé par un ardent, brûlant amour de la patrie. Oh, les Anglais avaient dû l'écouter, pas de doute. On ferait encore des révérences à la Reine, Nell, s'il avait pas été là. Parfois, on avait l'impression qu'Agnes elle-même avait joué un rôle dans sa destinée.

« Imagine un peu, Nell, disait-elle en écartant les bras face à la plage. On marche là où lui-même a posé les pieds. À quoi il pensait, tu crois, en regardant ce grand océan ? Hunting Cap[1], c'est comme ça qu'on appelait l'oncle. Je te l'avais déjà dit ? »

Nell hochait la tête avec lassitude. Oui, un millier de fois.

« Il a élevé les deux aînés de son frère, Daniel et Maurice. Ça faisait dix enfants en tout. Imagine comme notre vie à tous pourrait être différente si ces deux gamins étaient restés chez eux. »

Nell décollait le reste d'une bulle de chewing-gum de sa lèvre supérieure. Même à cette époque, elle se rendait compte que sa mère avait une vision quelque peu empirique de la Constitution irlandaise – et une fâcheuse tendance à l'ériger en modèle universel.

Agnes était capable de disserter des heures sur la manière dont un rien pouvait changer le cours de l'histoire. Dont ce qui était aujourd'hui gravé dans la pierre avait en fait été causé par tel ou tel événement arbitraire et contingent du passé. Le fait que Hunting Cap ait décidé de financer l'éducation de l'aîné de ses neveux, par exemple.

« Bien sûr, jette juste un coup d'œil à sa maison, plantée là toute seule dans son coin, et tu devineras bien vite d'où venait son argent.

— La contrebande. »

Et Nell regardait le large en se demandant quel effet ça ferait d'être sur un bateau voguant doucement vers l'horizon, sans jamais s'arrêter. Sans jamais revenir.

Il y avait toujours un petit quelque chose de maniaque dans les exposés de sa mère. Tant qu'elles parlaient de Daniel O'Connell, ou de l'appendicite de Paudie, ou de la hausse des taxes sur les alcools, ou de tout sujet tant soit peu annexe et secondaire, elles n'avaient pas à se soucier de parler d'autre chose. Même si les yeux d'Agnes erraient souvent à côté de Nell tandis qu'elle discourait, cherchant à jamais une enfant absente. Elle était incapable de dire : C'est dur en ce moment, ou : C'est une mauvaise journée, ou : Je me demande comment elle aurait tourné. Elle qui d'habitude mesurait ses mots avec une précision lapidaire, pendant leurs promenades, elle les

1. Littéralement : « casquette de chasse ».

dilapidait avec la frénésie d'un joueur qui vient de tout miser sur le rouge et de gagner.

« La contrebande. Entre autres. Le jeune Daniel était dingue de chevaux. Les promenades à cheval, la chasse à courre, ce que tu voudras. Il en a fait des excès dans sa jeunesse, pour quelqu'un qui allait devenir le libérateur de son pays. Mais regarde autour de toi, Nell. T'imagines l'enfance qu'il a eue ? T'imagines un peu ? Cette plage rien que pour lui et son frère, et ces bois à explorer, et cette belle grande maison pour se perdre. Un jour qu'il faisait beau, il s'est peut-être tenu là où je me tiens maintenant et il a pensé : Donnez-moi juste ma chance. Je t'ai déjà dit ce qu'il avait écrit à sa femme, Mary ?

— Ouais.

— Après toi et les enfants, il a écrit, ce que j'aime le plus au monde, c'est Iveragh. Bien sûr, il écrivait ça Uibh Ráthach. » Agnes se tournait vers sa fille, les yeux brillants. « C'est pas quelque chose ? » Et elle promenait son regard sur les vagues, cherchant de toutes ses forces à être heureuse. « Je sais exactement ce qu'il voulait dire. »

Ce jour-là, tout en contemplant le dos de sa mère, Nell se demandait comment éviter une nouvelle oraison funèbre à la mémoire d'O'Connell. C'était réellement plus qu'elle n'en pouvait supporter. Un bébé croissait dans son ventre et tante Hannah était en route vers le Kerry. Ce qu'Agnes ne voyait pas, Hannah le détecterait en l'espace de quelques jours. Sans le moindre doute.

Mais, ce jour-là, Agnes ne semblait pas d'humeur à parler. Toute la matinée, elle avait été pensive, les yeux rivés sur un point dans le lointain. L'après-midi, au pub, elle n'avait pas dit grand-chose non plus.

Nell a inspiré profondément ; l'air pur était chargé de cristaux de mer.

« Mammy ? a-t-elle fait d'une voix hésitante.

— Viens. On va marcher ici, au bord. Tu vois comme la marée monte vite en dessous ? »

De là où elles étaient, en haut de la butte, on avait réellement l'impression que l'océan se jetait sur le rivage. D'énormes nappes d'eau qui roulaient et se brisaient en éclats de porcelaine sur le sable. Les éclats blancs tenaient quelques secondes, puis étaient réaspirés par le flot puissant. Agnes marchait devant Nell ; ses pas creusaient un tunnel dans les herbes hautes, tout près du bord. Une mince bande de lumière ambre pâle s'étirait sur l'horizon. Il avait plu un peu plus tôt et tout avait cet aspect nettoyé, étincelant que Nell aimait tant.

« J'ai quelque chose à te dire. Ça va te mettre très en colère. Je suis vraiment désolée, mais… » Nell testait à voix basse toutes les amorces possibles d'une conversation qui devait changer sa vie. « Comment te dire… »

Elle avait presque rattrapé sa mère et a failli lui rentrer dedans quand, brutalement, celle-ci s'est arrêtée. Agnes a laissé échapper un son guttural, comme si quelqu'un venait de la frapper. Sa tête a plongé vers l'avant. Elle a frémi de tout son corps et entouré sa taille de ses bras. Nell voyait les extrémités crispées et blanchies de ses doigts. Sa mère n'a même pas cherché à rattraper son chapeau quand un coup de vent l'a emporté. Elle est restée immobile une éternité, à se contenir avec ses propres mains. Puis sa tête s'est lentement redressée et son profil s'est tourné vers la mer avec un regard d'une telle nostalgie qu'il a presque fait peur à Nell.

« Quelle journée magnifique, a-t-elle dit d'une voix rauque. Quel… Qu'est-ce que je ne donnerais pas pour que Bridget voie ça. »

Et elle est repartie. Sans se soucier de son chapeau qui voltigeait parmi les dunes. Nell a couru pour le rattraper et, quand elle s'est retournée, Agnes se tenait en équilibre au bord de la butte ; puis elle a sauté, un saut bien net, sur le sable tendre en contrebas.

Pour Nell, ç'a été comme si sa mère venait de disparaître au bout du monde.

Le gris charbonneux de la mer reflète le ciel de plus en plus bas de ce début de soirée, qui parvient tout juste à retenir les gouttes. Nell croit entendre les bataillons de la pluie piétiner avec impatience derrière la couverture nuageuse. Au loin, sur l'océan, la houle produit un son caverneux qui fait presque vibrer le rivage. Une collerette blanche comme neige entoure en permanence le Taureau et le Veau. Les deux femmes marchent sans se presser sur les sables mordorés de la plage de Derrynane. Elles atteignent l'endroit, tout au bout à gauche, où l'épave d'un chalutier trône sur des rochers gris qui la retiennent prisonnière à jamais. Là, elles font demi-tour et accélèrent l'allure en prévision des longues étendues de sable à parcourir, barrées par des doigts de roche noire qu'il leur faudra contourner ou escalader. Sur leur droite, la plage fait place à une dépression, puis à des hauteurs herbeuses entrecoupées, à la façon d'un terrain de golf, par des nappes de sable. Le pignon gris foncé de Derrynane House est visible à travers une rangée de hêtres dont les feuilles commencent juste à virer. Il est surmonté, face au vent, d'un toit d'ardoises rectangulaires. La maison de Daniel O'Connell.

« Est-ce qu'elle te parlait de lui pendant des heures ? demande Nell en montrant la maison. Quand vous veniez vous promener ici. Mammy, je veux dire. »

Ali sursaute. Elles marchent en silence depuis si longtemps qu'elle se croyait peut-être seule. Elle n'a pas l'air bien du tout. Sa peau est très pâle, presque translucide. Tout en elle semble fragile, comme si on pouvait la casser en deux presque sans effort.

« Quoi ? Non, pas vraiment. Elle en parlait parfois au pub. On ne se promenait pas tellement, tu sais. Presque pas du tout.

— Même quand tu venais en vacances l'été ? »

Ali fait la moue, fouillant dans sa mémoire, puis secoue la tête.

« Pas dans mon souvenir. Bien sûr, en ce qui me concerne, je voulais être au pub tout le temps. C'était ma maison de poupée. »

Instinctivement, obéissant à la même impulsion, la mère et la fille se rapprochent de l'eau pour marcher juste au bord. Une mousse blanche crépite autour de leurs chaussures, puis se retire sous forme d'eau claire. Deux ou trois personnes hochent la tête en les croisant. Un pêcheur solitaire, silhouette découpée sur le ciel morne, jette sa ligne depuis l'extrémité d'une saillie rocheuse sombre qui avance largement dans la mer. Il doit être trempé. Tout autour de son perchoir, des embruns giclent furieusement dans les airs.

Nell lance un regard oblique à sa fille. Bien que celle-ci n'ait rien dit, il est clair qu'elle ne sait trop quoi penser de sa démarche auprès de l'école. Bien sûr, Nell s'attendait à pareille ambivalence. Quoi qu'elle fasse, ce sera perçu comme une ingérence. Ça l'est toujours. Elle lèche les gouttelettes d'eau de mer qui couvrent ses lèvres.

« Écoute, Ali. »

Ali s'arrête et pose une main sur l'épaule de sa mère. Son sourire est forcé, mais obéit à une intention sincère.

« Pourquoi tu ne parlerais pas à la maîtresse de Grace. » Ça ne sonne pas comme une question. « Tu as le droit de parler à qui tu veux. Tu te fais du souci pour ta petite-fille et tu as raison.

— Pourquoi dis-tu ça ?

— N'importe quel imbécile verrait qu'elle est perturbée.

— Ce n'est pas seulement l'école, n'est-ce pas ?

— Non. Pas seulement. » Ali met sa main en visière et fixe la bande de lumière blanche qui borde l'horizon. « Je voulais qu'elle s'intègre. C'était pour ça, les psaumes et tout le bazar.

— C'est ce que je me suis dit.

— Mais c'était une erreur.

— Disons que…

— C'était une erreur. »

Nell pose une main sur la joue de sa fille.

« Parle-moi. Parle-moi d'Adam – la vérité cette fois. Est-ce qu'il te menace d'une manière ou d'une autre ? »

Avec un petit rire amer, Ali dégage sa tête de la main de sa mère.

« Oui, mais pas celle que tu crois. Pas celle que Paudie croit.

— Comment, alors ? Tu peux me le dire, chérie.

— Pour que tu arranges les choses ? demande Ali, les yeux brillants de larmes. C'est ce que tu fais toujours. Tu viens, tu répares et tu t'en vas. Non, je ne dis pas ça contre toi. C'est la vérité. Tu es charmante. C'est moi. Je ne sais pas pourquoi ça me met si en colère – ça n'a pas de sens. Oxford, Cardiff, même les fichues Hébrides, ma parole : chaque fois, tu es venue et tu as attendu, attendu en observant, en touchant le problème du doigt, quel qu'il soit, en le titillant pour le faire émerger. Des cadeaux pour Grace, les meilleures cliniques pour moi quand c'était ça, le problème. On a eu nos conflits, parfois violents, mais, globalement, tu as été d'une tolérance et d'une patience remarquables – et, oui, charmante en même temps. »

Involontairement, Nell recule d'un pas. Le flot se referme aussitôt sur ses chevilles.

« Et parfois tu me détestes pour ça.

— Parfois, oui. »

Ali hausse vaguement les épaules comme pour dire : Va savoir. Puis elle se détourne et se remet en marche. Nell reste clouée sur place un moment, puis presse le pas pour la rattraper.

« Qu'est-ce que je n'arrive pas à faire émerger cette fois ? Qu'est-ce que je ne peux pas réparer ? »

Elle s'arrête, espérant qu'Ali va se retourner, mais celle-ci est déjà en train d'escalader des rochers rendus lisses et huileux comme une peau de phoque par le constant martèlement de la mer. Nell l'interpelle.

« Ton cœur ? C'est ça qui est cassé ? »

Ali se raidit. Elle reste immobile un instant, puis, rapidement, rebrousse chemin jusqu'à sa mère. Ses poings s'ouvrent et se ferment comme si elle retournait un problème dans sa tête.

« Tu sais ce que c'est ? Le truc idiot qui me met parfois si en colère chez toi ? » Elle est maintenant face à Nell, une main sur la gorge comme pour forcer les mots à sortir. « C'est la manière dont tu simplifies les choses pour ta tranquillité. Tu penses : Voilà le problème, posons-le sur la table pour y jeter un coup d'œil. Où est donc mon scalpel ? Juste une petite incision ici et...

— Ali ! C'est tellement in...

— Bien sûr que c'est injuste ! Tu crois que je ne le sais pas ? La complexité réelle des choses. Les contradictions ! Comment pourrait-on voir autre chose que le meilleur de toi ? Aucune trace des galères, du frotti-frotta, du bourbier quotidien dans lequel on patauge tous. Personne ne te voit jamais pendant tes mauvais jours, ceux où tu détestes la terre entière et où tu voudrais que tout le monde crève – mais lentement, misérablement, dans les pires souffrances. Tu prends bien soin d'être partie, ou qu'on soit partis, avant que l'euphorie des retrouvailles soit retombée. Avant que le moindre petit côté moche ou sale ait pu transparaître chez toi. Mon Dieu ! Parfois, la mocheté des autres, c'est la seule chose qui m'aide à me supporter. Et est-ce que c'est juste ? Bien sûr que non. Mais qui veut jouer avec la fille parfaite dans la cour de récré ? Qui veut passer son temps avec celle qui est toujours plus jolie, plus sage, plus intelligente ? Tu arrives et tu repars comme une espèce de gentil docteur, un point de suture ici, un pansement là. Qu'avons-nous donc aujourd'hui ? Un cœur brisé ? Voyons, qu'est-ce que j'ai dans ma trousse pour ça ? Elle est malheureuse à Paris ? Eh bien, qu'elle retourne à Oxford, chez oncle Albie et Mary Kate – elle était heureuse avec eux, non ? Jusqu'au jour où tu as décidé que tu ne l'étais pas, bien sûr. Et pourquoi ? Parce qu'ils commençaient à nous voir comme une partie d'eux-mêmes. Le frotti-frotta, le coude à coude quotidien. Oh, ne crois pas que je n'aie pas admiré la façon dont tu t'es attaquée à ta nouvelle vie. Le travail, la concentration. La lumière allumée dans ta chambre jusqu'au milieu de la nuit. La façon dont tu as appris le français, comme ça. (Ali fait claquer ses doigts.) J'étais jeune, mais je savais que tu étais en train de te construire un avenir. Tu refusais de te laisser enfermer dans les clichés sur les filles mères. Tu refusais d'être n'importe quelle gamine forcée de prendre le bateau et se retrouvant perdue loin de chez elle. Et avec tout ça, tu trouvais le temps de m'emmener au parc ! Ma parole, il n'y avait donc rien que tu ne pouvais faire ? Rien que tu ne puisses faire encore aujourd'hui ?

— Apparemment non.

— Je t'en prie, ne crois pas que je cherche à t'accuser de mes problèmes. C'est même exactement le contraire. Laisse-moi au moins la responsabilité de mes erreurs. Je ne veux pas que tu dises : Quel est le problème ? Je vais le résoudre. Et si tu ne le dis pas, ou ne le laisses pas entendre rien qu'à la manière dont tu t'assieds sur une chaise, je t'en veux de ne pas le dire ! Tu vois comme je suis brouillonne. Sur toute la ligne. Je veux que tu sois fière de moi et ensuite, je me déteste de le vouloir. Surtout – et je te dis ça avec des tonnes d'ambiguïtés – je ne veux pas que tu te sentes responsable de moi. » Le visage d'Ali se convulse ; elle retient ses larmes. « Je suis fatiguée d'échouer, épuisée.

— Qui parle d'échec ? Mais ton bonheur, ça oui, je m'en sens responsable. Je ne peux pas m'en empêcher. Tu ne te sens pas responsable de Grace ?

— Non… si. Oh, je sais que je suis ridicule. S'il y a une chose que je n'arrive pas à avaler… O.K., disons-le : je n'ai jamais compris que tu ne viennes pas ici avec moi l'été. Chaque année tu promettais, et ensuite tu trouvais une excuse. Qu'est-ce que c'était, cette fois ? Granny demandait. Elle posait la question en souriant, mais ça lui faisait mal. Je l'aimais tant, et je n'arrivais pas à croire que cette mère merveilleuse, cette mère si charmante qui était la mienne pouvait se montrer aussi… cruelle, il n'y a pas d'autre mot. Même chose pour Mary Kate, le jour où on est parties vivre dans cet horrible appartement. Tu ne voyais donc pas que tu lui arrachais le cœur ? Tu ne le voyais pas ?

— Si, j'imagine que si. Mais à l'époque, je pensais que c'était la meilleure chose à faire.

— Oncle Albie, Mary Kate, tante Hannah, tu aurais dû les voir, tous, autour de la tombe de Granny. Les regards qu'ils se lançaient, leurs petites mimiques embarrassées. Les mains ouvertes, comme ça. Les doigts ouverts, comme ça. Personne n'arrivait à comprendre. Surtout, ils étaient gênés – non, mortifiés – pour Granny. Même le prêtre a parlé de toi en disant que tu devais être malade ou quelque chose. »

Ali paraît hésitante ; elle lève les yeux par intermittence pour surveiller la réaction de sa mère. Voilà tant d'années qu'elles se débrouillent pour éluder le sujet.

« Continue », fait Nell.

Elles trouvent un rythme de marche ; leurs pieds s'enfoncent simultanément dans le sable mouillé. Ali glisse son bras sous celui de sa mère.

« Ils ont fait sa toilette sur le comptoir du pub. Tu savais ça ? »

Nell fait non de la tête. Pas de scalpel pour cet abcès-là.

« Tu n'aurais pas pu en croire tes yeux. Le soir où on devait la transférer à l'église, elle était allongée sur le comptoir, les mains croisées sur la poitrine, comme ça, et on entendait tant de voix – c'était incroyable, tous ce monde qui était venu chanter pour elle. Des chants nationalistes, comme si c'était leur propre mère qui était allongée là, tuée par les *Black and Tans*[1] – oh, ouais, elle me servait régulièrement son petit résumé historique. La queue continuait dehors, sur la route, à perte de vue, tous ces gens qui attendaient leur tour de souffler quelques mots à cette… morte, je ne peux pas le dire autrement. Paudie et Julia étaient inconsolables. J'avais l'impression que le défilé ne s'arrêterait jamais. Il en arrivait toujours plus, et ils murmuraient tous quelque chose en passant devant son corps. Et puis, quand on l'a déposée dans son cercueil, il y a eu un silence terrible, entrecoupé seulement par des sanglots ici ou là. Paudie et cinq autres ont soulevé le cercueil sur leurs épaules et la foule dehors s'est écartée pour les laisser passer. Le cercueil était drapé des couleurs du Kerry, et aussi du Galway – Hannah y tenait. Au milieu, quelqu'un avait posé une photo de toi et de Bridget.

— Oh.

— Ils l'ont portée tout du long jusqu'au village. Quand les six premiers ont été fatigués, six autres ont pris le relais. Tout le monde portait une bougie, on aurait dit qu'elles sortaient des fossés. On ne voyait rien d'autre que cette longue file sinueuse de lumières vacillantes. Et quand on a atteint le village, il n'y avait pas assez de place pour se tenir sur les trottoirs. La foule débordait sur la rue. L'église a sonné le glas pour l'entrée du cercueil, un son affreusement solitaire, et il a fallu fermer les portes au nez des gens – j'ai bien failli ne pas entrer moi-même. Il y avait une sincère tristesse, Nell. Une vraie émotion qu'on sentait partout. Ces gens venaient de perdre quelqu'un de très spécial. Quelqu'un qui faisait partie de leur vie, pour certains, depuis le jour de leur naissance. Et il n'y avait pas que les gens du coin. Des touristes, des vacanciers qui revenaient année après année : certains avaient fait le voyage. On entendait des accents d'Irlande du Nord, d'Angleterre, d'Écosse, d'un peu partout. Ça me dépassait, tout ce chagrin. Je veux dire, le mien me paraissait compréhensible…

— Assez pour le moment, Ali, s'il te plaît.

1. *Black and Tans* (« Noirs et fauves ») : paramilitaires engagés, au début des années 1920, dans la lutte contre les indépendantistes de l'IRA.

— Nell, j'aimerais que tu sois là-bas avec moi. Tu peux ?

— D'accord.

— D'habitude, on garde le cercueil fermé, mais Hannah le leur a fait ouvrir une dernière fois dans l'église – il y avait tant de gens qui n'avaient pas pu entrer dans le pub. Ils ont défilé par centaines. J'ai regardé son visage. Il ne lui ressemblait pas, je dois dire. Elle portait son rouge à lèvres, tu seras heureuse de le savoir, mais à part ça, il n'y avait plus qu'un corps cireux allongé là-dedans, avec un nez bien trop gros pour sa tête. J'ai pensé à ma vie à moi, aux cafouillages, aux erreurs, au vagabondage permanent. Je me suis demandé ce que je cherchais, où j'allais au juste. Je me suis dit : Qui donc viendra me rendre hommage ? Pourquoi quelqu'un le ferait-il ? Et puis j'ai pensé à toutes ces bières qu'elle avait servies ; je te jure que je les voyais, des verres empilés jusqu'au ciel. À toutes ces conversations, soir après soir, quand elle était fatiguée ou déprimée, mais qu'elle prenait quand même la peine. Elle parlait aux gens quand personne ne voulait leur parler. Quand je dis parler, c'était parfois juste un mot de bienvenue, ou un Bonne chance avant leur départ. Je l'ai regardée et j'ai pensé : Où est passé tout ça ? Tous ces mots, toutes ces bières, à quoi ça a servi ? Elle n'était jamais allée nulle part, n'avait jamais voyagé sauf pour te rendre visite ; les événements du monde avaient glissé sur elle, pour la plupart – donc à quoi bon ? J'ai attendu que tous les gens que l'église pouvait contenir soient passés devant le cercueil, et puis je me suis avancée avec Hannah. Paudie et Julia étaient derrière nous ; Julia n'arrêtait pas de me prendre la main. Alors, je me suis penchée et je l'ai embrassée sur les lèvres. J'ai inspiré, aspiré tout ce passé qu'elle avait en elle. Et elle me l'a donné. Réellement. En relevant la tête vers la mer de visages, j'ai vu que c'était à ça que ça avait servi. Bien sûr que c'était à ça. Alors, d'un coup, ma décision a été prise : j'allais m'arrêter et prendre racine, comme elle, et de cette manière... eh bien, ma vie aurait peut-être un sens aussi. »

Lorsqu'elle a terminé, Ali prend une inspiration haletante et fixe le large. Les deux femmes restent longtemps perdues dans leurs pensées. Le soir envahit le ciel gris fumée. Elles poursuivent leur chemin, bras étroitement enlacés, en se serrant les coudes de temps en temps pour se rassurer. Au bout d'un moment, Ali s'arrête net et regarde ses pieds, cherchant ses mots.

« Qu'est-ce qu'il y a ? Dis-moi. »

Quand sa fille lève les yeux, Nell est saisie par son air hagard.

« Le truc… En fait, je me demandais toujours…

— Quoi donc ?

— … si tu ne l'aimais pas, quand tu allais cesser de m'aimer aussi.

— Oh, Ali. » Nell plaque ses mains sur son visage. « Comment tu as pu… ? Ce n'est pas que je ne… Mon Dieu, tout le contraire. Regarde-moi. S'il te plaît. »

Ali semble troublée, intimidée ; deux taches rouges luisent sur ses joues. Nell lui soulève le menton avec un doigt replié.

« Il n'y a rien au monde qui pourrait me faire cesser de t'aimer. Rien. Est-ce que tu me crois ? »

Ali hoche la tête frénétiquement, aussi honteuse que ravie.

« Et j'aimerais pouvoir dire pardon à Mammy. Pas seulement pour l'enterrement, mais pour toutes ces années.

— Tu sais, ne me demande pas pourquoi, mais je crois qu'elle comprenait. Il y avait quelque chose qui faisait barrage entre vous, hein ?

— Oui. Là. Il y a toujours eu quelque chose entre nous. »

Un doux chuchotement de pieds s'enfonçant dans le sable mouillé. Elles se retournent. C'est Bola qui fait son jogging du soir. Il les salue en passant, juste une légère inclinaison de la tête. L'eau recouvre les empreintes laissées par ses pieds immenses – deux empreintes jumelles qui se reproduisent jusqu'au prochain affleurement de rochers. Il disparaît progressivement de leur vue, courant sur les châteaux de sable fantômes de Daniel O'Connell et de son frère Maurice.

11

Des fois les gens… Les gens ont… Des fois, des fois…

« Qu'est-ce que c'est qu'elle a dit ? » demande Nell à voix haute au plafond.

Elle se tourne sur le côté gauche et, pour la cinquième fois, aplatit l'oreiller avec son poing pour tenter de se rendormir. Toute la soirée, elle a pensé à Grace. Son visage de lutin chiffonné comme une boulette, la façon dont elle a marmonné en fixant le bouquet de roses, puis s'est détournée – pas grave. Ce regard mort dans ses yeux. Un regard dont Nell se souvient comme si c'était hier : elle se brossait les dents et, quand elle a jeté un coup d'œil au miroir surmontant le lavabo, ce n'est pas elle-même qu'elle a vu, mais une étrange jeune fille dont les iris marine opaques ne reflétaient aucune lumière. Pendant des années, après la mort de Bridget, c'est cette étrangère qui lui a rendu son regard. Pendant des années, même les miroirs ont été morts.

Depuis sa promenade sur la plage de Derrynane avec Ali, il n'a pas cessé de pleuvoir. Le genre de pluie qui fait penser à l'arche de Noé, qui semble ne jamais devoir finir. Elle martèle la fenêtre de la chambre en une constante ritournelle, rebondit sur le rebord extérieur en arcs de perles d'argent. Les bruits de la maison qui se prépare au sommeil, généralement si sonores, ne sont en comparaison qu'un chuchotis intermittent.

Nell est montée dans sa chambre il y a un bon moment après avoir donné un coup de main au pub. Comme Adam et Ali semblaient partis pour servir bien après l'heure de fermeture officielle, elle s'est retirée, espérant un coup de fil d'Henri. Mais pas un mot, pas un signe de lui. Elle lui a laissé trois messages maintenant.

Grace est allée se coucher soulagée de plusieurs poux et dispensée de la leçon de psaumes tant redoutée. Sa mère lui avait dit qu'il n'y en aurait plus, a-t-elle confié à Nell. Elle a froncé le nez. De toute façon, elle ne comprendrait jamais pourquoi Dieu avait besoin de tous ces compliments. Ça ne lui suffisait pas d'être Dieu ? Pourquoi fallait-il en plus qu'on le félicite pour ça ? Nell voulait bien être pendue si elle connaissait la réponse. Mais l'enfant lui semblait allégée d'une petite partie de son fardeau. Du moins elle l'espérait.

Elle entend quelque chose dehors. Un fût en inox qui s'écrase sur le sol, suivi d'une voix courroucée. À pas feutrés et sans allumer la lumière, elle se dirige vers la fenêtre. Dans la cour, à travers le rideau déformant de la pluie, elle aperçoit Adam et Ali. En train de se disputer, visiblement. Ali porte un peignoir en éponge bleu clair sur un pyjama blanc ; le peignoir, gorgé d'eau, dégouline au niveau de l'ourlet. Ses pieds nus sont posés dans une flaque qui lui arrive à la cheville. Elle gesticule en tous sens, agitant les bras pour souligner ses paroles. Adam est penché sur le fût, mains sur les poignées, comme s'il venait de frapper le sol avec. Nell ne peut en être sûre, mais Ali semble au bord des larmes. À moins qu'elle ne pleure déjà. Elle passe sans cesse une main sous son nez. Nell saisit parfois un mot au vol, mais rien qui puisse l'éclairer sur la nature du désaccord. Elle aimerait ouvrir la fenêtre, mais celle-ci grince tant qu'ils la repéreraient aussitôt.

Elle plisse les yeux pour mieux voir. Tandis qu'Ali argumente, Adam reste penché sur le fût. Il hoche la tête une fois ou deux. C'est une attitude raisonnable, une attitude d'écoute, mais Nell voit bien, à la façon dont il se cramponne aux poignées, qu'il est comme un ressort comprimé. Les gouttes frappent obliquement sa tête luisante et rejaillissent dans les airs. Son pull et son jean moulent sa silhouette mince comme une seconde peau. Soudain, sur un mot d'Ali, sa tête se redresse brutalement. Nell n'a que le temps de voir le blanc de son œil ; elle voudrait crier un avertissement à sa fille, mais il est trop tard. La main d'Adam part et se referme sur le poignet d'Ali. En un mouvement confus, celle-ci se retrouve projetée comme une poupée de chiffon contre le mur de la véranda. Adam se retourne et descend le champ à grandes enjambées. Nell attend juste une seconde pour s'assurer qu'Ali n'est pas blessée. Celle-ci se laisse glisser au bas du mur, la tête dans ses mains, les épaules secouées de spasmes, dans un état pitoyable.

Nell cherche à tâtons ses vêtements, manque perdre l'équilibre en enfilant son jean avec des mains tremblantes, puis se rue hors de la chambre et dévale l'escalier dans le noir le plus complet. En marchant dans une flaque d'eau de pluie qui a coulé dans la véranda, elle se rend compte qu'elle a oublié ses chaussures. Dehors, Ali a disparu. Nell se retourne et scrute un instant l'obscurité de la maison ; non, elle l'aurait entendue rentrer. Le seul son qu'elle perçoive est celui de sa propre respiration, râpeuse, haletante.

Arrivée en bas du premier champ, elle se dit qu'elle aurait dû remonter prendre des bottes. Ses chevilles s'enfoncent profondément dans une boue liquide, comme si la terre elle-même était en train de fondre. La porte de la caravane est légèrement entrebâillée ; une faible lumière luit à l'intérieur. Le cœur de Nell bat si fort qu'elle pose une main sur sa poitrine pour le contenir. Cette colère noire sur le visage d'Adam juste avant que son bras parte : à ce moment-là, il était capable de tout. Ali n'est tout de même pas assez bête pour l'avoir suivi ? Elle a dû la voir, cette rage. Elle l'a forcément sentie quand il l'a envoyée valser. Non, elle n'est pas bête à ce point. Si, si, elle l'est. Elle l'est. Nell s'arrête une seconde, les yeux clos.

Elle entend parler à l'intérieur. Un bourdonnement grave, masculin, suivi de la voix plus aiguë et plaintive d'Ali. Puis le silence. Elle expire lentement, puis se faufile le long de la caravane, douloureusement consciente du bruit poisseux, spongieux que produit chacun de ses pas. Arrivée devant l'entrebâillement de la porte, elle s'accroupit, mais la lumière est trop faible et la fente trop étroite pour lui permettre de voir quoi que ce soit. À l'intérieur, le silence s'éternise. Les rideaux sont tirés. Rien à faire. Nell respire un grand coup, tend la main vers la porte et la tire légèrement. Elle s'attend à un grincement éloquent, mais les gonds sont bien huilés. Les silhouettes mettent un moment à se matérialiser. Au début, cela ressemble à un seul corps, mais, plus bas, il y a une autre paire d'épaules, osseuses celles-là. L'orbe hérissé de la tête d'Ali. Son dos tourné à la porte. Elle est à genoux. Soudain, Adam redresse la tête et son regard, d'abord rêveur, vient se planter droit dans les yeux de Nell. Ses lèvres forment un O silencieux, comme s'il venait de tomber sur une vieille connaissance ; puis elles se ferment lentement et s'incurvent en un sourire énigmatique. Il laisse sa tête retomber en avant. Nell fait demi-tour, un bras contre son ventre, et disparaît en trébuchant dans l'obscurité.

Des fois, les gens ont des épines *à l'intérieur*. À son réveil, les mots de Grace résonnent à ses oreilles. Ça lui est enfin revenu. Oui, chérie. Des fois. C'est un vain espoir, mais elle s'y accrochera : que l'enfant n'ait entendu que des bruitages. *Han han han*.

Comment est-il possible qu'une femme de trente-deux ans, une adulte, dotée d'une intelligence au-dessus de la moyenne, qui voit tout ce à quoi elle a toujours aspiré – désespérément – lui tomber dessus d'un coup, un foyer stable, une famille stable, rien de temporaire – comment est-il *possible* qu'elle se laisse réduire en esclavage par cet arnaqueur ambulant ? Oh, c'est parfaitement possible. Ali a beau faire la fière, elle a toujours été aussi vulnérable que de la neige fraîche. Adam est la drogue du jour, et il est écrit partout, sur le visage dévasté de la jeune femme, qu'il lui a permis d'atteindre à des profondeurs d'avilissement exquises, déchirantes, que l'héroïne ne lui faisait qu'effleurer.

Nell doit se forcer à repenser à la petite fille aux yeux gris qui courait vers elle dans la cour de l'école, nerveuse et fragile déjà. Elle jetait un coup d'œil aux autres mères, qui ressemblaient à des mères et non à des grandes sœurs, puis se baissait pour la soulever dans ses bras et, pendant un bref instant, l'inondait de lumière. De sourires éclatants qui éclairaient son petit visage levé comme des rayons de soleil. La faisant s'étirer, se grandir telle une plante reléguée dans un coin sombre et qui, avide de clarté, tend vers le jour. Ce n'était pas que Nell ignorât sa fille, loin de là ; c'était plutôt que sa luminosité éclipsait tout lorsqu'elle était là, et faisait tout paraître gris lorsqu'elle n'y était pas. Elle-même était à peine sortie de l'adolescence : ses cheveux bruns ternes étaient maintenant dorés, des grappes de bracelets en argent tintaient à ses poignets ; elle portait des bagues à chaque doigt et, autour du cou, de longs écheveaux de foulards de mousseline frangés de minuscules globes argentés. Un riff de jazz métallique accompagnait ses pas ; sa main palpait le vide derrière elle, cherchant les doigts d'Ali. Elle était si déterminée à continuer d'avancer qu'il ne lui venait tout simplement pas à l'esprit que ce rythme frénétique pouvait être trop rapide pour une enfant.

Que s'imagine Ali ? Qu'elle peut lui construire un clapier dans le jardin, le garder prisonnier comme un lapin ? Qu'elle peut le retenir auprès d'elle comme elle n'a pas pu retenir sa mère, sa grand-mère, Mary Kate, elle sans cesse ballottée entre les maisons, entre les femmes ?

Avec lassitude, la tête lourde et endolorie par le manque de sommeil, Nell entreprend de se lever. Son talon glisse sur une des brochures trouvées dans la caravane. Un hameau écossais isolé, des collines couvertes de bruyères, la toile de fond habituelle. Sur la dernière page, un couple rondouillard et plutôt jeune pose devant son établissement ; le mari et la femme sont debout, bras croisés, et arborent un sourire accueillant un peu forcé. Nell compose leur numéro. Un homme répond en donnant le nom de l'auberge. Que peut-il pour elle ? Sa voix est joviale et avenante.

« Vous êtes le propriétaire, Mr Simms ?

— La dernière fois que j'ai vérifié, c'était moi. Qu'y a-t-il pour votre service ?

— Je suis désolée, ce n'est pas pour une réservation. Ça va sans doute vous paraître très étrange, mais je cherche à savoir si quelqu'un a déjà séjourné chez vous. Ou travaillé chez vous, peut-être.

— Vous êtes de la police ?

— Non. Je vous appelle d'Irlande. Ma fille tient elle-même un pub ici. C'est juste que… Eh bien, il y a un homme qui travaille pour elle et il avait votre brochure. Je me demandais si vous aviez des choses à me dire sur lui. »

Après un long silence, l'homme répond sur un ton nettement refroidi.

« Son nom ?

— Adam. Je suis désolée, je ne connais même pas son nom de famille. Mais je peux vous décrire…

— Vous feriez mieux de parler à ma femme, la coupe-t-il brusquement. Ne quittez pas. »

« Tu aurais dû voir Bridget patiner sur cette table. » Nell trace une spirale avec son doigt sur la surface en formica. « Elle tournait à n'en plus finir, exactement comme sur des patins. Et quand elle courait, Ali, on aurait vraiment dit que ses pieds ne touchaient pas le sol. Elle était comme une biche, une gazelle. Tu connais le poème de Yeats ?

— Deux jeunes filles en kimono de soie, également/Belles ; l'une des deux, une gazelle[1]. »

Ali sourit et lance à sa mère un regard timide, hésitant. Nell lui rend son sourire. Elle a à peine pu se résoudre à regarder sa fille ce matin, à peine pu se retenir de la prendre par les épaules et de la secouer comme un prunier. Regarde le mal que tu te fais, que tu fais à ta famille. Les vieux sermons habituels. Mais à quoi bon ? Personne ne savait tout cela aussi bien qu'Ali. Ce n'était pas une question de morale ni de bon sens. L'obsession ne l'est jamais.

Ali a préparé le remède verdâtre pour Nick et Nell a profité d'un moment où elle ne regardait pas pour le jeter dans l'évier. Quand elle s'est retournée, Nick se tenait au pied de l'escalier. Mais il n'a rien dit et, malgré la pénombre qui régnait dans la cuisine, reflet de la grisaille extérieure, elle a cru voir un pâle sourire affleurer sur ses lèvres.

Julia, comme souvent, est passée boire le thé dans la matinée. Elle a babillé de choses et d'autres, mais ses yeux quittaient rarement Ali. Celle-ci semblait si faible qu'à chaque nouvelle gorgée, les deux femmes craignaient que la tasse n'atteigne pas ses lèvres. Elle tournait sans cesse la tête vers la porte de la véranda. Attendant Adam. Mais c'était toujours Nick qui entrait ou sortait d'un pas léger, lui-même assez en forme pour voir qu'Ali était particulièrement vulnérable. Des cernes bleu sombre entouraient ses yeux gonflés. Une veine rampante

1. Traduction de Jean-Yves Masson, in *L'Escalier en spirale*, éditions Verdier, 2008.

palpitait sur sa tempe ; on voyait son pouls. À la première occasion, Julia s'est tournée vers Nell, bouche ouverte, en secouant doucement la tête – qu'est-ce qui se passe ? Nell a fait signe qu'elle lui parlerait plus tard. Avant de partir, Julia a serré sa main dans la sienne.

Promenade ? a proposé Nell quand le temps s'est levé. Je ne crois pas, a répondu Ali. Pas aujourd'hui, si ça ne t'ennuie pas. Non, bien sûr que non. Mais Nell n'avait pas l'intention de quitter sa fille d'une semelle. On n'a qu'à rester tranquillement assises ici, a-t-elle dit. Ouais, c'est sans doute une bonne idée, a fait Ali en jetant un coup d'œil à la véranda par-dessus son épaule.

« Oui, c'était ça, dit Nell. Une gazelle. Le jour où on est montées en haut d'Eagle Rock avec Mammy, elle gambadait devant moi exactement comme une gazelle. J'avais les pieds bien plus accrochés au sol et je n'arrivais pas à la suivre. Son écharpe rouge s'est envolée et j'ai couru pour la rattraper. Quand j'ai relevé les yeux, elle avait disparu. Elle avait déjà franchi le sommet de la colline. Mammy était encore loin derrière nous. J'ai enroulé l'écharpe autour de mon cou et grimpé laborieusement jusqu'au sommet, mais je n'ai pas vu Bridget tout de suite. Tu as déjà été là-haut ? »

Ali hoche la tête et pose sa tasse de thé chaude contre sa joue.

« Mais je ne l'ai jamais dit à Granny. Grace est montée avec moi une fois ou deux. Elle aime bien là-haut ; elle trouve que ça fait froid dans le dos.

— Elle a raison, surtout quand les nuages descendent et que tout a l'air enveloppé dans un linceul de fumée blanche – les rochers sombres éparpillés un peu partout et les hautes herbes qui descendent jusqu'à ce lac noir immobile. Je me disais que la Terre devait ressembler à ça au commencement des temps. Ce jour-là, l'endroit était blanc de brume et je ne voyais pas Bridget. Je me suis dit qu'elle se cachait peut-être derrière un de ces gros rochers. Et Mammy n'arrivait toujours pas. J'ai commencé à descendre vers le lac, même si je n'étais pas rassurée. Alors, j'ai vu Bridget qui pataugeait dans l'eau. Elle en avait jusqu'aux genoux. J'ai pensé : Mammy va la hacher menu. Ses chaussures et son pantalon, trempés. À ce moment-là, elle s'est retournée et m'a vue. J'ai crié : Ne sois pas bête, Bridget, reviens. Regarde, j'ai ton écharpe. Je l'avais toujours autour du cou. Mais elle a rigolé. On aurait dit un petit fantôme sortant de l'eau, une créature de la légende d'Arthur. L'eau était comme de l'encre, pas une ride à la surface. Une chose morte. Bridget agitait les bras pour que je la rejoigne. Viens, *viens*. J'ai pensé : Pas question que j'entre là-dedans. Mammy va nous déchiqueter toutes les deux. Mais le rire de Bridget était si fou, si contagieux. Il donnait envie de la suivre où qu'elle aille. Et tu sais quoi ? J'ai ôté mes chaussures. Une petite fille si *sage*. L'eau était gelée. J'ai fait un pas – Dieu que c'était froid. Mais grisant aussi. Bridget a attendu que je sois à sa hauteur. On frissonnait de froid et d'excitation. Elle a tendu la main et je l'ai attrapée. On a pied pendant des kilomètres, elle a dit. Comme sur un plateau. J'ai regardé derrière nous. Mammy était au sommet de la colline, juste avant la descente. Elle ne nous a pas vues tout de suite à cause du brouillard. À ce moment-là, on avait déjà fait un bon tiers de la largeur du lac et l'eau nous arrivait seulement au-dessus du genou. J'ai renversé la tête en arrière et éclaté de rire. Bridget m'a regardée. C'est ça, elle a dit, c'est ça. Et elle s'est mise à rire aussi. On s'accrochait l'une à l'autre, trempées, glacées, mais riant comme des folles. »

Les doigts d'Ali pianotent dans les airs, engageant Nell à poursuivre.

« Mammy nous voyait maintenant. Elle nous faisait de grands signes. Je croyais l'entendre nous crier de revenir. Elle s'est mise à courir, mais ce n'était pas facile de courir là-haut, avec toutes ces pierres qui roulaient. Bridget savait que ça allait être notre fête de toute façon, donc elle m'a serré les bras. L'aventure dansait dans ses yeux. Oh, Ali, je me souviens de ce regard – c'était vraiment la fée de l'arbre de Noël. Personne ne pouvait lui résister. Encore un tout petit peu, elle a dit, juste quelques pas. Non, Mammy va nous tuer. Elle nous tuera de toute manière. Juste quelques pas. Je l'ai laissée m'entraîner. Et puis on est toutes les deux tombées comme des pierres. »

Nell doit boire une petite gorgée de thé pour s'humecter la gorge. Ali reste immobile sur sa chaise, cillant à peine.

« On a coulé et l'eau s'est refermée sur nos têtes en une seconde. J'ai voulu crier et ma bouche s'est remplie. Un tourbillon nous entraînait vers le fond. À cet endroit, l'eau n'était plus lisse ni morte. C'était une chose vivante, bouillonnante, qui tournoyait en aspirant nos jambes. Bridget était sous moi – je sentais sa main cramponnée à ma cheville. Je remuais les bras au-dessus de ma tête pour essayer de toucher le rebord d'où on était tombées, mais je ne sentais rien, juste de l'eau, une eau noire comme de l'encre de tous les côtés. Je ne savais pas nager, mais Bridget savait – je me répétais : Elle va nous sortir de là d'une seconde à l'autre, il suffit que je tienne encore un peu sans respirer. Bridget peut tout. Mais je n'y croyais pas vraiment. Elle se cramponnait toujours à ma cheville, mais sa prise faiblissait. Et je ne pouvais pas tenir une seconde de plus. J'ai inspiré profondément et mes poumons se sont remplis d'eau aussitôt. J'apercevais des reflets de lumière tout là-haut. Si seulement je pouvais... Si seulement je pouvais... battre des pieds pour remonter. Mais Bridget me tirait vers le bas. Je ne suis pas sûre. Je ne le serai jamais. Mais je crois que j'ai donné un coup de pied dans sa main pour me dégager. La seconde d'après, je remontais si vite vers la lumière que je n'ai pas eu un instant pour me dire qu'elle sombrait dans les ténèbres. »

Quelque chose bouge dans l'escalier – un petit fantôme qui change de position. Grace. Depuis un moment, Nell soupçonne qu'elle est au moins sortie de sa chambre. Qu'elle observe et écoute de là-haut, elle qui passe ses longs week-ends solitaires à veiller sur ses parents.

« Je ne savais pas qu'elle tenait ta cheville, dit Ali après un long silence. Si vraiment tu as dû la forcer à lâcher, j'espère que tu ne te le reproches pas, Nell ?

— Reproche. C'est un mot si général. Un mot irresponsable, souvent. Comme culpabilité. Parfois, je me dis qu'on se complaît dans des culpabilités qu'on assume pour s'absoudre des choses moches ou sales, comme tu disais hier – celles qui ne nous paraissent pas assez importantes. Non, j'ai fait ce qui était raisonnable dans ces circonstances. L'instinct de survie est une chose parfaitement naturelle. Bien sûr, j'ai tourné et retourné les événements dans ma tête après coup. Bien sûr, j'ai cherché à imaginer les dernières pensées de Bridget, je me suis demandé si elle m'en avait voulu en coulant. Mais, chaque fois, j'ai conclu que c'était comme ces événements contingents et arbitraires qui façonnaient l'histoire aux yeux de Mammy. Mon cas particulier, infime à l'échelle de l'univers, mais le sort en était jeté : mes pieds devaient retrouver la terre ferme alors que Bridget, la gazelle, ferait le grand saut vers l'autre monde.»

Ali hésite, choisit ses mots avec soin.

«Donc c'était ça qu'il y avait entre Granny et toi. Tu lui as dit que Bridget tenait ta cheville, que tu lui avais donné un coup de pied pour te sauver. Je vois.» Elle hoche la tête plusieurs fois de suite. «Je vois.»

Non, chérie, tu ne vois pas. Mais il te fallait une raison. Restons là-dessus.

«Ça n'avait rien à voir avec ma grossesse. Strictement rien. Dès le départ, même si elle était en colère contre moi, Mammy était impatiente de t'accueillir.

— Merci.» Les yeux gris brillent de larmes. «Ouais. Merci.»

Grace apparaît au pied de l'escalier, caressant un mince chat tigré. Celui-ci bondit sur le sol de la cuisine. Ali ouvre les bras et Grace s'y précipite. Blottie dans le giron de sa mère qui la berce doucement, elle fourre son pouce dans sa bouche et sourit largement à Nell.

Là. Une ou deux épines de moins à l'intérieur.

«Je veux que vous partiez.

— Je pensais bien que vous diriez quelque chose dans ce goût-là.»

Adam s'étire et bâille. Dans l'encadrement de la porte, vêtu juste d'un jean nonchalamment déboutonné à la ceinture, il lui rappelle un cheval qu'elle a un jour convoité plus que tout au monde. Resplendissant, à la fleur de l'âge ; il ne doit plus avoir que quelques années d'une telle beauté devant lui. C'est peut-être même pour ça qu'il aimerait plus solide qu'un plancher de caravane sous ses pieds. Il s'efface pour la laisser passer.

«Entrez, qu'on discute.

— Non, merci, je vais rester dehors. Il n'y a rien à discuter.

— Sauf erreur de ma part, cet endroit appartient à Ali maintenant.» Il fait une large grimace, hausse ostensiblement les épaules tout en jetant un coup d'œil derrière Nell – à gauche, puis à droite. «Et où est-elle ? Pas ici, en tout cas, à me demander de partir.

— Je dois vous dire que je suis en train de faire analyser votre mélange d'herbes.

— Et ? » Il met un moment à assimiler l'information. Lentement, un grand sourire se dessine sur son visage. « Je crois que votre imagination vous joue des tours. »

Ils se regardent fixement ; les yeux d'Adam la défient en silence. Quelle assurance, maintenant qu'il se sent assez en sûreté pour ne plus jouer les timides. Certain, désormais, qu'Ali viendra le rejoindre malgré la présence de sa mère. Il s'étire de nouveau rapidement – une onde parcourant la peau lisse et brune. Le bout de sa langue appuie contre ses dents ivoire, comme pour retenir des mots qu'il ne veut pas gaspiller dans un échange aussi vain.

« Et Mrs Simms ? Son imagination lui jouait des tours aussi ? »

Adam fronce légèrement les sourcils ; il ne se souvient même pas. Il y en a eu tant, sans doute.

« Le Rutland Arms ? Mr Simms, lui, se souvient très bien de vous. Il ne risque pas d'oublier l'état de sa femme après votre départ. Leur mariage a bien failli y rester, m'a-t-elle confié. Ils ont suivi des séances de thérapie conjugale et ça va nettement mieux, vous serez heureux de l'apprendre. »

Adam se renfrogne – un vilain air qu'elle savoure de façon presque obscène.

« J'ai appelé encore un autre endroit. Même topo, à peu de chose près. Quoi, ils n'avaient pas de terre à vous offrir ? Juste une épouse naïve et les recettes de la semaine quand vous avez disparu dans la nuit. Mais ici, c'était l'occasion rêvée, hein, Adam ? Comment ça a commencé avec Ali ? Une main effleurant sa joue, avec ces grands yeux dorés débordant de compassion ? Vous êtes habile, je vous l'accorde. Mais vous avez eu des années pour perfectionner votre technique. Et pourtant, mon arrivée vous a déstabilisé. Ali n'était plus aussi pressée de vous céder ce terrain. Nul doute que vous l'avez menacée de partir. Ben tiens. »

Il la foudroie du regard, paupières plissées, sans chercher à masquer son hostilité. De rapides expirations dilatent ses narines.

« J'ai pas mal aidé ici, aussi.

— Par pure bonté d'âme ? Ou par intérêt bien compris ? Oui, je suis sûre que vous avez beaucoup aidé. Mais vous avez fait des dégâts aussi – probablement plus que vous ne le croyez. Non, Adam, ne cherchez surtout pas à m'apitoyer. C'est terminé. Et pas d'adieux, s'il vous plaît. Partez, c'est tout. Ne rendez pas les choses plus difficiles pour Ali. Si vous n'êtes pas parti ce soir, j'appelle la police.

— Nell...

— Non. Pas à moi. Qu'Ali compte réellement pour vous ? Que cette fois c'est différent ? Je vous en prie. Je n'ai peut-être pas été la meilleure mère du monde, mais ce moment est *ma* chance. Pas la vôtre. Vous aviez raison. Je ne fais pas facilement confiance aux gens et c'est peut-être pour ça que je suis seule. J'ai peut-être trop attendu pour pouvoir être autrement. Mais si vous approchez encore une fois de ma famille, je vous le ferai regretter amèrement. Vous pouvez me croire sur parole. »

Nell tourne les talons, ignorant la rage impuissante d'Adam, et descend vers la crique. Si cliniquement dépouillée, si dépourvue d'histoire qu'il ait voulu faire paraître sa vie, son ego l'a tout de même poussé à conserver une trace. Tout le monde garde quelque chose. Même s'il est peu probable qu'Adam garde la brochure du Hennessy's Public House, songe Nell avec un délicieux sursaut de satisfaction. Pas de trophée arraché à ce lieu. Sauf le cœur de sa fille.

Le ciel a la couleur de l'étain ; des coulées blanches incandescentes en jaillissent par intermittence. Nell songe à ce petit cheval qu'elle a un jour croisé lors d'une promenade avec Agnes. En haut d'une colline, d'un blanc immaculé sur le crépuscule laiteux. Les contours de sa silhouette avaient un aspect flou et bleuté. Lorsqu'il bougeait, des ondes électriques semblaient parcourir sa croupe. Sa tête harmonieuse s'effilait vers des naseaux délicatement retroussés. De temps à autre, il cessait de brouter et la levait pour la secouer, comme si sa longue crinière soyeuse lui tombait dans les yeux.

Nell et sa mère l'ont regardé pendant un temps infini, unies dans un même silence, tête penchée dans la même direction. Nell voulait ce cheval. Si elle avait jamais voulu quelque chose, c'était ce cheval. Juste pour le regarder tous les jours. Juste pour savoir qu'elle pouvait contempler cette extraordinaire perfection aussi souvent qu'elle le désirait. Peu importait qu'il ne fût pas une gazelle ; un cheval iridescent lui suffisait. Elles ont tenté de s'approcher, mais il a remué les oreilles et grimpé plus haut sur la colline. Il faut le laisser maintenant, a dit Agnes. On arrivera qu'à le faire fuir et il pourrait se blesser à cette heure de la soirée.

Mais Nell n'a pas bougé quand sa mère a insisté : Viens. Agnes a commencé à s'énerver : C'est jamais qu'un maudit cheval. Mais s'il se sentait seul ? a demandé Nell. Des fantasmagories de gamine, a raillé sa mère. Allez, viens. Peut-être qu'il se sent seul, a insisté Nell. Soudain, Agnes s'est mise à crier, le visage bouffi de colère. Les chevaux se sentent pas seuls, a-t-elle lancé en s'éloignant d'un pas rageur. Il a lui-même, non ? Il a lui-même.

Oui, songe Nell en se retournant pour regarder la silhouette élancée qui se tient toujours dans l'encadrement de la porte, tête baissée et méditative. Il a lui-même. Elle, au moins, elle a une famille. Elle a au moins ça.

Le sentier est encore glissant de pluie. Quelques grosses gouttes criblent la surface de l'océan devant elle.

« Un nouvel enfant à la maison, a dit Agnes. Je commence à me faire à l'idée.

— Ouais.

— Il va te falloir des yeux derrière la tête jusqu'au jour… » Elle s'est interrompue. « Bref », a-t-elle conclu en rejetant une pierre.

Nell s'était jointe à sa mère pour une dernière promenade dans la crique en croissant. Dans quelques heures, elles seraient en route pour l'aéroport. Agnes était distante et maussade depuis une semaine. Elle n'avait rien dit en entendant Nell réserver son vol, puis prévenir oncle Albie et Mary Kate par téléphone. Rien dit quand sa fille avait timidement soulevé la question de l'argent. Le même soir, sur son lit, Nell avait trouvé une enveloppe remplie de billets de vingt livres sterling. Le lendemain matin, le sujet n'avait pas été évoqué. « Merci pour l'enveloppe », avait risqué Nell vers l'heure du thé. Agnes avait répondu par un sourire pincé et chagrin. Sa déception appesantissait l'atmosphère. Nell pouvait à peine respirer quand elles étaient dans la même pièce.

« On a raison de faire ça. C'est une bonne idée. J'en suis sûre, a repris Agnes en faisant ricocher quelques petites pierres plates.

— De quoi ?

— Toi. D'aller chez oncle Albie et Mary Kate. Je suis sûre que c'est la meilleure solution. On s'occupera de toi là-bas. Albie est un bon bougre malgré ses grandes phrases et son nœud pap. Et ce sera commode d'avoir Mary Kate sous la main pendant les premières semaines du bébé. Ils prendront soin de toi. À eux deux, ils pourront te consacrer plus de temps que moi. » Froncement de sourcils perplexe. « Comment on va faire pour l'équipement ?

— L'équipement ?

— Le lit, le landau… Qu'est-ce que tu comptes faire ? Les expédier avant ton retour, ou tu préfères attendre et on achètera des choses ici ?

— Je ne sais pas.

— Il serait temps de commencer à savoir.

— Je ne sais même pas ce qu'il va me falloir. »

Agnes a pincé les lèvres, fait ricocher une nouvelle pierre.

« Non, c'est vrai. Tu sauras ça bien assez tôt.

— Je pourrai expédier des choses si besoin.

— Bon. Alors on fera comme ça. »

Elles ont longé l'eau jusqu'au bout de la crique, là où l'un de ses bras s'avançait dans la mer. Agnes ne cessait de murmurer tout bas. Nell lui a tapoté le dos.

« Quoi ?

— Je disais, je suis sûre que c'est une bonne idée. »

Nell se demandait si elle devait faire couper ses cheveux informes dès son arrivée à Oxford. Une frange, peut-être, une frange assez longue – comme ça, si elle ne lui plaisait pas, elle pourrait la rabattre en arrière avec un bandeau. Elle se demandait si ses vêtements auraient l'air très démodés. Si Mary Kate avait une machine à coudre, elle pourrait y faire des ajustements. Elle trouverait des idées dans les magazines.

« Qu'est-ce que tu vas dire à Paudie et Julia ? a-t-elle demandé distraitement.

— La même chose qu'à tous les clients qui posent la question. Je dirai que t'es partie là-bas pour aider oncle Albie, qu'il avait besoin d'un coup de main. Je dirai pas qu'il est malade, mais c'est ce que les gens liront entre les lignes. Comme ça, on cachera une chose avec ce qu'ils croient être une autre. J'ai déjà fait ça. Quand ton père a commencé à perdre du poids, je me suis mise à tousser pour détourner l'attention de lui ; sinon, ils l'auraient rendu dingue avec leurs questions.

— Et à l'école ?

— Pareil. Tu peux redoubler l'année, pas vrai ? Écoute, Nell, les gens ont pas besoin de savoir avant que ce soit fait. Je veux pas te faire peur, mais les choses pourraient mal tourner. Ou bien tu pourrais changer d'avis, décider que tu veux faire adopter le bébé – je dis juste ça comme ça, hein. Pas la peine de faire cette tête, jeune demoiselle. Pour le moment, t'en sais rien. Il peut se passer plein de choses dans les mois qui viennent. Donc on dira rien jusqu'à ton retour. On affrontera la tempête seulement quand on sera obligées. »

Elle est restée face à la mer à balayer des pellicules imaginaires des larges épaules de son manteau. Elle sait, a pensé Nell. Elle sait que je ne rentrerai pas. Pas avant longtemps. Elle faisait rouler des galets avec son pied et, quand elle a levé les yeux, Agnes l'observait attentivement avec ce curieux demi-sourire sur les lèvres. *Elle sait*.

« C'est une lourde responsabilité, tu sais. Je suis étonnée que tu te sentes prête. Ta vie t'appartiendra plus avant un sacré bout de temps. »

Nell ne se souvenait pas que sa vie lui eût jamais appartenu.

« Quand Da est mort, paix à son âme, je vous ai regardées toutes les deux, Bridget et toi, et je me suis demandé : Au nom du ciel, comment est-ce que je vais faire ? Comment je vais me débrouiller pour faire tourner le pub et être une mère convenable en même temps ?

— Tu as été parfaite. »

Agnes a jeté un regard à sa fille.

« Ah bon ? Vraiment ? » Puis, enfonçant un talon dans la vase au bord de l'eau : « Je me demande.

— Tu ne seras pas toujours déçue », a alors lâché Nell. Des larmes perlaient au coin de ses yeux.

Agnes s'est raidie comme si un millier de volts venait de la traverser. Sa bouche n'était plus qu'une mince ligne blanche. Elle a scruté les yeux de sa fille un instant, puis baissé les siens en toute hâte. C'était comme si, sans le vouloir, Nell venait de mettre des mots sur cette chose non dite qui se dressait entre elles. Elle aurait aimé pouvoir les rattraper dans les airs. Agnes a mis un moment à reprendre contenance. Ses mains ont recommencé à s'affairer, envoyant valser par paquets les pellicules imaginaires. Ses joues étaient comme aspirées de l'intérieur.

Finalement, elle a dit : « Je veux plus jamais, *jamais* de ma vie t'entendre dire une chose pareille. » Et elle a fait le geste de frapper Nell tandis que, simultanément, son autre bras prenait sa fille par la taille et la serrait contre elle. Elles sont restées ainsi, enlacées, pendant plusieurs minutes. Les mouettes tournoyaient au-dessus de leur tête, la mer clapotait sagement autour de leurs chevilles.

Agnes a reculé la première et toutes deux ont enfoui les mains dans leurs poches en contemplant fixement leurs pieds immergés. « Comment on a fait ? » a demandé Agnes avec un rire poussif. Elle voulait parler de l'eau, mais la question aurait aussi bien pu concerner leur étreinte. Elles ont échangé un regard embarrassé. Agnes s'est penchée pour scruter le flot limpide, a fourragé parmi les pierres et a ramassé un galet gris ovale dont l'une des faces était couverte d'un maillage blanc. La pierre était originale, même pour une collectionneuse aussi exigeante qu'elle. Elle l'a tenue à la lumière afin qu'elles puissent l'examiner toutes les deux.

« Celle-ci fera l'affaire, a-t-elle déclaré, et elle a laissé tomber la pierre dans la poche de son manteau, puis tapoté la petite bosse. Eh bien, je vais devoir me faire la conversation toute seule pendant quelques promenades, j'imagine. »

Nell relève la tête d'un coup. Elle était en train de contempler l'écume qui bouillonne à ses pieds, cherchant du regard une pierre grise veinée de blanc comme du marbre, quand la première déflagration a retenti. Elle regarde le ciel, s'attendant à voir un éclair succéder à ce coup de tonnerre isolé. Une autre détonation déchire l'air, suivie d'un écho geignard. Cette fois, elle comprend tout de suite que le bruit provient d'un fusil.

Elle se met à courir, s'arrêtant juste avant le fossé pour reprendre haleine. Un troisième coup de feu retentit, si proche qu'elle se dit qu'il provenait peut-être de l'intérieur de la caravane. Le sang afflue à ses oreilles. De fines gouttes de pluie accrochées au bout de ses cils brouillent sa vision. Des oiseaux s'élèvent au-dessus des arbres en poussant des cris indignés. Elle trébuche sur l'une des branches entrecroisées des deux aulnes et s'étale de l'autre côté. Elle se relève en chancelant, mais sa cheville gauche cède aussitôt.

Grace hurle près du mur de pierre qui sépare les deux champs ; ses bras battent l'air violemment. Soudain, elle s'arrête et couvre sa bouche de ses mains. Nell cligne des yeux pour s'éclaircir la vue. Ali est étendue à plat ventre près de la caravane. Elle se relève et se tourne légèrement vers sa mère. Une tache rouge vif s'étend sur son sweatshirt. Ses mains sont couvertes de sang. Elle semble vaciller. Adam se tient un peu plus loin, fusil contre l'épaule. Il se tourne pour suivre le regard d'Ali et le canon se retrouve pointé droit sur Nell.

« Ali ! Ali ! » hurle celle-ci en se frottant les yeux pour en chasser la pluie.

D'une main, Ali fait signe à Grace de rester où elle est, puis elle avance de quelques pas en tournant la tête de côté et d'autre, comme désorientée ou incrédule. Nell s'approche en boitillant – suffisamment pour entendre son gémissement rauque. Elle la regarde tomber à genoux.

12

Dans sa main, Nell tenait quelque chose qui mettait en jeu tous les sens. La façon dont oncle Albie remuait son verre, approchait son nez en bec d'aigle pour en inhaler le contenu ; le velours rouge qui semblait adhérer aux parois ; le son que produisait le liquide lorsqu'il le faisait circuler dans sa bouche – tous les sens : elle l'a immédiatement compris. Il a hoché la tête pour lui faire signe que c'était son tour. Elle a porté le ballon de saint-émilion à ses narines, inspiré, remué, inspiré de nouveau. Elle était si anxieuse de l'imiter parfaitement que la première gorgée a failli descendre de travers. Elle a gardé la seconde en bouche un moment en l'aérant entre ses dents – moins bruyamment qu'il ne l'avait fait ; il exagérait chaque geste à dessein pour bien lui montrer comment procéder. La majeure partie de ce qu'il a dit lui est passée au-dessus de la tête.

Il s'est étendu sur les arômes mûrs et juteux de fruits rouges et noirs, sur les bases de terre et de chêne fumé. Il lui a fait voir le vin devant une source lumineuse pour lui montrer la persistance de ses nuances profondes et foncées. Nell l'a regardé discourir, le visage aussi animé que celui d'un enfant, et s'est émerveillée de son émerveillement. C'était juste un peu de liquide rouge au fond d'un verre, bon sang. Le vin n'était pas très demandé au pub à l'époque, mais elle savait comme tout le monde que si on en buvait trop, on avait de la peine à tenir sur ses jambes, comme avec le porter.

Néanmoins, la fascination que le breuvage exerçait sur son oncle la subjuguait. Elle a pris une autre gorgée, mais ce n'est pas la terre dont il lui parlait qu'elle a détectée. Non, ce qui lui est venu à l'esprit, ce sont les éclats de pierre qu'on répandait chez elle sur les routes après les avoir goudronnées. La texture siliceuse et triangulaire, avec un soupçon de goudron par-derrière, visqueux comme un sirop noir. Lorsqu'il a évoqué les fruits rouges, elle a songé aux framboises d'automne poilues qui surgissaient sur un arbrisseau solitaire dans la cour envahie par l'herbe de la maison de sa mère. De la rhubarbe sauvage, a-t-elle dit, s'adressant autant à elle-même qu'à son oncle. Ce dernier a ouvert de grands yeux. Au-dessous de la maison, a-t-elle expliqué, là où on traverse le fossé pour prendre le chemin qui conduit à la crique, on suçait les tiges de rhubarbe jusqu'à en avoir des crampes d'estomac, Bridget et moi. Mais elle était bonne, verte à la base, aigre et sucrée à la fois. Continue, a-t-il dit. Nell a goûté encore une fois. Quels fruits noirs ça t'évoque ? Pas noirs, a-t-elle dit. Bruns. Une *impression* de brun, cette espèce de… tristesse qui te prend à la fin d'octobre, juste avant l'arrivée de l'hiver.

Oncle Albie a regardé Mary Kate, laquelle a roulé des yeux avant de revenir à la brassière qu'elle était en train de tricoter. Il a ouvert une bouteille de chablis, puis a humé son verre et dit qu'il trouvait du miel et du beurre, et puis des jacinthes sauvages, peut-être, en tout cas quelque chose qui rappelait le printemps. Qu'en pensait-elle ? Nell a inhalé, viré rouge cramoisi et détourné le regard. Oncle Albie a insisté. Le drap du dessous du lit de sa mère, a-t-elle finalement répondu. Il a froncé les sourcils et humé le verre une nouvelle fois. Des draps ? Oui, du lin peut-être. Nell n'a pas ajouté : du lin imprégné de sueur, de crème Pond's et d'urine sentant l'ammoniaque. Elle était stupéfaite qu'il prenne au sérieux tout ce qu'elle racontait. Pour elle, ça a commencé comme un jeu, à peine plus élaboré que *I Spy*[1]. Certaines attitudes de son oncle la faisaient glousser – les oh et les ah et le grand gargarisme, comme aurait dit sa mère. Mais l'attention fervente et sans mélange qu'il lui accordait, à elle et à tout ce qu'elle avait à dire, agissait comme une drogue.

Elle a songé au bébé qui, chaudement blotti dans l'abri liquide de son utérus, prenait part à cette conversation exotique, et sa main est

1. Variante du jeu des devinettes.

furtivement descendue pour caresser la protubérance de son ventre. Il y avait là une nouvelle personne qui attendait de respirer son lot d'air. Les aiguilles à tricoter de Mary Kate cliquetaient à une allure vertigineuse ; si le métal n'avait pas été enrobé de plastique, elles auraient produit des étincelles. Pour la première fois, Nell a pris conscience de ce qui était sur le point de se produire. Avant d'arriver à Oxford, elle aurait pu être enceinte d'une banane que cela n'aurait fait aucune différence. Mais, ce soir-là, elle a senti un premier frisson d'impatience la parcourir. Elle savait d'instinct, avec une absolue certitude, que ce serait une fille. Ali, elle l'appellerait Ali, en souvenir d'Alison, la mère de son père. Et, une fois le nom trouvé, l'enfant est devenu réelle. Nell se sentait prête à affronter un troupeau de gnous, à plonger dans une fosse pleine de serpents venimeux pour protéger cette petite chose. Ali aurait droit à une table rase, une page blanche sur laquelle écrire son histoire, délestée du bagage fantomatique du passé de sa mère. Elle appartiendrait entièrement à Nell, et Nell lui appartiendrait entièrement. Avec si peu d'années d'écart que des inconnus pourraient même les croire sœurs.

Ils ont continué toute la soirée. Au bout d'un moment, oncle Albie lui a fait recracher le vin pour qu'elle ne soit pas saoule, et pourtant elle se sentait grisée, étourdie, excitée par l'horizon qui s'ouvrait à elle, par le renouveau vivifiant que lui offrait ce vocabulaire du goût. Un renouveau qui, en même temps, incorporait tout ce qui avait été. Elle a relevé des goûts de sable, de galets marbrés, d'eau fétide du fossé ; des goûts de mousse de bière, de pâquerettes, de jupe plissée d'écolière empestant le lait tourné ; de cérumen, d'encre répandue par un bic fuyant, de rouille sur le garde-boue arrière d'un vélo ; de l'écharpe rouge de Bridget quand elle avait mangé un sachet de chips, de la rigole à urine qui courait d'un mur à l'autre des toilettes hommes, de la croûte noire cerclant l'intérieur du pot d'échappement d'une Morris Minor. D'une Morris Minor ? l'a coupée oncle Albie. Si précis que ça ? Ouais, a répondu Nell, enfin, je crois. Bien sûr, a-t-elle ajouté, c'est juste ce que j'imagine. Ce n'est pas comme si j'avais été lécher un pot d'échappement pour de bon. Tout ce que tu voudras, a dit son oncle. Tout ce que tu imagines.

Des années plus tard, en se rendant à un événement professionnel, elle a appris à utiliser un vocabulaire pour le groupe et un autre dans sa tête. On ne pouvait pas communiquer le particulier au grand nombre. Pas ce qui était particulier à sa propre enfance. De temps à autre, ça pouvait éveiller un écho, mais le plus souvent, on s'exposait à désorienter complètement l'auditoire. En décrivant un austère et âpre savennières de la vallée de la Loire, elle pensait aux rondelles de citron piquées de clous de girofle noirs qu'on gardait au pub dans un bol en verre pour préparer les whiskeys chauds. Un saint-chinian à dominante de syrah, presque trop lourd pour se laisser boire facilement, lui rappelait la confiture de mûres de Julia, difficile à étaler et poivrée sur la langue. Et, toujours, il y avait la pluie. La bruine légère et florale du printemps. Les grains tempétueux et salés de l'hiver. Les gouttes qui se mêlaient à la pommade étalée sur des lèvres gercées. Le goût saumâtre et tourbeux d'une pluie récente fusionnant avec les eaux ternes d'un lac dans la calebasse d'une colline. Un bon vin pouvait évoquer toutes sortes d'expériences disparates et souvent purement personnelles. Un bon vin libérait une myriade d'informations sous la voûte de son crâne. Et un excellent vin était la somme de tout son savoir réuni. Son chez-elle, pour ainsi dire, au bout de sa langue, chaque fois qu'elle en avait la nostalgie.

Ali se penche sur le poney mort pour tenter de masquer à Grace les trous sanglants. Deux à l'encolure et un, le dernier, à la tête. Près du mur, Grace sanglote inconsolablement. Adam jette le fusil à l'arrière de la voiture qu'il vient d'atteler à la caravane. Un petit sourire malveillant danse sur ses lèvres, mais Nell a la curieuse impression qu'il s'agit avant tout d'une pose, comme s'il mettait en scène des rites de départ qui font désormais partie intégrante de son armure. Encore un lieu qu'il a échoué à faire sien. Encore des gens qu'il doit délibérément rejeter afin d'occulter leur rejet à eux et de se convaincre que si tel ou telle, à tel ou tel moment, ne s'était pas interposé, ils auraient pu l'accepter.

« Va voir Grace, dit doucement Ali à sa mère. Ne la laisse pas approcher.

— Espèce de salopard, lance Nell en bousculant Adam pour passer. Vous n'aviez pas à faire ça.

— Je n'aime pas laisser des choses derrière moi. »

Cela ne dure qu'une seconde, mais Nell surprend chez lui un petit éclair de honte. Il a eu son moment de triomphe, mais il n'est pas inhumain et connaît le remords.

« Vous auriez pu lui laisser ce maudit poney. Qu'est-ce que ça pouvait vous faire ?

— Rien. Je m'en fiche. »

Adam touche l'encolure du bout du pied, espérant peut-être qu'Ali lèvera les yeux pour absorber pleinement le message. Mais elle reste penchée sur Terence en secouant légèrement la tête ; elle a encore peine à croire ce qui vient de se produire.

« Quel être petit et mesquin vous faites, crache Nell, qui revient en arrière d'un pas. Dans une certaine mesure, ce n'est peut-être pas votre faute. Et vous n'avez peut-être vraiment pas eu de chance. Mais vous aviez de l'affection pour Gracie, et vous savez qu'elle traverse une période difficile. Vous auriez pu vous forcer à vous rappeler ce que c'est. »

Malgré lui, Adam jette un coup d'œil à l'enfant en larmes. Il s'empresse de détourner le regard. Tuer le poney était la seule façon qu'il connaissait d'éradiquer ses sentiments pour elle.

« D'une manière ou d'une autre, vous serez toujours dans une caravane, Adam. Dans l'arrière-cour de quelqu'un d'autre. Dehors. À regarder dedans. »

Adam balaie l'insulte d'un battement de cils, mais elle l'a atteint. Petite satisfaction, mais satisfaction tout de même. Il hésite une seconde, muet et blême d'impuissance. C'est entièrement la faute de Nell s'il doit partir. Et partir les mains vides offense son sens personnel de l'équité. Les recettes de la semaine et l'image du visage hagard d'un mari trahi : tel est le strict minimum qu'il estime lui être dû en contrepartie d'une enfance minable confinée dans un mobile home en compagnie d'un père ivrogne et violent. En un autre temps et un autre lieu, Nell aurait même pu avoir pour lui un élan de compassion ; mais pas cette fois ni ici, chez sa fille. Elle adjure intérieurement

Ali de ne pas le regarder, de ne pas lui faire ce plaisir. Et jubile en la voyant se tourner, tête toujours baissée, dans la direction opposée.

« Va voir Grace, Maman, s'il te plaît », insiste doucement Ali.

Il n'y a rien au monde que Nell ait plus envie de faire, mais elle ne veut pas donner l'occasion à Adam d'avoir le dernier mot avec Ali. De tenter une dernière fois de la duper ou, pis, de l'insulter en tant que femme – son apparence, l'odieux parfum de son ridicule amour pour lui, combien il a détesté chaque seconde de contact entre eux. Non, Ali aura assez de peine à se remettre comme ça. Nell soutient le regard d'Adam jusqu'au moment où il fait volte-face et monte en voiture en claquant la portière. Les roues creusent la terre molle et humide, cherchant une prise. Nell se dirige vers sa petite-fille. Lorsqu'elle se retourne, voiture et caravane sont en train de rejoindre cahin-caha le sentier plein d'ornières qui remonte vers la maison. Elle presse le visage sanglotant de Grace juste sous sa poitrine, mais garde les yeux rivés sur la voiture. Adam ne se retourne pas une seule fois.

Là-haut, dans la cour, Nick vient de rentrer avec des sacs de courses. Sa tête pivote pour suivre Adam qui passe devant lui. Il pose les sacs et descend à travers champs, son pantalon flottant autour de jambes maigres à faire peur – deux vieux drapeaux miteux enroulés sur leurs hampes.

« Adam a tué Terence, parvient à articuler Grace. Pourquoi ? *Pourquoi ?* » Elle lève des yeux écarquillés vers Nell.

Impossible d'expliquer à une enfant que les élans de cruauté gratuits des autres enfants dans la cour de l'école se perpétuent chez certains adultes. Sinon, quel espoir aurait-elle pour son avenir ? Impossible de lui expliquer que, pour se venger de devoir partir les mains vides, Adam s'est offert le plaisir d'annihiler la seule bonne chose qu'il pouvait laisser derrière lui. Donc Nell ne dit rien.

Sans un mot, Nick lui prend doucement Grace des bras. L'enfant sanglote convulsivement. Il attire sa tête contre son flanc et caresse ses cheveux bruns, des caresses tendres et apaisantes, tout en braquant des yeux interrogateurs sur la courbe du dos tourné d'Ali. Nell est sur le point de dire quelque chose, mais il pose un doigt sur ses lèvres. Sa tête pâle et anguleuse s'incline d'un air résigné. Sa collusion silencieuse perdurera. Sous la lumière oblique, ses joues paraissent si creuses qu'elles semblent avoir été évidées à la pelle. Il prend Grace par la main et tous deux remontent lentement vers la maison.

Nell reste près du mur. Ali se relève, tremblante. Va voir Grace, Maman, a-t-elle dit.

« Je suis drôlement content qu'il soit parti, même si la pauvre petite a du chagrin pour le poney. Je lui souhaite bien du guignon, en tout cas. » Paudie remonte les épaules. « Je t'avais pas dit qu'il avait un drôle d'air ?

— Combien de fois faut-il te le répéter, Paudie, que t'avais raison ? demande Julia depuis l'intérieur de la maison.

— Celle-là, un de ces quatre matins, je m'en vais lui donner une bonne correction », marmonne Paudie à Nell. Il lève les yeux vers le ciel plombé et tend sa main ouverte, cherchant les gouttes. « Écoute, je vais te raccompagner à pied si tu veux pas qu'on prenne la voiture.

— Il y en a pour deux minutes. J'ai besoin de prendre l'air, dit Nell en s'éloignant.

— Il va tomber des seaux sur ta tête.

— Ça m'est égal. » Nell sourit.

« Nell, tu partiras pas sans dire au revoir ?

— Non, Paudie. Je ne partirai pas sans dire au revoir. »

Un peu plus haut, lorsqu'elle est sûre qu'il a fermé la porte, elle s'arrête et observe les sables lointains à travers l'enchevêtrement de la haie. Aucune trace de Bola faisant son jogging du soir. Peut-être est-il déjà passé. Le ciel s'affaisse sur une mer de couleur sale. Nell entoure son corps de ses bras, ignorant les premiers crachats qui s'abattent sur sa tête. Une mélancolique soirée d'octobre. L'impression de brun qu'elle éprouvait enfant à l'approche de l'hiver. Une profonde nostalgie la submerge. Tous ces gens qui ont glissé entre ses doigts, qu'elle ne verra jamais plus, ne *connaîtra* jamais plus. Le hasard que c'est de connaître qui que ce soit. De survivre à qui que ce soit. Ou même d'aimer qui que ce soit. Son portable est resté éteint depuis la veille. Elle ne voulait pas avoir d'appels à gérer. Mais plus encore, bien plus encore, elle ne voulait pas avoir à gérer l'absence d'appel d'Henri.

Le ciel se déchire et l'inonde en quelques secondes. Elle continue à regarder jusqu'à ce qu'il se fonde dans la mer en un unique voile gris. Les gouttes bombardent les feuilles luisantes de rhododendron sauvage, ruissellent en tresses liquides sur son visage. Elle pense à la vie qu'elle aurait vécue en restant ici, à la vie qu'il lui reste à vivre. Il fait presque nuit lorsqu'elle se retourne pour rentrer. Quelqu'un joue du violon à l'intérieur du pub. Des notes aiguës, perçantes vibrent à travers la pluie. La lumière jaune et chaude qui brille à la fenêtre paraît accueillante. Il y a quelque chose d'ancré, de solide dans une taverne – mais de transitoire en même temps. On passe et on s'en va : l'attrait du lieu, pour quelqu'un comme Adam, n'est pas très difficile à comprendre. Nell doit s'essuyer les yeux pour voir où elle va. Une silhouette mince franchit la porte du pub en s'enveloppant dans un imperméable et courbe la tête sous un déluge instantané. L'homme court jusqu'à une petite voiture, mais au lieu de monter, il s'arrête, se retourne et plisse les yeux pour voir Nell qui approche.

« Ah.

— Ah, te voilà », fait-il.

Nell reste à distance un moment, incrédule. Le soulagement fait trembler ses jambes. Elle regarde les petits triangles inversés de cheveux sombres plaqués sur son front, la pluie qui rebondit sur les épaules tombantes de son imperméable beige – neuf, pense-t-elle : il a préparé sa venue. Des perles minuscules scintillent au bout des cils ridiculement longs derrière lesquels ses yeux – lui-même, son essence, depuis toujours –, ses yeux sombres comme la tourbe, brillent d'une malice d'écolier teintée d'appréhension : comment prendra-t-elle cette visite surprise ? Ils se regardent en souriant, en se mordant la lèvre pour éviter de sourire trop béatement. Tant de désir et d'immédiateté et de *connivence* entre eux qu'ils doivent détourner les yeux un instant, expulser un peu d'air avant de s'observer à nouveau. Sur son visage à lui, un air de profonde autodérision, un sourire ironique, en coin : on n'a pas un peu passé l'âge ? Il penche la tête de côté, attendant qu'elle vienne jusqu'à lui. Elle doit faire le premier pas.

« Tu as l'air sorti d'un vieux film en noir et blanc, dit-elle en s'approchant.

— Imagine l'effet que ça me fait. »

Elle entre dans le cercle formé par ses bras, pose la tête sur son épaule trempée. Malgré la pluie, toutes les odeurs familières viennent aussitôt lui chatouiller les narines. Le tabac grillé, la bière qu'il vient de boire, l'après-rasage au bois de cèdre. Si elle pouvait préserver ce moment, elle s'en envelopperait comme dans une couverture chérie, en remontant les bords jusqu'à son nez.

« Je pourrais t'inhaler. En une inspiration. »

Elle rit et enfouit son visage près de son cou, dans ce creux dont elle n'aurait jamais cru qu'il lui manquerait tant.

« Tu pourras essayer. Plus tard. »

Ils s'embrassent, lèvres mouillées et collantes de pluie, puis se détachent, un peu penauds, un peu gênés de se trouver là, trempés jusqu'aux os et s'accrochant l'un à l'autre comme des ados. Elle regarde les milliers d'aiguilles argentées qui tombent, illuminées par la fenêtre du pub.

« Si je ne détestais pas ce mot, je dirais que c'est plutôt romantique. »

Bien sûr, c'est encore une fichue bouffée de chaleur, mais, cette fois, elle peut faire semblant de rougir d'autre chose. Car en réalité, si étrange que cela puisse paraître, il n'y a pas d'autre mot : elle se sent… intimidée. Gauche et bête et si liquide d'excitation qu'elle pourrait lui sauter dessus, là, sur le sol détrempé. Son souffle est rapide et tremblant d'impatience.

« Nell », dit-il, et un énorme sourire plisse le contour de sa bouche.

Elle caresse les petites poches de peau du bout des doigts.

« Laisse-moi deviner. Tu es grand-père.

— Oui, acquiesce-t-il d'un air heureux. Jeanne. Elle tient là-dedans. » Il met ses mains en coupe. « Minuscule. D'une beauté indescriptible, bien sûr, et forte ! Mon Dieu, tu aurais dû la voir lutter pour survivre. Deux semaines entières, et tous les jours on pensait : C'est la fin. Elle ne pourra pas se battre plus longtemps. Des tubes presque aussi gros qu'elle qui sortaient de partout.

— Pourquoi tu ne m'as pas dit ?

— Si elle n'avait pas tenu, je te l'aurais dit. La dernière fois qu'on s'est parlé, j'étais devant l'hôpital. Ils lui ont donné l'extrême-onction ce soir-là. Je ne pouvais pas parler, Nell, je ne pouvais vraiment pas. Tu sais, ces moments où on ne peut pas parler parce qu'on retient son souffle ? Parce que si on le dit, ça risque d'arriver ? Elle va rester en unité pour prématurés quelque temps, mais hier, je lui ai acheté une cuiller, et je peux te dire que je n'ai jamais été aussi heureux de recevoir une garantie à vie.

— Oh, Henri.

— On est assez mouillés, tu crois, ou il faut qu'on reste encore un peu dehors ?

— Je crois que ça n'a pas d'importance. Je ne peux pas être plus mouillée que je le suis déjà.

— Que si, tu peux», fait-il avec un grand sourire en la prenant par la main.

Les mots se bousculent dans le noir. Ils parlent à un rythme staccato, comme s'ils craignaient que la lumière du jour ne ramène avec elle les vieux blocages, les vieux empêchements. Henri raconte à Nell qu'une étrange cordialité s'est fait jour entre Lucienne et lui, que, confrontés au risque de perdre leur petite-fille, ils ont réussi à se rapprocher, comme deux adversaires éprouvés et las de la guerre, unis par la peur et le respect mutuel pour les anciens combats gagnés et perdus. Qu'ils se sont découvert de la bienveillance l'un envers l'autre, ainsi qu'une dose de compassion qu'il aurait crue impossible quelques mois plus tôt. Et que c'est cette bienveillance qui leur a confirmé, à tous les deux, que leur mariage était définitivement mort.

Il évoque sa colère envers Nell ces dernières années, confirmant ce qu'elle soupçonnait déjà, à savoir qu'il a remarqué chaque regard détourné, chaque petit soupir irrité lorsqu'il s'approchait d'elle. Chaque fois, il se promettait de rester éloigné pendant une longue période, de lui laisser le temps de le regretter, de se laisser le temps de voir combien il la regretterait réellement. Mais, comme une abeille irrésistiblement attirée par la fleur suivante, puis la suivante, il était irrésistiblement attiré par son rejet. S'était même débrouillé pour le confondre avec une forme d'amour.

Il lui parle de ses projets pour le Domaine, de la procédure de divorce ; il chuchote, le chuchotement plein de vie d'un homme qui vient d'être pour la première fois véritablement confronté à sa mortalité. Son enthousiasme pour le temps qui lui reste – considérable, espère-t-il – est contagieux. On dirait un adolescent contemplant pardessus le parapet des décennies de possibilités déployées devant lui. Il prend soin de parler de ses projets au singulier, d'omettre le rôle qu'elle pourrait jouer dans leur réalisation. À sa manière, il la soulage ainsi de tout sentiment de devoir ou de responsabilité vis-à-vis de son avenir.

Allongée dans ses bras, à l'écoute, les yeux fixés sur l'obscurité, Nell a la sensation qu'un énorme fardeau quitte progressivement ses épaules. Un énorme poids dont elle n'avait encore jamais pris conscience. Pour la première fois, lui semble-t-il, ici, dans le lit de sa mère, dans la chambre à coucher de sa mère, elle n'éprouve plus ce besoin rampant, insidieux de le tenir à distance. Elle lui parle des semaines qui viennent de s'écouler, de ses inquiétudes concernant Ali et Grace ; concernant Nick aussi – elle a fini par s'attacher à cet être étiolé mais constant. Et comme, pour une fois, il ne tente pas d'offrir des solutions ni de prodiguer des conseils, elle creuse plus profond et découvre avec saisissement qu'elle a passé sa vie entière à aimer à distance. En attendant des autres qu'ils respectent ce besoin, et en battant en retraite quand, immanquablement, ils commençaient à réclamer davantage. Elle est également frappée de s'apercevoir que c'est la seule manière dont elle sait aimer. Toujours en retrait, toujours à reculons, jamais de son propre mouvement.

Ils font l'amour pour la deuxième fois avec de longs, d'interminables baisers, bien plus intimes que la pénétration. Elle enroule ses jambes autour des fesses d'Henri et l'attire plus profond jusqu'au moment où toutes les vieilles résistances fondent, la laissant ouverte, retournée, un réceptacle. Elle s'imagine réduite à un vagin chaud et visqueux, une bouche qui l'aspire tout en le laissant explorer à sa guise, sans interdit. Ils poussent de petits soupirs en serrant leurs doigts entrelacés, comme pour marquer ce renouveau d'eux-mêmes en entités séparées qui se fondent l'une dans l'autre. Sentant l'orgasme approcher, Nell ferme les yeux et se laisse choir totalement, sans griffes imaginaires pour la retenir, dans un néant paradisiaque.

Ils dorment un court moment. Dans son rêve, Nell se déhanche, comme lorsqu'elle cherchait le contact rassurant du corps d'Agnes dans le lit. Elle se réveille en battant des paupières ; c'est contre le corps d'Henri qu'elle se serrait. D'un geste somnolent, il l'attire plus près de lui et pose une cuisse en travers de la sienne. Ils tentent de se rendormir, mais il y a trop de choses à dire. Eux-mêmes s'amusent de cette volubilité presque enfantine – on dirait que les mots ne peuvent pas sortir assez vite. Tandis que la nacre délavée de l'aube s'immisce dans la pièce, ils se délectent de savoir qu'ils sont grands-parents, qu'il y a toute cette joie en réserve pour eux, qu'ils sont, décidément, chanceux et bienheureux. Et peuvent encore baiser comme des lapins, quand les circonstances l'exigent.

Une lumière clignote à l'endroit où Nell a laissé son portable, signalant un message. Elle bâille et saisit l'appareil à tâtons. Henri ronfle doucement à côté d'elle ; il sourit dans son sommeil lorsqu'elle lui embrasse le bout du nez. Elle reconnaît immédiatement la voix du pharmacien. Le type s'étend à loisir. Quand le message s'achève, elle sort du lit pour le réécouter.

Henri s'assied, à demi réveillé.

« Qu'est-ce que c'est ? Nell ?

— Tout va bien. Rendors-toi. Chhhut », dit-elle en lui posant un doigt sur les lèvres.

Il retombe sur l'oreiller. Nell écoute encore, appareil calé entre l'oreille et l'épaule, en descendant l'escalier pour aller frapper à la porte de Nick.

Il est debout à la fenêtre, les yeux plissés et larmoyants. Comme s'il s'obstinait à regarder dehors pour s'infliger une forme de punition. Il s'essuie les yeux avec un mouchoir en papier froissé et lui adresse un pâle sourire. Une odeur suave et écœurante d'expectorants alourdit l'atmosphère. Dehors, la pluie a provisoirement fait place à un ciel bas et argenté.

« Nell ?

— Je me posais des questions sur ce remède qu'Adam te donnait.

— Les herbes ? » Un mince sourire se dessine sur les lèvres de Nick. « Eh bien ? » Il s'assied sur le lit, tel un homme attendant la sentence. « Tu l'as fait analyser ? »

Nell hoche la tête, surprise qu'il soit parvenu si vite à cette conclusion.

« Cyanure ? Arsenic ? » poursuit-il sur un ton ironique, chargé d'autodérision. Mais un réel soupçon perce aussi dans sa voix. Soupçon qui ne l'a pas empêché d'absorber le mélange de son plein gré.

Nell s'assied tout près de lui et serre sa main dans la sienne.

« Non, Nick, rien de ce genre, dit-elle pour briser la tonalité lugubre de cet échange. Ils ont trouvé des poils de chat dans l'échantillon. Le mélange contenait une forte dose de glycoprotéines, et c'est justement ça qui cause le problème. Apparemment, ces trucs-là sont présents dans la salive et l'urine de chat et, comme les chats passent leur temps à faire leur toilette, leur poil en est couvert. On a retrouvé pas mal de poils dans le mélange d'Adam. Il y en a plein la chambre, sur les draps, les oreillers, partout, et en plus tu les buvais. Le technicien du labo a eu une intuition et a appelé la Allergy Foundation. Certaines personnes présentent une réaction violente qui peut se manifester de toutes sortes de manières, pas juste les symptômes évidents comme le rhume des foins. Écoute – écoute ce qu'en dit le pharmacien. (Elle fourre son portable dans la main de Nick.) Il y a un moment où il pourrait te décrire exactement. Le manque d'énergie, la perte de poids, les yeux larmoyants et bien sûr plus sensibles à la lumière, les mucosités, tout. Ça ne s'est sans doute pas manifesté avant parce qu'il n'y a jamais eu autant de chats autour de toi. Peut-être quelques éternuements ici ou là sans que tu t'en aperçoives. Tu dis que tu as fait des examens, mais est-ce que tu as parlé de tous ces foutus chats dans la maison ? »

Nick écoute le message en soutenant tout du long le regard de Nell. Ensuite, il lui rend calmement le téléphone et reste assis sans bouger, mains osseuses mollement croisées sur ses genoux.

« J'étais censé retourner à l'hôpital pour une série de tests d'allergie, dit-il, un peu honteux.

— Pourquoi tu ne l'as pas fait ? »

Il ne répond pas tout de suite. Ses mains se crispent.

« Je voulais rester ici, dit-il finalement, et il tourne la tête pour regarder Nell. Je crois que tu sais pourquoi.

— Je vois, dit Nell en lui rendant son regard. C'était toi avec le fusil, n'est-ce pas ? La nuit où Ali a couru chez Paudie et Julia. »

Un instant d'hésitation, puis Nick incline la tête.

« Je pensais que si je tenais bon, ça passerait peut-être.

— Adam et Ali, tu veux dire.

— Là, reprend Nick au bout d'un moment. C'est dit. » Il paraît soulagé. « On était défoncés, Ali et moi. Je ne le nie pas. Un champignon magique. Je m'en doutais depuis un moment, de toute façon : elle ne pouvait plus me regarder dans les yeux. » Un semblant de sourire déforme sa bouche. « Elle m'a dit qu'elle m'aimait encore et toutes les conneries qu'on sort à quelqu'un avant de lui dire qu'on en aime un autre plus que lui.

— Je suis désolée.

— Ouais. » Nick déglutit laborieusement, attend d'avoir repris contenance pour poursuivre. « Je voulais le tuer. Ou elle. Quelqu'un, en tout cas. Peut-être moi. Ouais, c'était vraiment une scène édifiante. Elle aurait pu nous valoir un Oscar. Ali a détalé chez Paudie et Julia ; moi, je suis resté assis à la table de la cuisine avec un canon de fusil dans la bouche. C'est pas beau, ça ? J'ai repensé à ma vie entière, à mon père la Tête de Nœud, aux années de bourlingage avec Ali – je ne sais pas si c'était le champignon, mais j'ai tout revu en un éclair, si clairement que j'aurais presque pu toucher le petit garçon que j'étais. J'ai pensé : Je suis un naze, je suis le raté que mon père voyait en moi. Nick le Raté. Et puis – peut-être que l'effet de la drogue retombait – j'ai imaginé Grace descendant petit-déjeuner et trouvant des morceaux de ma cervelle collés au plafond. Je me suis fait un thé et j'ai attendu le retour d'Ali. On n'en a pas reparlé depuis. » Il a un sourire amer. « Si elle veut me mettre dehors, je serai obligé de partir. »

Nell ouvre la bouche pour sortir un banal propos rassurant, mais Nick a raison : si Ali veut le mettre dehors, légalement, il n'a aucun argument valable. Si sa santé s'améliore une fois les chats partis, il faudra bien se confronter au problème. Peut-être qu'à sa manière, il était heureux de rester malade. Une précaire façon de s'accrocher, sans doute, mais la seule qu'il avait à sa disposition. Nell pousse un long soupir, commence à épousseter des poils de chat, se ravise.

« Où irais-tu ? demande-t-elle.

— Je ne sais pas, répond Nick en haussant les épaules. Il faudrait que je reste dans le coin pour être près de Grace. »

Nell le regarde, surprise, une fois de plus, par son endurance silencieuse.

« Je suis contente que tu aies dit ça.

— Je ne reste pas juste pour Grace. Tu comprends ?

— Oui, je comprends. Et je suis contente de ça aussi. »

Nick se tourne une fois de plus vers la fenêtre, perdu dans ses pensées. La seule chose au monde qu'il ait à offrir : sa présence permanente. Une présence qu'Ali souhaite et rejette à la fois. Difficile de savoir qui plaindre dans cet embrouillamini. Elle qui a passé sa vie à éviter si soigneusement les détritus de celle des autres. Maintenant, elle est là et ne peut plus y couper. Obligée de se frotter au désordre, à l'agitation et à un fouillis insensé d'émotions contradictoires. Il n'y a rien de parfait dans l'amour, pense-t-elle, rien de pur ni de noble, comme dans les romans qu'elle lisait jeune, quand elle rêvait de contrées lointaines. À ses débuts, il est peut-être blanc et lumineux comme la neige, mais c'est en eaux grises et troubles qu'il réside. Une image d'Agnes – cet autre modèle de ténacité – avec son sourire ambivalent surgit dans son esprit.

« Bizarre, tu ne trouves pas, que quelqu'un, un type dont on ne sait rien, ait le pouvoir de créer un tel chaos.

— Ce n'est pas lui, fait Nick au bout d'un moment. Je ne l'incrimine pas, si c'est ce que tu crois. Le chaos est en nous. Là-dedans (il se tapote la poitrine), en permanence, à attendre de pouvoir sortir.

— Qu'est-ce qu'on peut faire ?

— Vivre avec », répond-il d'un air sombre, puis il baisse les yeux vers la cour. Il sait comme Nell ce qu'il leur reste à faire et l'idée l'emplit d'appréhension. « Grace sera de retour d'ici quelques heures. »

Vingt-deux chats et chatons occupent un assortiment de boîtes et de petites cages posées sur le sol de la remorque de Paudie. Il a attaché celle-ci à sa voiture avant de venir aider avec Julia. Nell a assigné une pièce à chaque adulte et, depuis le début de l'après-midi, ils vont et viennent – mordante procession – entre le véhicule et la maison. S'acquittant de leur tâche la mort dans l'âme, et ce de plus en plus à mesure que le retour de Grace approche.

« C'était le dernier dans sa chambre », annonce Julia. Un chaton se tortille dans ses mains gantées. Elle lance à Henri un regard contrit, comme pour dire : Quel moment vous avez choisi.

Les miaulements et gémissements accusateurs qui s'échappent de la remorque les font grincer des dents ; chacun tente d'éviter les yeux des autres, ces miroirs de trahison. Deux ou trois matous particulièrement courroucés, après avoir dignement résisté, leur lancent des regards sinistres à travers les barreaux en métal.

« Et c'est jamais que ceux de la maison, observe Paudie en se caressant le menton. Va falloir faire venir le véto pour ramasser ceux qui sont dans la remise. Y en a la moitié qui sont des vraies bêtes sauvages. J'ai jeté un œil à l'intérieur et j'ai repoussé le verrou illico. » Il lance à Henri un timide regard par en dessous. Han-ree, l'appelle-t-il. « Ah ça, Hanree, vous pourriez peut-être me passer cette dernière cage là-bas. Merci, vous êtes bien brave. »

Nick est adossé près de la porte de la véranda. Il n'a pas pu aider mais, comme par déférence pour Grace, il a tenu à observer la manœuvre jusqu'à son amère conclusion, ne s'interrompant que pour servir les rares clients du pub. Ali l'a évité, fuyant son regard, se contentant de lui tendre des tasses de thé en silence. Nell a loué deux aspirateurs industriels dans une bourgade proche ; le village n'avait rien de ce genre à offrir.

Son sweat-shirt noir ressemble à un pull en mohair. Ses gants empestent la pisse de chat. Les litières de la chambre de Grace et de la cuisine l'ont fait courir, prise de nausée, jusqu'à l'évier le plus proche. De temps à autre, elle entendait Ali pousser un sanglot solitaire et angoissé, mais celle-ci l'étouffait bien vite et se remettait au travail. Ils n'ont pour ainsi dire pas échangé une parole. Vers l'heure du déjeuner, ils se sont tous arrêtés pour boire une tasse de thé ; personne ne pouvait rien avaler d'autre. Ils sont restés debout autour de la table de la cuisine à siroter leur thé dans un silence morose. De temps en temps, Julia disait : C'est pour la bonne cause, et tout le monde grognait ou hochait la tête. Mais la bonne cause ne consolait personne.

Ils font une dernière vérification pour s'assurer que chaque pièce a été vidée de ses occupants. Toutes les fenêtres ont été ouvertes. Un bidon de désinfectant attend près des aspirateurs.

« Je vais commencer par ta chambre, Nick », dit Nell.

Celui-ci lève une main et tente un faible sourire. Il y a quelque chose d'encore plus exsangue qu'avant dans son comportement, comme si la possibilité que sa santé s'améliore sonnait, paradoxalement, la fin de son bien-être. Paudie tapote les poches de son pantalon pour trouver ses clés de voiture. À quatre-vingt-deux ans, avec sa vue défaillante, c'est sans doute un danger public sur la route, mais Julia a chuchoté à Nell tout à l'heure : « Je me charge des longs trajets. Il fait que les petits. Tout le monde le connaît dans le coin, les gens s'écartent pour le laisser passer – et vite fait, tu peux me croire. »

« Bon. Alors, je vais y aller », dit Paudie.

Il doit emmener les chats chez le vétérinaire, qui est un de ses amis. On trouvera peut-être des foyers à certains des chatons, mais quand Nell lui a demandé ce qui allait arriver aux autres, il a haussé les épaules et craché par terre. Qu'est-ce qu'elle croyait ? La même méthode qu'on utilisait depuis toujours. Pas la peine de gaspiller ces piqûres hors de prix sur des fauves dans leur genre.

« Atlantide, nous voilà ! » lance-t-il en montant en voiture.

Les chats chouinent comme des bébés tandis que la remorque s'éloigne en cahotant sur les dalles irrégulières de la cour.

« Il fallait le faire », dit Nell sans s'adresser à personne en particulier.

Henri lui serre le bras.

« Inutile de prolonger le calvaire, ajoute-t-elle d'une voix pâteuse. Autant qu'ils ne soient plus là quand elle rentrera.

— Bien sûr », dit Henri.

Ali s'excuse et se dirige vers le pub. Quand elle passe près de sa mère, celle-ci s'aperçoit qu'elle tremble de la tête aux pieds.

Grace sent qu'il se passe quelque chose à la seconde où elle franchit la porte de la véranda. Déjà, elle s'est peut-être demandé pourquoi aucun de ses amis ne venait se frotter contre elle pour l'accueillir. Nell, Henri et Julia échangent des regards : qui va le faire ? Mais Ali surgit du pub et entraîne doucement Grace dans un coin à l'écart. Nell a beau tendre l'oreille, elle n'entend pas ce que dit sa fille. Elle est debout, penchée en avant, mains posées sur les épaules de Grace. Celle-ci ne dit pas un mot, mais sa bouche s'ouvre légèrement. Une rougeur envahit son visage, qui devient écarlate en un instant ; seul le haut de ses oreilles conserve sa couleur habituelle. Elle lance un regard à Nell. Il n'y a pas de larmes, mais la rougeur devient incandescente. La voix d'Ali monte dans les aigus, justificatrice et implorante à la fois. Ils l'entendent répéter les mots de Nell : Il fallait le faire. Il fallait le faire, Gracie.

Grace se débarrasse de son sac à dos. Elle dégage ses épaules des mains de sa mère, fermement, mais sans violence. Le sac à dos gît à ses pieds. Elle l'enjambe et se dirige vers l'escalier. Julia fait claquer sa langue d'un air compatissant.

« Tu ne veux pas un verre de lait, un biscuit, quelque chose ? » lance Ali à sa fille.

Au pied des marches, Grace se retourne. Elle regarde sa mère comme si mille lieues les séparaient. Ses yeux bruns ont l'éclat lustré des marrons d'Inde. Elle paraît fiévreuse.

« Non », dit-elle.

Le mot sonne comme un grognement, l'exclamation incrédule de quelqu'un qui vient de prendre un poing dans l'estomac et qui, tout en ressentant la douleur, n'a pas encore pleinement intégré la violence du coup. Grace monte l'escalier en courant. Ils attendent que la porte de sa chambre claque, mais rien – juste le silence.

Le silence s'éternise tandis qu'ils se lancent des regards coupables à la dérobée. Ali fait quelques pas vers le pub, puis change d'avis et monte à son tour. Elle redescend deux minutes plus tard, perdue dans ses pensées, avec un air qui n'annonce rien de bon.

« Elle a mis quelque chose devant la porte. Je ne peux pas entrer. Et elle refuse de me répondre.

— Pauvre chou, dit Julia. Elle doit être en train de pleurer toutes les larmes de son corps.

— Non, je ne crois pas. » Ali paraît plutôt troublée par le silence. « Je n'entendais pas un bruit. Rien.

— Où est Nick ?

— Parti voir s'il peut acheter un poney.

— Mais comment il le ramènerait ?

— Qu'est-ce que tu veux que j'en sache, Nell ? fait Ali sèchement. Il compte peut-être le monter. » Elle passe ses mains sur son visage, pousse un profond et tremblant soupir. Depuis le départ d'Adam, elle a tout juste réussi à manger assez pour ne pas défaillir, tout juste réussi à poser un pied devant l'autre. « Désolée, Henri. C'est une terrible manière de t'accueillir. Vraiment, je suis désolée.

— Ne t'en fais pas pour moi.

— Ali, reprend Nell, écoute, si Nick n'est pas de retour dans une heure ou deux, va donc voir s'il a besoin d'aide. Je m'occuperai du pub. Un poney. Ça, c'est une bonne idée. D'accord ? D'accord, chérie ? »

La lèvre inférieure d'Ali tremble. Elle se contente de hocher la tête.

Le pub reste calme durant toute la première partie de la soirée. À cette heure-ci, il y a surtout des vieux. Comme c'est étrange de tirer des pintes de Guinness, de répéter les gestes routiniers de son enfance, sous le regard interdit d'Henri. Il observe la façon dont elle coupe le premier col de mousse à l'aide de la spatule, jauge l'état de la bière avant de la replacer sous le robinet, remplit un verre de whiskey au bouchon doseur tandis que son autre main tape agilement un montant sur la vieille caisse enregistreuse. Elle éprouve un chatouillis de plaisir à partager avec lui cette partie de sa vie.

« Je vais aller voir comment va Grace », dit-elle une fois que les commandes ont cessé.

La porte de la chambre est toujours fermée quand elle monte, et ne bouge pas lorsqu'elle secoue la poignée.

« Allons, chérie. Viens donc manger quelque chose. »

Rien. Nell tente une autre approche.

« Tu auras peut-être un nouveau poney bientôt. Ton poney à toi, Grace. Il va falloir bien t'en occuper. »

Pas de réponse. Nell tambourine à la porte.

« Écoute, je sais que tu as beaucoup de peine, mais tu veux que Papa aille mieux, n'est-ce pas ? Tu pourras peut-être garder un chat dans un abri dehors. Viens, chérie. Tu ne peux pas rester enfermée là-dedans éternellement. Grace ? Grace ? »

Elle abandonne après quelques essais supplémentaires. En redescendant, elle crie par-dessus son épaule : « Je vais poser quelque chose à manger et à boire devant ta porte. D'accord ? »

Dans la cuisine, elle prépare des toasts aux *baked beans* et un verre de lait. Elle court servir en vitesse une ou deux pintes, puis remonte l'escalier bruyamment.

« Je pose le plateau devant ta porte. Des toasts aux *baked beans*. Je redescends maintenant, donc viens vite les chercher et mange pendant que c'est chaud. J'y vais. Tu m'entends ? Je redescends. Je suis partie. »

Arrivée au bas de l'escalier, elle tend l'oreille, mais ne perçoit ni bruit ni mouvement au-dessus d'elle. Il est presque sept heures. Les quatre carrés de ciel terne que dessine la fenêtre de la cuisine commencent à s'assombrir. Que font Ali et Nick ? En tout cas, ils ont intérêt à dégoter un poney, maintenant qu'elle en a parlé à Grace. Mieux encore : peut-être qu'ils l'ont attaché le temps de discuter de leurs problèmes. Chouette alors ! songe Nell en se moquant d'elle-même.

Il y a une feuille de papier pliée sur la table. À l'intérieur, les pattes de mouche de Paudie, presque couchées sur la gauche ; il a écrit en majuscules pourtant. Il a dû venir pendant qu'elle tentait de convaincre Grace de sortir de sa chambre. Il explique qu'il passait juste dire que l'affaire était réglée – c'est l'expression qu'il emploie. Le véto a pris deux chatons, mais n'en voulait pas un de plus. Après ça, avec un jeune gars, ils ont conduit la voiture jusqu'en haut d'Eagle Rock et jeté les autres. Il s'étend longuement – il a rempli la page – sur le fait qu'ils n'aiment plus trop utiliser la mer pour ce genre de chose à cause des marées. Il y a deux lignes raturées où, manifestement, il tentait de justifier le choix du lac ; puis il s'est ravisé, certainement à cause de Bridget. Il espère que la petite va mieux. Il passera boire une bière plus tard. Paudie.

Nell s'assied et plie et replie distraitement la feuille jusqu'à ce qu'elle ne soit plus qu'un petit paquet carré. Elle se sent mal à l'aise et, un instant, horriblement coupable à la pensée de ces malheureux chats, mais pas assez pour faire taire un estomac privé de nourriture toute la journée. À lire entre les lignes, et à en juger par la longueur de son message, Paudie n'était pas non plus enchanté de sa cruelle mission. Mais c'est un homme de la campagne, qui ne s'embarrasse guère de sentiments pour les animaux. Nell fait griller de nouveaux toasts et verse dessus le restant de *baked beans*. Le brouhaha du pub monte d'un cran ; la nourriture, avalée trop rapidement, forme des grumeaux au fond de sa gorge. Les brûlures d'estomac pour s'être pressée de manger à cause du pub : elle s'en souvient parfaitement. Elle a à peine le temps d'essuyer son assiette avec un toast ramolli qu'Henri passe la tête par le rideau. Même pas le temps de boire une tasse de thé. De la main, elle lui fait signe qu'elle arrive.

Elle commence à servir au bout du comptoir, sourcils haussés en forme d'interrogation silencieuse. Les gens ont attendu patiemment, ne doutant pas que quelqu'un finirait par arriver pour leur donner à boire. C'est un petit pub perdu au milieu de nulle part ; l'attente fait la moitié du plaisir. Le vieux qui jouait du mélodéon a l'air un peu instable sur son tabouret, mais Nell remplit son verre quand même. Il y a toujours une certaine brutalité dans le boulot de serveur de bar. Sa mère pouvait resservir un type jusqu'à ce qu'il tombe ou presque ; elle savait qu'il y aurait toujours quelqu'un pour le raccompagner.

Deux jeunes crados, comme aurait dit Agnes, portant les cheveux longs et la barbe et munis l'un d'un banjo, l'autre d'un flûtiau, entament un petit air traditionnel dans un coin. D'abord pour rigoler, mais ils s'enhardissent en voyant les gens se tourner vers eux. Malgré elle, le pied de Nell se met à battre en mesure. Elle n'a pas complètement surmonté son dégoût pour ce genre de chose, elle qui, chaque été, devait endurer les trois sessions hebdomadaires de ballades imposées par Agnes. Mais les deux types sont bons musiciens et il est difficile de résister. C'est bien, songe-t-elle dans un bref accès de sentimentalité, que la musique de l'ancien temps soit toujours jouée, qu'elle ait toujours sa place dans ce jeune pays en plein essor. Quand le joueur de banjo et le joueur de flûtiau font une pause pour commander une bière, laquelle leur est offerte par les hommes accoudés au comptoir, elle s'aperçoit qu'ils sont tous les deux anglais.

« C'est joli, dit Henri en hochant la tête en rythme. Traditionnel. »

Il cherche quelque chose dans sa poche de derrière – son appareil photo, s'aperçoit Nell. Elle lui lance un regard torve.

« Sors ce truc et tu es un homme mort.

— Ils seraient contre ?

— Moi, je suis contre.

— Mais je suis un touriste.

— Plus maintenant, non. » Elle sourit.

Il se met à pleuvoir. De fines gouttes s'engouffrent dans le bar dès que la porte s'ouvre. Chaque fois, Nell lève les yeux, s'attendant à voir Ali ou Nick, mais les heures ont passé et ils n'arrivent toujours pas. Deux jeunes femmes s'enquièrent d'Ali, comme d'habitude. Nell tente d'engager avec elles une conversation à bâtons rompus, mais ça ne lui vient pas facilement, pas comme à Ali, et elle sent dans leurs réponses une politesse un peu contrainte. Bola entre et commande la première de ses deux pintes ; elle lui demande des nouvelles de sa fille. Pas de nouvelles, dit-il avec regret. Toujours pas de nouvelles. Et il va s'asseoir seul à sa table habituelle. Quand Paudie entre dans le pub, le vieux joueur de mélodéon est en train de se joindre aux musiciens : il fredonne tout haut tandis que ses doigts déformés par l'arthrite pianotent en l'air sur un accordéon fantôme. Il a l'air aussi exalté que frustré – enfin, il a surtout l'air saoul. À la faveur d'une nouvelle pause, il oscille sur son tabouret, ferme les yeux et entonne une ballade en agitant une main pour entraîner les autres. On dirait qu'il chante par le nez.

Lorsqu'il s'arrête pour vider son verre, Nell tente de lui dire un mot à voix basse. Une jeune femme roule des yeux et l'informe qu'elle perd son temps, que rien ne peut l'arrêter une fois qu'il est lancé. Le joueur de banjo profite de l'accalmie pour réattaquer, mais Mélodéon renverse la tête en arrière, puis la laisse retomber avec un mugissement – le même qui ouvre tout son répertoire : ça fait *ouaouuu*, puis ça va en descendant. Nell a l'impression que sa tête va se fendre en deux. Un rire étouffé secoue les épaules d'Henri. Il rassemble les verres vides et passe derrière le comptoir pour les laver dans l'évier. Nell a peine à détacher ses yeux de lui – si naturel, si à l'aise, qu'on dirait qu'il se tenait à la même place hier soir. Il surprend son regard et sourit d'un air penaud.

À vous ! brame Mélodéon. Qui prend son tour ? Qui ? Ça, faites-nous donc entendre quelque chose qui vient d'Afrique, du Nigeri-aaa ! Paudie blêmit. Bola fait semblant de ne pas entendre. C'est qu'il doit y avoir des chansons formidables dans ce coin-là, poursuit Mélodéon, qui a réussi à pivoter sur son tabouret pour lui parler. Allez, faites donc honneur à votre patrie ! Chantez, mon brave ! Racontez-nous vos héros !

Bola lance à Nell un regard contrarié. Celle-ci tire une bière en grimaçant. Le banjo fait entendre quelques notes encourageantes, son propriétaire tourné vers Bola. N'importe quoi fera l'affaire ! Quelque chose qui vient de chez vous, ce que vous voudrez. À présent, quelques murmures épars viennent grossir le flot d'exhortations du vieux. Bola, toujours assis, se contente de secouer la tête. À part casser une bouteille sur la tête de Mélodéon, Nell ne voit pas comment l'arrêter. Et ses sollicitations se font plus mordantes, avec une pointe de défi, de sarcasme envers ce pays incapable de produire un chant nationaliste digne de ce nom. Un vieil homme exhibant de vieilles blessures au comptoir tandis que plus bas, sur la plage, les blessés récents, encore à vif, courent avec leurs plaies béantes. Soudain, Bola se lève. Le brouhaha diminue d'un coup. Nell croit qu'il va sortir en claquant la porte. Lentement, il jette un regard à la ronde. Serre ses poings de géant. Ouvre la bouche.

« *I saw the light on the night that I passed by your window...* »

Des têtes se tournent, des épaules se haussent, interloquées. Bola les ignore et ferme les yeux pour poursuivre.

« *I saw the flickering shadows of love on your blind...* »

Quelques gloussements et cris joyeux se font entendre, maintenant que les gens reconnaissent la chanson. Même Paudie s'autorise un petit rictus. Après les émotions de la journée, Nell sent sa poitrine s'alléger ; elle se met à chanter à pleine voix, bras levés vers les bouteilles renversées, et imagine Tom Jones en poupon bouclé sur les genoux de sa mère – un grand diplomate en devenir.

« *Why, why, why, Delilah ?* » Des mains tambourinent en rythme le long du comptoir – da da dadadada dum – « *Why, why, why, Delilah ?* » Bola continue à chanter et achève avec un poing douloureusement plaqué sur son front : « *Forgive me Delilah, I just couldn't take any more.* » Et toute la salle de reprendre en chœur : « *Forgive me Delilah, I just couldn't take any mo-ore.* »

La tête d'Ali surgit de derrière le rideau.

« Qu'est-ce qui se passe ? demande-t-elle à Nell. Pas question que je le paie. »

Nell la rejoint dans la cuisine. Nick est assis devant la table, l'air vidé, épuisé.

« On a trouvé un poney, annonce Ali. Au bout du troisième essai, et il a fallu parlementer pour l'avoir. On est restés dîner sur place une fois l'affaire conclue. »

Ses yeux sont rouges et bouffis. Nick se détourne ostensiblement quand elle regarde dans sa direction.

« Où est Gracie ?

— Toujours dans sa chambre, répond Nell. Je n'ai pas pu la persuader d'en sortir.

— Elle n'y est pas en ce moment, dit Ali en fronçant les sourcils. Je viens d'aller vérifier.

— Tu es sûre qu'elle ne se cache pas sous le lit ou quelque chose ?

— Oui. La porte était grande ouverte et j'ai bien regardé. C'est son plateau sur la table ? »

L'assiette est vide, le verre également. Une main glaciale enserre le cœur de Nell. Elle saisit les poignées du plateau.

« Nell ? »

Elle soulève, osant à peine regarder dessous, mais il est là : le mot de Paudie, non plus réduit à un petit carré, mais déplié et étalé bien à plat, par la main de Grace.

13

Après que Nell a lu le mot à voix haute, un silence glacial passe sur la cuisine, un moment de répit durant lequel ils tentent d'assimiler le message du point de vue de Grace. Ils cherchent des trous dans l'information, des blancs qu'elle n'aurait pu remplir elle-même, mais Paudie est quelqu'un de méthodique et il n'a rien omis. Néanmoins, ils restent suspendus à ce calme inquiétant qui s'impose quand on s'accroche encore au doute, avant que les pires soupçons soient totalement avérés.

Ali s'éclaircit la gorge.

« Ça fait combien de temps qu'elle a pu lire ça ?

— Je ne sais pas, répond Nell. Des heures, peut-être.

— Des heures », répète Ali pour elle-même, calculant quelque chose.

Henri entre en séchant un verre avec une serviette.

« Nell, le pub…

— Merde ! Le pub. »

Nick se hisse sur ses jambes ; il doit s'appuyer sur la table pour se soutenir.

« Je vais prendre le relais. Paudie est là ? Bon, eh bien, il me donnera un coup de main. Ali, vérifie bien la maison, partout. Puis la cour et… » Il les regarde avec désespoir. « Nell, combien de temps ça prendrait à une petite fille de monter là-haut ?

— Environ deux heures, j'imagine. Peut-être plus de nuit. Mais je crois qu'il y a une route maintenant ? »

Ali hoche la tête. Son visage est tiré comme de la toile goudronnée, sa peau couleur de craie écrasée. Elle commence à s'agiter, va vérifier la véranda, rentre regarder dans un placard sous l'escalier. Elle monte en courant et redescend presque aussitôt. Sa respiration est courte et haletante.

« Ses bottes ne sont plus là. Elle a pris deux vestes, deux torches électriques et même des piles. »

Nell se dirige rapidement vers le pub pour dire un mot à Paudie, puis revient en gardant les yeux au sol.

« On ferait mieux d'y aller. »

Sa voix sonne étrangement calme à ses propres oreilles, comme un écho porté par une mer tranquille. Bien que l'angoisse se lise sur leur visage, elle détecte la même étrange quiétude, la même retenue dans la voix des autres. Ils ont le droit de craindre le pire, mais ils ne doivent pas le dire.

« Nick, Paudie fait le service. Il vaut mieux que tu restes avec Henri pour le cas où elle serait dans les parages.

— Mais elle n'est pas ici ! » Ali ne parvient pas à contenir une note de panique. « Tu sais bien qu'elle n'est pas ici.

— Je viens avec vous », dit Henri.

Il est arrêté par la supplique silencieuse de Nell. Nick est trop épuisé pour fouiller à fond la maison et la cour. Des yeux, elle signifie à Henri qu'il vaut mieux qu'il s'en charge.

« Il faut qu'on appelle quelqu'un ? » crie-t-il aux deux femmes.

Mais elles sont déjà en train de décrocher des manteaux, des chapeaux, tout ce qu'elles peuvent trouver sur les patères de la véranda. La porte se balance sur leur passage. Une pluie violente s'abat aussitôt sur leurs têtes.

« Des lampes ! » crie Ali, une main sur la portière de la voiture de sa mère.

Elle rentre en courant et ressort au bout de quelques secondes avec une petite lampe de poche et une lanterne à pétrole.

« Je garde ça dans le pub pour les coupures de courant », explique-t-elle une fois assise dans le véhicule.

Nell met les essuie-glaces à fond et braque en marche arrière, manquant percuter le côté de la véranda. La voiture s'éloigne avec un vilain crissement de pneus sur le macadam rugueux.

« Où ? Où est l'entrée de cette route ?

— Tourne à gauche. Il faut contourner la colline. À droite – à *droite*, Nell !

— Désolée. Garde un œil sur le fossé. »

Des eaux en crue s'accumulent à la jonction entre la route principale et le chemin tortueux qu'elles doivent emprunter. Deux vagues jumelles jaillissent de part et d'autre de la voiture quand Nell traverse, pied au plancher. S'il continue à pleuvoir comme ça, il sera bientôt impossible de passer. Le chemin monte en décrivant une série de lacets. Nell doit repasser en première. Même à cette allure, si par extraordinaire elles rencontraient une voiture dans un de ces perfides virages, la collision serait presque inévitable. On ne voit rien sur les côtés, rien que les ténèbres, la forme vague des broussailles et une pluie battante. Le chemin, pour ne rien arranger, est grêlé de nids-de-poule et hérissé d'herbe en son milieu.

Soudain, Nell pile et se met à rouler beaucoup plus lentement.

« Avance. Pourquoi tu ralentis ?

— Avec cette pluie, je pourrais ne pas la voir à temps.

— Tu as raison. » Pour la première fois, Ali se tourne vers sa mère. Une ligne immobile en lieu et place de bouche. « Nell ?

— On va la trouver. Ça va aller », fait Nell sans lui rendre son regard implorant.

Le chemin prend fin brusquement dans une petite clairière qu'on a élargie pour créer un parking de fortune. Nell s'arrête juste au bord afin que les phares éclairent l'obscurité en contrebas. Les deux femmes distinguent les contours émoussés de rochers épars, un sentier tracé dans l'herbe haute par les marcheurs, la silhouette fantomatique d'aubépines rabougries dont les branches tordues dégoulinent de pluie. Ali s'apprête à bondir hors de la voiture quand sa mère lui fourre sans ménagement un manteau et un bonnet dans les mains. Elles s'emmitouflent rapidement dans la chaleur brumeuse de la voiture.

« Je vais laisser le moteur en marche et les phares allumés. Ça nous éclairera peut-être jusqu'au lac. Histoire d'économiser la lampe et la lanterne. Tu as des allumettes ?

— Oui.

— Elle connaît vraiment cette route ? demande Nell, soudain prise de doute. Je veux dire, elle n'aurait pas essayé de monter par l'autre côté, près de chez Paudie et Julia ?

— Non. C'est par ici qu'elle est montée avec moi. Viens. »

Leurs manteaux sont trempés en quelques secondes. À cette altitude, un vent violent hurle dans leurs oreilles. Il découpe la pluie en nappes superposées, d'un blanc grisâtre dans la lumière des phares. Ali dévale à l'aveuglette le sentier frayé dans l'herbe par les marcheurs. Sa mère peine à la suivre et parvient tout juste à saisir le pan de son manteau.

« Doucement. Tu vas buter sur une pierre. Ralentis. »

Ali s'arrête carrément. Nell manque lui rentrer dedans.

« Je ne vois rien. Tu vois quelque chose ? »

Elles s'immobilisent l'une près de l'autre, regard braqué vers le bas. Les phares n'éclairent que jusqu'au rebord devant elles ; ensuite, le sentier plonge à pic.

« Il va falloir utiliser la lampe de poche. »

Elles poursuivent leur chemin avec précaution ; la lampe n'éclaire pas à un mètre devant elles. Ali renverse la tête en arrière et se met à appeler frénétiquement.

« Grace ! Gracie ! »

Malgré le sentier de fortune, leurs pieds sombrent dans une boue spongieuse qui forme une pâte humide sous leurs semelles. Cent mètres plus loin, Ali glisse et fait des moulinets avec les bras avant de s'étaler sur le dos. Nell lui tend la main pour l'aider à se relever.

« Ça va ? »

Ali repart tête baissée, braquant la lampe à droite puis à gauche dans les ténèbres humides.

« Grace ! »

Dans ce vent et cette pluie, leurs hurlements ne portent pas à plus de dix mètres. Elles doivent marcher l'une derrière l'autre. Nell tend le bras pour saisir la main d'Ali. Si la lampe s'éteignait, elles pourraient facilement se perdre. Elle sent les articulations noueuses, les os saillants de la main de sa fille, la façon dont son poignet grêle se plie et se déplie pour s'ajuster à leur trajectoire zigzagante. La pression de cette chair mouillée contre la sienne a quelque chose de rassurant. Ça va ? demandent-elles encore et encore. Attention où tu mets les pieds. Gaffe à cette pierre. Quel temps de chien. Ça glisse ici, enfonce bien le talon. Ça va ?

Ces mots gratuits, prononcés d'une traite, comme en état de transe, leur procurent un certain réconfort, de la même manière qu'un banal rituel quotidien devient un repère essentiel en période de tension ou de chagrin. Avant d'atteindre le lac, elles ne feront pas allusion à leur pire crainte, à la plus terrifiante de toutes leurs frayeurs. Elles éprouvent même une curieuse euphorie causée par l'adrénaline – leur être tout entier concentré sur chaque instant qui passe. La marche, la pluie, l'obscurité, chaque trébuchement, chaque souffle intensifié par la terreur de ce qui les attend, rendu précieux, délectable – il n'y aura peut-être plus jamais de moment où le pire n'était pas encore sûr.

En atteignant le bas de la pente, elles sont enrouées à force de crier. La lampe éclaire deux points lumineux rouges – les yeux effarés d'un mouton qui s'apprêtait à traverser devant elles. Il bondit hors de leur champ de vision.

« Elle doit être terrorisée.

— Si elle est ici », ajoute Nell, bien qu'elle n'en doute guère.

Ali s'arrête devant elle.

« Mais qu'est-ce qu'elle a pu penser ? Qu'il les avait lâchés sur les rives du lac ? Qu'il les avait jetés dedans ? Quoi ? »

Nell marmonne quelque chose. Inutile de souligner que les chats devaient être enfermés dans des sacs de grosse toile garnis de lest, que Grace l'a entendue parler du trou au milieu du lac, qu'elle aura compris que Paudie et son auxiliaire visaient cet endroit-là. Elle a dû penser qu'ils les avaient jetés à l'eau un par un et que, si elle arrivait à temps, elle pourrait repérer quelques survivants. Nell frissonne irrépressiblement.

« Ça va ? fait Ali.

— Oui, j'ai juste froid.

— Regarde ! »

Le faisceau de la lampe dessine une ligne ondulante sur une eau noire comme de l'encre. Elles s'approchent.

« Nell, s'il lui est arrivé quelque chose... » La voix d'Ali s'étrangle.
« Chhut... Éclaire autour de nous. »

Il y a un panneau sur la droite, au bord de l'eau. Et un autre loin sur la gauche. Les avertissements dont parlait Julia, sans doute. Grace aura-t-elle pris le temps de les lire ? À l'endroit où elles se tiennent, devant le premier clapotis d'eau noire, la terre engloutit leurs pieds jusqu'aux chevilles. Elles doivent tirer sur leurs jambes pour faire un pas en avant. La lumière de la lampe trace un chemin jaune brisé, déchiqueté sur le noir avant de se dissoudre dans les ténèbres. La pluie crible la surface impénétrable du lac. Brusquement, Ali lâche la main de sa mère et entre dans l'eau jusqu'à mi-mollet.

« Ali, reviens ! Tu ne peux pas...

— Tiens-moi la main alors, crie Ali. Je vais avancer tout doucement. Tiens-moi bien fort. Si je perds pied, tu pourras me retenir.

— C'est trop risqué par ce temps.

— Nell. » Ali tourne la tête vers sa mère ; Nell distingue juste les contours de son visage dans le halo de lumière de la lampe. « Qu'est-ce que je peux faire d'autre ? Est-ce que j'ai le choix ?

— Attends. Qu'on allume au moins la lampe à pétrole. »

Ali hésite une seconde, puis revient vers Nell. Elles tentent d'abriter les étincelles balbutiantes avec leur corps tandis qu'Ali gratte allumette sur allumette. Enfin, une flamme se stabilise et Nell brandit la lanterne devant elle. Son autre main se tend vers celle de sa fille et l'enserre dans une poigne d'acier. La lampe de poche décrit de grands arcs devant Ali. Quand celle-ci avance trop vite, Nell la force à ralentir. L'eau remonte le long de leurs jambes de pantalon comme de l'encre qui se répand sur du papier buvard, si froide que leurs lèvres gelées laissent échapper des gémissements. Aux rares moments où le vent tombe, Nell perçoit la sourde et fervente incantation d'Ali et lui fait écho dans sa tête : S'il vous plaît, s'il vous plaît. Un marchandage avec Dieu, ou les éléments, ou les Furies elles-mêmes. Les deux femmes progressent centimètre par centimètre jusqu'à avoir de l'eau juste au-dessous du genou. La pluie fouette leur visage ; Nell a l'impression qu'elle est chargée de prescience, en deuil de tous les fragiles êtres vivants.

Dans ce coin de notre tête qui demeure effroyablement calme, irrationnellement raisonnable au cœur de la crise – ce lieu sombre et mystérieux où le pire est déjà éprouvé, testé et analysé avant de se confirmer –, Nell ne peut s'empêcher de voir une étrange et, paradoxalement, exquise symétrie dans la situation. Voilà plus de quarante ans qu'elle a, pour la dernière fois, posé les yeux sur cet endroit. Quarante ans que ses jambes glacées, grelottantes, se sont tenues dans ces eaux sombres et impitoyables. Il y a presque une linéarité mathématique dans les événements de ces dernières heures. Une partie de son cerveau lui dit : Quelle est la probabilité ? Comment cela pourrait-il arriver ici encore une fois ? Et une autre partie, calme et détachée : Mais bien sûr, cet épisode était loin d'être clos. Bien sûr qu'on est ici en pleine nuit, sous la pluie, à chercher Grace. Ses pieds sont deux poids morts pataugeant dans le sillage de sa fille.

Qu'espère Ali ? Quel espoir insensé nourrit-elle ? Qu'arrivées au point où les eaux deviennent tumultueuses, elles trouveront Grace en train de fixer les profondeurs ? Qu'elle se retournera comme au ralenti et rebroussera chemin en les voyant venir ? À quoi bon préciser qu'elle n'a aucune chance, si elle est bel et bien venue jusqu'ici ? La seule chose à faire, en cet instant, c'est de se cramponner de toutes ses forces à la main d'Ali, même si celle de Nell est déjà lourde et engourdie. Ali n'est pas Agnes : elle n'a ni le poids ni la force nécessaires pour combattre l'aspiration comme l'a fait sa grand-mère en plongeant et replongeant dans ce tourbillon qui menaçait d'engloutir Nell. Non, Ali sombrerait comme un copeau de bois. Nell est soudain prise de nausée : une image de Grace, fine et fragile comme une feuille d'automne, en train de faire ce fameux dernier pas.

« Regarde ! fait Ali en pointant la lampe à quelques mètres devant elles. Voilà le rebord.

— Attention. Vas-y doucement. »

Elles s'approchent avec précaution de l'endroit où le lac paraît soudain prendre vie. Il y a des mouchetures blanches intermittentes, un courant sous-jacent qui ondule sous la morte surface. Nell tire sur la main de sa fille. Elles ne sont plus qu'à quelques pas du bord du gouffre. Ali agite en tous sens la lampe de poche, mais il n'y a rien à voir, rien que des rideaux de pluie et, au-delà, des ténèbres impénétrables. Elle hurle le nom de Grace jusqu'à ce que plus aucun son ne sorte de sa gorge. Les deux femmes se déplacent latéralement, suivant une ligne parallèle à celle de l'eau mouvante. Nell s'attend à voir Ali plonger d'une seconde à l'autre. Sa main enserre le poignet de sa fille, mais le froid et la pluie rendent sa prise glissante et incertaine.

« Recule un peu, Ali. On est beaucoup trop près. »

Elles repartent dans l'autre sens en suivant le rebord. Il y a une note de défaite, de désespoir dans les appels éraillés d'Ali. Elles continuent d'aller et venir, mais leurs mouvements deviennent imprécis et trébuchants.

« Je ne sais pas quoi faire », s'écrie Ali en faisant un pas vers l'avant.

Nell resserre aussitôt sa prise et parvient à la tirer en arrière.

« On ne peut pas rester ici toute la nuit, dit-elle en se forçant à prendre un ton raisonnable. On est fatiguées et c'est dangereux. On va finir par faire une erreur.

— Je ne sais pas quoi faire », répète Ali. Ses épaules montent et descendent. « Comment je pourrais repartir ?

— Viens, chérie. Il *faut* repartir.

— Non ! »

Mais, déjà, elle laisse sa mère l'attirer loin du rebord. Nell soulève la lanterne, qui jette une lueur pâle et vacillante sur le visage anguleux d'Ali. Ses yeux disparaissent au fond d'orbites sombres et caverneuses.

« Je ne sais pas quoi faire », chuchote-t-elle d'une voix rauque tout au long du trajet jusqu'au bord du lac.

Il n'y a jamais eu la moindre chance pour qu'elles trouvent Grace là-bas dans le noir. Elles le comprennent parfaitement toutes les deux. Et pourtant, tant qu'il y avait quelque chose sur quoi se concentrer – fût-ce des élans aveugles, fous, irrationnels –, il ne semblait pas exclu qu'une équation simple émerge du chaos : nous cherchons, donc nous trouvons. Ali tombe à genoux dans l'eau bourbeuse tandis que l'austère élégance d'une autre équation prend possession de sa conscience : elles ont cherché, et n'ont pas trouvé.

« Elle est sûrement quelque part à la maison, dit Nell en s'efforçant d'avoir l'air convaincue par son mensonge. Au sec et bien au chaud, je parie. Elle a juste voulu nous punir quelque temps. Peut-être qu'elle veut qu'on croie qu'elle a fugué. Peut-être qu'elle *a* fugué. On ne peut rien faire de plus ce soir. Allons, je vais t'aider à te relever. »

Ali repousse la main de sa mère et, tremblante, commence à se hisser sur ses jambes. Le contact est plus qu'elle ne peut supporter, les mots d'espoir, qui pourraient leur revenir en pleine figure, également. Nell tient la lanterne bien haut pour éclairer le chemin de sa fille. Quelque chose accroche son regard au loin, près d'un des panneaux d'avertissement. Un mince éclat métallique reflétant la lueur de la lanterne. Sans un mot, elle s'avance rapidement le long de la rive. Au départ, elle ne voit rien. Ce n'était peut-être qu'un rai de lumière sur un clapotis. Elle décrit des cercles de plus en plus larges avec la lanterne et étouffe un cri en apercevant de nouveau le reflet. Elle se penche pour ramasser le cylindre noir strié d'or. Une pile. Elle la fourre rapidement dans sa poche et s'en retourne vers Ali.

« Quoi ? Tu as vu quelque chose ?

— Non. Juste mes yeux qui me jouent des tours. Allez, prends-moi la main. Je vais marcher devant cette fois. »

Elles se trompent de sentier et se retrouvent à une bonne distance de la voiture. En contournant un rocher, elles jettent un regard en arrière et voient les faisceaux des phares qui percent l'obscurité très loin sur la droite. Avec cette visibilité quasi nulle et le violent vent contraire qui les oblige à s'arrêter constamment, il leur faudrait plus d'une heure pour rejoindre le sentier qu'elles auraient dû prendre. Elles rebroussent chemin jusqu'à la bifurcation. Au bout d'un moment, les phares les guident et facilitent leur ascension à travers les ajoncs griffus et les buissons de bruyères. Ali s'effondre pratiquement sur le capot. Nell la pousse tant bien que mal dans la chaleur humide de la voiture.

Pendant un long moment, on n'entend que les sanglots déchirants d'Ali. Puis, comme si elle n'avait plus de combustible, elle sombre dans un silence hébété. Les deux femmes ne sentent plus leurs mains ni leurs pieds ; Nell a toutes les peines du monde à tourner le bouton du chauffage pour le mettre à fond. Le souffle d'air chaud et suffocant accentue l'humidité de leurs vêtements. Lentement, Nell enlève son manteau trempé et le chapeau cloche en laine qui adhère à son crâne comme une peau. Ali reste inerte et sans vie quand sa mère se penche vers elle pour la débarrasser à son tour. Il n'y a pas beaucoup de place pour manœuvrer et l'opération lui prend un bon moment. Quant aux jeans mouillés qui leur collent à la peau, il n'y a rien à faire, sinon espérer qu'ils tiédissent dans la chaleur de la voiture.

«Je ne rentre pas. Je reste ici, fait Ali d'une voix blanche.

— Comme tu voudras.»

Nell pose une main sur l'épaule osseuse de sa fille. Ali commence par résister, puis laisse aller sa tête sur le côté. Elles se blottissent l'une contre l'autre, le crâne tondu d'Ali niché dans le creux tiède et humide du cou de sa mère. Le moteur ronronne dans le silence. Il n'y a rien à dire. Nell vérifie la jauge d'essence : il en reste largement assez pour la nuit. Elle songe à la pile dans la poche de son manteau, maintenant étalé sur le siège arrière. Un petit cri se forme au fond de sa gorge, mais elle déglutit pour le faire taire et fixe devant elle la pluie qui danse et tournoie dans les faisceaux des phares. Elle passe en codes.

Y a-t-il eu un instant – si fugace, si éphémère ait-il pu être – où Bridget, en comprenant qu'elle ne remonterait pas à la surface, a éprouvé une joie étrange à la pensée que Nell avait pu se sauver ? A-t-elle eu une seconde inaltérée par la peur pour transférer sur sa sœur ses espoirs et ses rêves de gamine ? Ou bien a-t-elle, jusqu'au tout dernier moment, cru qu'une paire de mains allait surgir pour la tirer de là elle aussi ?

Une heure s'écoule avant que leurs frissons s'apaisent. La respiration d'Ali se fait plus régulière ; plutôt qu'endormie, on la dirait momentanément évanouie. Nell a mal à l'épaule à force de soutenir la tête de sa fille, mais elle n'ose pas bouger de peur de briser le cocon, de perturber ce précaire équilibre.

Jusqu'à ce que les plongeurs ramènent Bridget des profondeurs, un espoir secret, presque informe, a continué à luire au fond de sa mère et d'elle-même. Dans ces parties de leur être qui défiaient la logique et les corollaires, ces recoins où subsistait la croyance aux fées et aux lutins – et cela ne valait pas moins pour Agnes, dont la tête tendait sans cesse vers la porte de la véranda, que pour Nell. Cette incrédulité quand la mort nous frappe. Comment cela a-t-il pu se produire ? Comment cela a-t-il pu nous arriver à nous ? À Bridget la gazelle ? Ça devait être un tour de passe-passe, une de ces pirouettes lumineuses et imprévisibles dont Bridget avait le secret. Longtemps, il y a presque eu le sentiment d'avoir subi un affront, d'avoir été dupé – comme si elle avait loupé son coup.

Ali gémit et redresse la tête. Quand Nell se tourne vers elle, ses yeux caves et éteints regardent fixement par la vitre côté passager. Le jour venu, lorsqu'elles auront appelé les secours, Nell la prendra à part et lui parlera calmement de la pile. Inutile d'ajouter à ses tourments cette nuit.

« Ali ? »

Ali ne répond pas. Nell cale sa nuque endolorie contre l'appuie-tête et ferme les yeux. Elle se concentre pour tenter de *sentir* Grace – là, dehors, recroquevillée et apeurée sous la pluie battante. Mais elle ne sent rien. Juste le souffle humide et râpeux du désespoir de sa fille qui embrume un peu plus l'habitacle déjà brumeux. Un vent véhément fait vibrer la voiture. Quatre heures et demie, scintille l'horloge digitale dans l'obscurité. Déjà, des heures ont passé.

La descente de la colline a été la plus longue marche de sa vie. Il lui a semblé que des jours entiers s'écoulaient avant qu'elles n'aperçoivent le toit de la maison de Paudie et Julia niché dans un creux lointain. Auparavant, il leur avait fallu des heures pour se mettre en chemin. Quand Agnes avait émergé, semblable à une grande bête ruisselante, elles avaient longé le rebord à pas chancelants, les yeux fixés sur l'eau, comme si cela pouvait arracher Bridget aux sombres profondeurs. Comme si, d'une seconde à l'autre, elle allait surgir, une lueur de joie diabolique dans les yeux. Eues ! Je vous ai bien eues. Bien sûr que non, imbéciles, je ne me suis pas noyée.

Il était quasi impossible d'assimiler la soudaineté, l'irrévocabilité de l'événement. Nell savait que c'était aussi le cas pour sa mère, laquelle allait et venait en eau peu profonde en poussant de faibles gémissements qui, parfois, culminaient sur une note aiguë, déchirante, mais conservaient le plus souvent le même rythme régulier, presque apaisant. Presque comme une berceuse qu'on chante et rechante pour endormir un bébé. De curieuses pensées se bousculaient dans la tête de Nell. Elle se demandait ce qu'elles allaient dire à l'école, si sa mère écrirait un mot d'excuse pour Bridget. Si l'écharpe rouge allait lui appartenir pour toujours. Elle était gelée et affamée malgré tout. Elle se demandait s'il serait possible de manger tout à l'heure, et ce qu'elles mangeraient. Elle avait envie de soupe avec des toasts. D'épaisses tranches de pain blanc grillées et ruisselantes de beurre fondant. Elle choisirait de la soupe à la tomate. Bridget la voulait toujours aux champignons. Ce serait sans doute de la soupe aux champignons, parce que Bridget gagnait toujours à pile ou face.

Elle voyait sa sœur le lendemain matin, debout, pieds écartés, en train de raconter à toute la classe comment elle était morte hier. Morte noyée, dirait-elle d'une voix sinistre, revivant chaque terrifiante seconde. Elle raconterait comment le sol avait cédé sous leurs pieds, comment l'eau les avait aspirées. Elle était noire comme de l'encre et *brrr!* glacée. J'en avais plein le nez et les oreilles. Je ne pouvais pas respirer ni rien. Bien sûr que j'avais peur, quelle question idiote. Mais Nell avait dix fois plus peur que moi. Mammy nous a donné une de ces corrections. Elle a pris un énorme bâton et…

Agnes la tirait vers la rive par le col de son manteau. Ses doigts s'étaient refermés sur l'écharpe, resserrant l'une des boucles autour du cou de sa fille ; en atteignant la terre ferme, Nell suffoquait et avait le visage tout bleu. D'un pas trébuchant, Agnes a marché jusqu'à un gros rocher plat et s'est penchée dessus, laissant son poids formidable reposer sur ses poings serrés. Elle ne pleurait pas – juste ces gémissements que Nell détestait plus que tout. L'enfant entendait claquer ses propres dents. Soudain, Agnes est revenue sur ses pas jusqu'à ce que l'eau noire vienne lécher ses chaussures. Elle a haussé les épaules au maximum, mains écartées, paumes tournées vers le ciel. Cela ne se pouvait pas. Comment cela se pouvait-il ? Elle a fait un pas en avant, puis s'est arrêtée, comme en proie à un débat intérieur. Elle s'est retournée et a fixé sa fille, même si celle-ci ne pensait pas qu'elle pût la voir à travers le voile vitreux qui lui couvrait les yeux. Que disait-elle donc ? Nell, qui était assise dans l'herbe rêche, s'est approchée en se dandinant sur ses fesses gelées.

« Mammy ? »

Les mains d'Agnes sont mollement retombées. Ses épaules se sont affaissées. Elle a jeté un coup d'œil vers le haut de la colline pour donner le signal du départ. Nell s'est levée et glissée derrière elle pour suivre ses pas trébuchants, zigzagants. Agnes a tendu une main dans son dos et elle l'a saisie.

« Reste à portée de ma vue, a dit Agnes. Reste à un endroit où je peux te voir. »

Nell a plus ou moins réussi à accorder son rythme à celui de sa mère, mais son esprit s'était muré. Le froid et l'épuisement avaient eu raison d'elle. Elle dormait en marchant.

Une lumière pâle et délavée emplit la voiture. Nell s'éveille en clignant des yeux. Comment a-t-elle pu dormir ? Les impératifs du corps, si cruellement insistants : s'il a besoin de sommeil, le sommeil doit prévaloir. Ali sursaute à côté d'elle ; un instant, ses yeux fixent sans comprendre l'autre côté du pare-brise, puis elle se souvient où elles sont et pourquoi. La pluie a cessé. Un rai de lumière argentée s'échappe d'un nuage gris cendré situé au-dessus de leurs têtes ; c'est son ruissellement à travers les vitres qui les a réveillées.

Un chuintement de pneus derrière elles. Ce sont Nick et Henri, accompagnés du Garda du coin. Ils ont essayé de monter plus tôt, mais le bas de la route était inondé – ça va à peine mieux maintenant. Ils étaient sûrs de rester coincés.

« Une nuit à ne pas mettre le nez dehors », commente le jeune Garda pour dire quelque chose. Il s'efforce d'avoir l'air enjoué, comme s'il s'agissait juste d'un raté au commencement d'une journée parfaitement ordinaire. Ali sort de la voiture et se dirige vers Nick. Il lui tend un petit tas de vêtements propres, sort un thermos de café chaud. Leurs lèvres remuent en silence. Nell et Ali se relaient pour boire dans la tasse en plastique. La chaleur est comme une prière qui s'écoule dans leurs membres.

« On va se répartir, dit le Garda. Inutile de regarder tous au même endroit. » Et il indique à chacun un itinéraire différent. Nell se sent soulagée par sa consciencieuse efficacité. Mais, sur son petit visage tiré, elle lit la même inquiétude que la leur.

Elle n'ose pas regarder Henri dans les yeux. Elle pourrait s'effondrer complètement, et de quelle utilité serait-elle alors à sa fille ? Mais elle entend sa respiration heurtée derrière elle, sent sa tension, la raideur de sa posture ; et comme, contrairement à son habitude, il n'essaie pas de lui tenir des propos apaisants ni de lui prendre la main, la forçant presque à se laisser réconforter, elle sait que lui aussi craint le pire.

Nick n'est pas en état d'emprunter le sentier, mais il insiste pour rester dehors, en haut de la colline, sur le plat qui précède la descente vers le lac. Il s'assied sur un rocher, bras autour des genoux. Son visage est plus pâle que le ciel nacré du matin. De sombres sillons relient son nez à sa bouche. Un muscle minuscule palpite en permanence sur une de ses joues. Ali lui serre hâtivement l'épaule, mais il ne se retourne pas. Nell résiste au réflexe de retirer sa main quand Henri la prend dans la sienne. Au contraire, elle s'appuie contre lui et se laisse aller sur son épaule.

Le Garda passe devant et, sans cesser de badiner légèrement, les conduit jusqu'au point où le sentier se divise. Là, il leur montre du doigt les différents chemins à suivre. Ali est au-delà des questions et des réponses. Au plus profond de son être, Nell comprend que sa fille se prépare déjà aux longues journées à venir. Si elle nourrissait encore un réel espoir, elle dirait au Garda qu'il faut commencer par le lac. Elle ne sait pas pourquoi elle en est si sûre, mais elle l'est. Il y a là une forme de logique inversée : commencer là où c'est possible pour terminer là où c'est le plus probable.

« Ali ? »

Ali fait volte-face. On dirait un squelette emmitouflé. Nell ouvre la bouche pour lui parler de la pile. Il faut la préparer pour le cas où elle tomberait sur d'autres traces du passage de Grace. Mais elle ne peut se résoudre à prononcer les mots. Finalement, elle fait une chose ridicule : elle envoie un baiser à sa fille. Pendant une seconde, Ali reste figée, presque interloquée. Une ébauche de sourire se dessine sur ses lèvres, les commissures se recourbent, elle y est presque ; puis le tout retombe, inerte. Les deux femmes se retournent et partent dans des directions opposées.

Un peu plus loin, Nell s'accroupit pour faire pipi derrière un bloc de granit. Sa vessie met un temps infini à se vider. Il y a de petites taches de sang sur le sol : ses règles, en retard de deux mois, ont choisi ce moment incongru pour réapparaître. Elle s'essuie comme elle peut avec des touffes d'herbe haute et raide. De l'autre côté du lac, elle distingue juste la mince silhouette du Garda qui se fraie un chemin avec un bâton parmi les plantes marécageuses. Des moutons bondissent, surpris, à son approche puis, ne sentant chez lui nulle menace, se remettent à paître tranquillement. Entre deux « Grace ! » claironnants, Nell entend son estomac crier famine. Le café gargouille et glougloute dans le vide. Elle mangerait si on lui donnait à manger. Comme c'est surprenant qu'elle soit en état de manger. Et si, pour finir, il faut envoyer des plongeurs chercher Grace au fond du lac, elle n'en mangera pas moins. Au bout d'un moment. Cette pensée lui fait honte et l'apaise à la fois. Elle imagine d'épaisses tranches de pain blanc délicatement dorées et boursouflées de beurre fondu. De la soupe à la tomate.

Loin au-dessus d'elle, Henri cherche Grace derrière d'énormes rochers. Il baisse les yeux, croise son regard, secoue légèrement la tête et poursuit son chemin.

Elle se trouve maintenant du côté du lac où elle est entrée dans l'eau avec Bridget. Une montée abrupte, semée de pierres et de rochers branlants, aboutit à une crête derrière laquelle le terrain descend en pente plus douce vers la maison de Paudie et Julia. Il y a un autre panneau d'avertissement planté au bord de l'eau. Un immense choucas franchit la crête en vol plané et disparaît par-derrière. Les contusions du ciel se sont fondues dans une teinte uniformément argentée ; la lumière est si vive qu'elle se réfléchit comme un rayon sur une lame. Seul le centre du lac reste sombre et ténébreux. De brillantes paillettes forment un halo sur le pourtour. L'air que respire Nell est épicé, nettoyé par la pluie, si riche et tourbeux qu'il lui semble que chaque inspiration emplit ses poumons d'un épais liquide. Elle regarde sa montre. Sept heures et demie.

Devant elle se trouve le rocher sur lequel Agnes s'est appuyée avec ses poings crispés. Sa face lisse avance presque jusque dans l'eau. En le contournant, Nell se penche pour ramasser une pierre brune mouchetée de noir de la taille d'une main. Sur les rives du lac, toutes les pierres sont de différentes nuances de brun. Elle glisse la pierre dans la poche de sa veste et se remet en route. Quelques pas plus loin, mue par une impulsion, elle s'arrête et rebrousse chemin. À l'arrière du rocher, il y a un creux sous la saillie formée par le granit. Une botte en caoutchouc vert en dépasse. Elle est vide. Nell se penche pour scruter l'obscur recoin, qui ne fait guère plus de cinquante centimètres de haut. Grace est roulée en boule sur le sol. Ignorant le jour, elle frissonne dans son sommeil.

« Encore une minute, Henri. Je déteste cet endroit et je n'y mettrai plus jamais les pieds. Mais encore une minute. »

Nell est assise sur le rocher, frissonnante. Voilà plus d'une heure qu'ils ont récupéré Grace, encore sonnée après l'épreuve de la nuit, mais pas réellement blessée. Elle avait fait quelques pas dans l'eau, s'était tordu la cheville et avait laissé tomber sa torche électrique. Terrifiée par l'obscurité, elle avait réussi à regagner la rive en rampant et trouvé refuge sous le rocher. Nell a regardé Nick et Ali s'éloigner d'un pas chancelant dans l'herbe haute en portant leur récompense dans les bras. Malgré tous ses efforts, ses jambes n'ont pas réussi à suivre.

Ses yeux reviennent sans arrêt se poser sur le point où les eaux du lac deviennent sombres et cessent de refléter le ciel.

« Qu'est-ce qui s'est passé ? » demande Henri en suivant son regard sur l'eau. Il sert une nouvelle tasse de café et la lui tend. « Tu dis que tu as donné un coup de pied pour forcer Bridget à lâcher ta cheville. Et que tu es remontée d'un coup. Quoi d'autre ?

— Ce que je n'ai pas dit, c'est que deux mains ont plongé pour me sortir de l'eau.

— Agnes.

— Agnes. Naturellement, tout s'est passé comme dans un brouillard. J'inhalais de l'eau et, une seconde plus tard, je m'étranglais en aspirant d'énormes bouffées d'air. Au départ, je ne la voyais même pas. Ça n'a pas été facile de me sortir de là. On a toutes les deux chaviré sur le côté. Je me souviens de ses mains sur mon dos qui me poussaient loin du rebord. Elle ahanait, poussait des petits gémissements. Quand je me suis retournée, elle était en train de plonger, tête la première – je n'ai vu que ses chevilles. Elle est remontée, a inspiré un grand coup et a plongé encore. Et encore et encore – elle ne voulait pas laisser tomber. Je l'appelais sans arrêt, mais je doute qu'elle m'entendait. Je me suis approchée à tâtons jusqu'à ce que mes mains agrippent le rebord. J'avais si peur, chaque fois qu'elle plongeait, qu'elle ne revienne pas.

— Nell ?

— Désolée. Désolée... C'est juste...

— Continue.

— Au bout d'un moment, quand elle est remontée, les gémissements s'étaient changés en râles. Le genre de *han han* que fait une femme en accouchant. Elle savait qu'elle n'allait pas repêcher sa fille. Elle était épuisée à ce moment-là, épuisée et vaincue. Elle est allée poser sa tête sur ses mains, comme ça, sur le rebord à côté de moi. Et ce bruit étrange sortait toujours de sa bouche.

— Pauvre femme.

— Oui. Elle avait toujours été si forte. Si massive. Si capable. Dans l'eau, avec juste la tête et les épaules dehors, on aurait dit une créature chétive et minuscule. Je la reconnaissais à peine. On n'a pas échangé un mot. Je ne crois pas qu'elle se souvenait de ma présence, pour dire la vérité. Elle ne s'en est pas souvenue pendant un long moment. J'ai posé ma main sur la sienne et ç'a été comme si le choc la ramenait à la vie. Elle a levé la tête ; elle avait l'air complètement hébétée. Son regard est remonté le long de mon bras, jusqu'à ma poitrine, jusqu'à l'écharpe rouge que j'avais toujours autour du cou... »

Nell s'interrompt et deux grosses larmes coulent sur ses joues. Une déglutition, et la voici tout à coup qui pleure bruyamment, sans retenue, comme une enfant. Henri passe un bras autour de ses épaules et la berce doucement de droite à gauche jusqu'à ce qu'elle puisse de nouveau parler.

« Ça n'a duré qu'une fraction de seconde : ses pupilles qui se dilataient, quelque chose… je ne sais pas. Je n'ai jamais oublié ce regard. J'ai essayé, mais… jamais.

— Quand elle a compris qu'il n'y avait plus que toi et elle ? Qu'elle avait perdu une fille ? »

Nell se mord la lèvre très fort.

« L'écharpe. L'écharpe de Bridget autour de mon cou. Ce que j'ai vu dans les yeux de Mammy, c'est le moment où elle a compris qu'elle n'avait pas sauvé la bonne. »

Ils parcourent sans se presser la crique de galets, bras dessus bras dessous, satisfaits de marcher en silence. Henri fait ricocher quelques pierres minces sur l'eau, absorbé dans ses pensées. Nell observe son profil, surprise d'être si surprise de constater qu'elle le connaît par cœur. Même les minuscules poils noirs qu'il a sur les doigts, au-dessus des articulations, semblent si bien faire partie de sa vie qu'elle s'étonne de ne jamais les avoir remarqués. Elle l'attire plus près d'elle et se sent heureuse lorsqu'il s'arrache en sursautant à sa rêverie et lui sourit. Il a fait son choix, il l'a choisie et c'est son droit ; elle n'éprouve plus le besoin de lui contester ce droit. Après tout, il est fort possible qu'elle lui fasse du bien et ne lui cause aucun tort.

Ils enjambent les branches des deux aulnes et remontent le champ. Nell attend dehors pendant qu'Henri va chercher son sac à l'intérieur. Avant de monter en voiture, il se retourne pour lui faire un aveu.

« Il y a une chose que je dois te dire avant ton retour : j'ai un peu colonisé ton appartement.

— Colonisé ?

— Oui, enfin, pas moi en tant que tel, mais Jeanne. Je me suis un peu laissé aller en lui achetant des trucs. Des gros trucs. De l'équipement, des jouets – des gros jouets. Marie-Louise n'a pas la place. Elle veut rester à Paris pour le moment : ça ne va pas marcher avec le salaud. Donc tu sers un peu d'entrepôt, je le crains. »

Henri tente vaillamment de prendre un air contrit mais, à l'évidence, la vision de Nell rentrant dans un appartement envahi par les paquets de couches, les landaus, les chaises hautes et Dieu sait quoi encore l'amuse énormément, et il ne peut réprimer un sourire furtif.

« Charmant. Et il reste un peu de place pour nous ?

— Un peu. » Il consulte sa montre et dépose un rapide baiser sur la joue de Nell. « Je ferais mieux d'y aller. La semaine prochaine, alors ?

— Au plus tard. Je veux juste m'assurer que Grace tient le coup. Le poney facilite les choses, mais elle est si perdue, la pauvre. Elle continue à parler aux chats, tu sais, comme s'il y en avait encore partout. Je l'ai entendue hier soir. Tu crois que je pourrais lui refiler Lulu ?

— Tu ne parles pas sérieusement.

— Non, je ne parle pas sérieusement. Préviens-la que je serai de retour bientôt.

— Nell ? Un peu de place pour nous, tu as dit. Ce qui signifie ?

— À ton avis ?

— Bien. La question est réglée, alors.

— Oui, elle est réglée. Et oui, c'est bien. Très, très bien. »

Les trois queues-de-cheval observent avidement le butin de Grace, leurs yeux réduits à des fentes. Grace baisse la tête lorsqu'elle quitte le magasin avec Nell, même pas tentée d'en rajouter un peu. Un Megachew Bar pendouille au coin de ses lèvres comme la langue rose d'un petit chien. Pas un *slurp*. Les gamines sont une brochette de petits bouddhas impassibles ; seuls leurs globes oculaires se déplacent.

Bon. Une seule solution : les acheter, ces garces.

Nell sourit de toutes ses dents. Elle déballe une tablette de chocolat, lissant le papier d'argent avec l'ongle pour faire apparaître les carrés. Ensuite, délicatement, elle en détache un et le fourre dans sa bouche. Sa langue fait un petit bruit de succion contre son palais. Trois paires d'yeux sont braquées sur ses lèvres.

« Bonjour, les filles.

— B'jour.

— Tu connais ces jolies petites filles, Grace ?

— Elles sont dans ma classe, marmonne Grace sans les regarder.

— Oh, il fallait le dire. Ça change tout. Chocolat, les filles ? »

Nell détache trois carrés et les tend sur le papier d'argent. Deux des queues-de-cheval se servent immédiatement ; celle qui a des taches de son secoue légèrement la tête. La cible numéro un, conclut Nell.

« On ne va pas s'arrêter en si bon chemin, dit-elle, tout sourire. Allez, les filles, allons voir ce qui reste dans ce magasin. »

Les gamines hésitent une seconde, mais la gourmandise l'emporte vite sur tout ce qu'on a pu leur dire concernant les inconnus qui proposent des bonbons. Grace pince les lèvres et fait les gros yeux à Nell, mais elle n'a pas vraiment le choix. Elle suit les autres à l'intérieur et enrage en silence tandis que sa grand-mère leur distribue des paniers en les exhortant à choisir tout ce qu'elles veulent. Elles ne se le font pas dire deux fois.

De retour sur le trottoir, elles ne songent plus qu'à s'échapper avec leur trésor afin de pouvoir additionner, échanger, comparer, ricaner à leur guise. Mais depuis sa propre traversée du désert dans la cour de récréation, Nell en connaît un rayon sur les codes mystérieux qui régissent la vie des petites filles. Elle sait que les trois gamines ne peuvent pas s'en aller avant qu'elle ait accepté leurs remerciements et les ait congédiées. Elles sont forcées de les accompagner, Grace et elle, jusqu'à ce qu'elle veuille bien les libérer. Grace fonce devant le groupe, tête baissée, en marmonnant d'un air furieux.

« Vous êtes qui, au fait ? demande une des gamines.

— La grand-mère de Grace, bien sûr. Elle ne vous a pas dit que j'étais venue la voir ?

— Sa grand-mère ? Vous ne ressemblez pas à ma grand-mère.

— Ah non ?

— Plutôt à ma tante.

— Sans doute la poudre magique que je verse sur mes Corn Flakes. Oups, je n'aurais pas dû en parler.

— Parler de quoi ? De la magie ? Vous ne faites pas vraiment de la magie. Ça n'existe que dans les livres.

— Et les fiiilms, intervient la deuxième.

— Peut-être aussi au cirque, des fois, ajoute la dernière, plus timide, moins sûre d'elle que les deux autres.

— Oh, il y a des tas de choses que vous ne savez pas à sept ans.

— J'ai presque huit ans.

— Ouais. Elle a sept ans trois quarts.

— Vraiment ? Bref, en tout cas, si j'avais des pouvoirs magiques, je ne m'en servirais que pour faire des bonnes choses. Sauf, bien sûr, si quelqu'un était méchant avec ma petite-fille adorée. » Nell fait la moue. « Ça, ça ne me plairait pas du tout.

— Et qu'est-ce que vous feriez ? » la défie Taches de Son en s'assurant que ses copines voient bien son sourire sarcastique. Cette bonne femme raconte n'importe quoi, mais c'est elle qui a payé les bonbons et elles sont obligées de l'écouter jusqu'à ce qu'elle la ferme.

Nell s'arrête, un doigt sur les lèvres, perdue dans ses pensées. Les gamines attendent, tête levée. Tout à coup, elle fait celle qui vient d'avoir une illumination.

« Je sais. J'arrêterais les cadeaux.

— Quels cadeaux ? demandent-elles d'une seule voix.

— Ceux que je vais envoyer de Paris tous les mois à partir de maintenant. Des cadeaux pour Grace et pour ses trois, peut-être quatre meilleures copines. » Mission accomplie. « Des super-cadeaux. Des trucs à fabriquer et des trucs brillants avec des cœurs et des étoiles. Peut-être aussi des vêtements, parfois. Des vêtements de Paris, vous comprenez.

— Tous les mois ? Naan.

— Tous les mois. Parce que je l'aime si fort. Du coup, j'aime aussi ses amies.

— Quand ça tous les mois ?

— Ma foi, je ne sais pas. Il faudrait aller jouer chez elle souvent, plein de jours différents, pour voir si le colis est arrivé. S'il n'y avait pas assez de jours, j'aurais tendance à penser qu'elle doit se choisir de meilleures amies, avec lesquelles elle joue plus souvent. Si vous voyez ce que je veux dire. »

L'une des filles donne un coup de coude à Taches de Son pour voir ce qu'elle en pense. La plus discrète des trois, la gamine mal assurée à cheveux roux flamboyants et peau blanche comme marbre, regarde Nell en écarquillant les yeux. C'est celle qui a le meilleur potentiel, décide Nell, et elle la gratifie d'un authentique sourire d'encouragement.

« Pourquoi vous ne viendriez pas chez Grace maintenant voir son nouveau poney ?

— Elle a un poney ?

— Il adore les pommes. Mais peut-être que vous devez passer chez vous d'abord ?

— On fait ce qu'on veut jusqu'à cinq heures », déclare Taches de Son avec une pointe de dédain – elle les prend pour des bébés ou quoi ?

Grace s'est arrêtée un peu plus loin. Elle marmonne toujours, tête penchée sur le côté. Malgré la distance, Nell sent son regard assassin.

Les gamines délibèrent par chuchotements brefs. C'est Taches de Son qui finit par trancher. Elle regarde Nell d'un air de dire qu'elle n'est pas dupe, mais qu'elle jouera le jeu tant que celle-ci tient ses propres engagements. Un éclair de vérité passe entre elles.

« Grace, attends-nous ! » s'écrie Taches de Son. « Merci pour les bonbons », se souvient-elle, et elle se met à courir.

Les deux autres suivent, queues-de-cheval oscillant dans leur sillage telles des houppes luisantes. Grace se fige sur place. Un moment, elle semble prête à détaler comme un animal effarouché. Taches de Son fond sur elle, lui dit quelque chose, puis continue à courir en agitant le bras pour appeler ses vassales. La rouquine ralentit près de Grace, lui donne un coup d'épaule presque imperceptible pour l'inciter à les suivre. Nell ne peut s'empêcher d'éclater de rire. Elle n'a jamais vu sa petite-fille aussi désorientée. Grace la regarde, tourne la tête, regarde les gamines qui s'éloignent ; ses pieds trépident de façon visible, impatients de suivre le mouvement. Un dernier coup d'œil par-dessus son épaule et la voilà partie. Elle rattrape vite les autres et se positionne derrière elles, réglant son allure sur la leur. La rouquine ralentit et lui dit quelque chose. Grace renverse la tête et part d'un rire bien trop long et trop joyeux, mais qui semble faire plaisir à son interlocutrice. Elles poursuivent leur chemin deux par deux. Au moment où elles vont tourner au coin de la rue, sortant provisoirement de son champ de vision, Nell remarque que Grace a relevé ses cheveux d'une main et tient fermement sa queue-de-cheval brune qui se balance de droite à gauche.

La matinée est bien avancée quand Ali se glisse dans la chambre. Elle observe la valise pleine posée sur le lit et sourit faiblement à sa mère.

« Ça va me manquer, ta présence dans la maison.

— Pas longtemps. Je serai de retour bientôt. »

Ali tripote les coins de l'édredon.

« Bon. » Elle hausse les épaules, à propos de rien. « Bon. »

Elle s'approche de la fenêtre et regarde dehors, bras croisés. Terence, le nouveau poney, a le champ du bas pour lui tout seul. Un rectangle d'herbe jaune aplatie signale l'endroit où stationnait la caravane.

« Ça va ? demande Nell doucement en posant le dos de sa main sur la joue de sa fille.

— Peut-être. » Ali s'efforce de sourire. « Peut-être que ça ira. » Elle se détourne de la fenêtre, comme si le vide qu'elle voit en bas était intolérable. « J'aimerais qu'on puisse oublier les gens, les chasser complètement de son esprit. Mais ce n'est pas possible, hein ?

— Non, ce n'est pas possible. »

Par-dessus l'épaule d'Ali, Nell regarde Nick descendre le champ avec un seau de nourriture pour Terence. Son état s'est nettement amélioré depuis leur grand ménage. Il est toujours maigre comme un clou et continue à tousser, mais Nell sent chez lui une volonté acharnée, presque rageuse d'aller bien. D'offrir au moins ça à sa fille, à titre de cadeau, de compensation pour la perte de ses chats. Impossible de savoir si lui-même constituera un prix de consolation suffisant pour Ali. Leur couple traverse une grave crise, mais il y a aussi de la gentillesse entre eux, la douceur qui surgit entre deux êtres lorsqu'ils ont contemplé le pire ensemble.

Ali observe les pierres de mémoire d'Agnes alignées comme des soldats sur le sol. Nell retourne le coffre-tabouret pour faire tomber celles qui restent au fond.

« J'en cherchais une en particulier.

— Décris-la. Je peux peut-être t'aider.

— Si je me souviens bien, elle est plutôt plate, avec une face gris acier et l'autre couverte d'une sorte de quadrillage blanc. Assez originale.

— Je parie que c'est celle-là. »

Ali sort une pierre du tas et la retourne. Sur la face veinée de blanc, on peut encore juste lire la date et le lieu. Nell prend la pierre dans le creux de ses mains.

« Le jour de mon départ, Mammy l'a ramassée dans l'eau. Elle n'a indiqué que la date et la crique. » Elle hausse les épaules. « Je ne sais pas, je pensais peut-être qu'elle aurait écrit autre chose après mon départ. Mon côté sentimentalo-bébête, sans doute.

— Rien sur la face unie ? Un peu fondu dans le gris, peut-être ? »

Nell retourne à nouveau la pierre et secoue la tête.

« Non, rien. » Elle la laisse retomber sur le tas. « Bref. »

Ali touche le monticule du bout du pied et les pierres se répandent sur le sol. Nell répertorie distraitement des dizaines de promenades. Des souvenirs aussi solides que les pierres elles-mêmes. Les fondations géologiques de son existence exposées au grand jour. Rien ne pourra éradiquer ces moments passés avec sa mère. La forme de tout ce qui reste à venir, délimitée par le cristal et le granit, le calcaire et le schiste, un marbre très pâle veiné de cercles noirs concentriques. Chaque pierre associée à une leçon d'histoire, une conversation décousue, un frôlement de mains involontaire tandis qu'elles contemplaient le large. Sa première leçon de natation, allongée comme un bébé phoque sur le vaste dos de sa mère. Leurs yeux qui se détournaient quand le souvenir de Bridget les laissait pantelantes de nostalgie. Un tas de pierres pour O'Connell, le Libérateur, à lui tout seul. Deux galets blancs nacrés pour deux premières communions. Un unique ovale rose pour une confirmation.

Ce n'est pas pour rien, songe Nell, que les vieux cherchent à se réapproprier leur enfance. Leurs gazouillis de bébés, parfaitement intelligibles pour eux. Les détails les plus minuscules, les plus insignifiants exhumés après des décennies. Une casserole qui déborde, la nuit de la mort d'un parent, la bouillie noircie d'un sandwich à la banane, le premier jour d'école. Ces petits riens périphériques entourant les grands événements qui forment les empreintes uniques de notre vie. Que pouvons-nous devenir, sinon ce dont nous avons le souvenir ? Et tout ce que nous tentons d'oublier.

« Qu'est-ce qu'il y a, Nell ? »

Nell est à genoux, sourcils froncés, mains fourrageant rapidement parmi les galets multicolores, l'air de plus en plus perplexe tandis qu'elle les retourne l'un après l'autre.

« Nell ? »

Soudain, elle s'assied sur ses talons et s'immobilise dans cette position, se donnant un moment pour reprendre contenance. Elle comprend enfin pourquoi Ali est restée si curieusement étrangère à la manie qu'avait sa grand-mère de ramasser des pierres. Pourquoi elle n'a même pas compris ce qu'elles étaient avant de fermer le coffre-tabouret.

« Regarde les dates, Ali. » Elle porte le granit froid à sa joue écarlate, imaginant la paume charnue de la main de sa mère. « Nos promenades étaient un réconfort pour elle, pas un tourment. » Elle lève les yeux vers Ali. « Cette pierre grise est la dernière. Le jour de mon départ. Ensuite, il n'y a plus de pierres de mémoire. »

Elles passent des heures assises en tailleur sur le sol, environnées par les pierres d'Agnes, à parler du passé, à se délecter des colorations différentes qu'elles prêtent aux mêmes souvenirs. Elles hurlent de rire quand Nell décrit Agnes assise chez Angelina, son chapeau sur la tête, en train de s'évertuer à manger délicatement son millefeuille. Le regard anxieux qu'elle a jeté autour d'elle, après être parvenue à avaler une bouchée de pâte feuilletée, pour voir si tout le monde remarquait comme elle s'y prenait mal. La serviette dont elle ne cessait de se tamponner la bouche tout en parlant du visage – prenant des airs, faisant la moue, haussant les sourcils – alors que Nell ne disait rien. La grosse boulette de crème qui est restée accrochée au coin de ses lèvres et que Nell n'a pas eu le courage de balayer d'une chiquenaude – après une telle mortification, Agnes n'aurait plus ouvert la bouche de la journée. Le démarrage en flèche dans la mauvaise direction dès qu'elles se sont retrouvées dehors. Les sorties par lesquelles elle tentait d'entrer, les entrées qu'elle ignorait pour jeter des coups d'œil perplexes par-dessus son épaule. Les carrefours fréquentés qu'elle traversait tête baissée : si elle ne voyait pas les voitures, les voitures n'existaient pas.

Les dîners au restaurant – autre supplice interminable. Les remerciements prodigués à chaque serveur, même quand il servait la table à côté, Agnes se sentant obligée de remercier lorsqu'il lui semblait que les autres clients se montraient un peu légers dans ce domaine. Les regards noirs qu'elle leur lançait tout au long du repas quand ils ne tenaient pas compte de ses signaux appuyés. Les petits sourires d'excuse que distribuait Nell pour compenser. Le refus de prendre un taxi pour rentrer parce que l'appartement de Nell était à deux pas. Et, une heure de marche plus tard, alors que ses oignons étaient en feu : Tu vois, on en est pas mortes.

« Et les magasins ! explose Nell. Oh, mon Dieu, faire les magasins à Paris avec Mammy. »

Ali se lève d'un bond et, immobile, le visage impérieux, prend la parole pour s'adresser à une vendeuse. « Combien vous dites ? Ça fait combien ça, Nell ? Mais c'est rien du tout, ce truc-là. Jusque quelques points sur un bout de tissu. J'achèterais un tailleur…

— Un beau tailleur bleu, précise Nell.

— Un beau tailleur bleu, pour ce prix-là. Nell, parle donc à la demoiselle. Vois si elle accepte d'être raisonnable.

— Et à Oxford, s'esclaffe Nell, quand on sortait avec oncle Albie et Mary Kate, l'accent anglais, tu te souviens ? »

Ali ajuste un chapeau imaginaire et, surfaisant l'accent britannique : « Merci mille fois. Merci. Merci infiniment.

— Je vous suis très obligée, lui souffle Nell.

— Oh, oui. Je vous suis très obligée. Et ce serait-il possible, vous croyez, d'avoir encore un de ces beaux sacs – non, pas ceux avec marqué Soldes, ceux avec les belles rayures dorées.

— Merci *mille fois*. »

Ali s'accroupit ; des larmes d'hilarité brillent dans ses yeux. Elle serre la main de sa mère dans la sienne.

« Quel numéro, celle-là.
— Oh oui. Oh, que oui. »

C'est un de ces après-midi où la lumière ressemble à du beurre liquide. Un éblouissant après-midi d'octobre, comme une dernière promesse de ce qui reviendra après la mort grise de l'hiver. Sur sa droite, la mer scintillante semble avoir absorbé le soleil.

Paudie ouvre la porte avant qu'elle ait eu le temps de frapper.

« Entre, Nell. Entre donc.

— Eh bien, fait Julia en s'essuyant les mains sur un tablier. Ta dernière visite est pour nous ?

— Oui. Je prendrai la route dans une heure environ.

— Comment va la petiote ? » demande Paudie. Il fait un signe de tête vers Julia. « Elle continue à me houspiller pour ce maudit message que j'ai laissé.

— Les chats lui manquent, bien sûr, mais elle est très emballée par le poney. Je pense que ça va aller. »

Julia va chercher un paquet soigneusement emballé.

« Je t'ai préparé deux pains de chez nous à rapporter.

— Y a aussi du boudin noir, ajoute Paudie. Je connais le gars qui le fait. C'est du bon. Rien à voir avec la camelote qu'on trouve dans les boutiques.

— Merci à vous, fait Nell en prenant le paquet. Pour tout, je veux dire. Pour Mammy aussi – d'avoir veillé sur elle.

— On a tellement l'habitude de garder l'œil sur cette maison. Je crois qu'on le ferait même en dormant. » Julia touche furtivement le bras de Nell. « On rajeunit pas tous les deux, Nell. Maintenant que t'as retrouvé le chemin du bercail, tu reviendras nous voir, hein ?

— Vous ne saurez plus comment vous débarrasser de moi.

— J'aurai pas le temps de me dégoûter, glousse Paudie en mesurant des deux mains le temps qui lui reste. Mais toi, jeune fille, t'as encore des kilomètres de chemises à user.

— Pas si jeune que ça, Paudie.

— Comparée à moi, t'es à peine sortie du berceau. »

Blottis dans l'encadrement de la porte, ils agitent la main tandis que Nell s'éloigne pour faire une dernière promenade sur la plage de Derrynane. Les mots « à peine sortie du berceau » repassent en boucle dans sa tête et la font sourire. Elle éprouve le même délicieux plaisir qu'une enfant avant Noël. Quand l'impatience vous prend aux tripes, quand tout semble possible, parce que tout l'est, parce qu'il reste encore du temps et des Noëls à vivre. Elle est l'avenir que l'enfant qu'elle a été attendait avec tant d'impatience. Quelle honte y a-t-il, à cinquante ou soixante ans, voire à quatre-vingt-dix, à lever la tête pour se délecter d'une pleine lune ou d'un magnifique après-midi d'octobre. J'ai connu l'avenir. Je suis là. Et, quand je n'y serai plus, rien ne pourra empêcher que j'y aie un jour été.

De fait, en sautant de la butte herbeuse sur le sable fin et doré, il lui semble que ses membres ont acquis un nouveau ressort, ou redécouvert une énergie qui était en sommeil. Comme elle s'était facilement résignée au changement de vie, présupposant qu'il ne pouvait aller que vers le pire. Se recroquevillant sur elle-même tel un animal prêt à hiberner. Tirant le rideau. Elle aurait pu finir cachée dans un appartement blanc, s'exilant de l'humanité comme Adam dans sa caravane.

Un vent léger taquine ses cheveux. Le ciel s'étend jusqu'à l'horizon comme un drap de velours d'un bleu profond et sans tache. De petites vagues chuchotantes clapotent le long du rivage. La marée descendante laisse le sable beige et lisse, comme passé à l'aspirateur. Un instant, Nell a la certitude qu'Agnes et Bridget marchent un peu plus loin sur la plage. Un roc solide et un mirage doré, la première traînant les pieds pour suivre les pas de danse de l'autre. La masse imposante d'Agnes qui se détourne de ses filles et se penche pour ramasser une pierre solitaire apportée puis abandonnée par la marée. Oui, elle a réussi à la maintenir en vie toutes ces années. Une version d'elle avec laquelle elle pouvait vivre. À présent, il est temps de la libérer. De laisser son esprit reposer en paix, maintenant que sa fille a enfin compris qu'elle était aimée – mais telle qu'elle était, c'est-à-dire humaine et imparfaite, capable de blesser et d'être blessée, et non comme le souvenir idéal dans lequel elles n'ont pu s'empêcher d'enfermer Bridget.

Elle pense à Henri, aux années qu'il a, lui aussi, passées à attendre patiemment. Elle va lui dire d'installer Marie-Louise et son bébé dans l'appartement. Oh, quelle idée ridicule ! Le genre de promesse folle, irrationnelle qu'on se fait à soi-même lors de splendides journées comme celle-ci. Juste pour un temps, bien sûr – le temps que Marie-Louise décide ce qu'elle veut faire de sa vie. La simple idée de couches sales, de hochets, de biberons de lait alignés dans le réfrigérateur la fait rire aux larmes. Ça ne marchera jamais. Ça la rendra folle, complètement dingo. Mais elle va essayer, le temps qu'elle pourra. Essayer de se laisser happer par le frotti-frotta, les non-dits balbutiants, les interactions imprévisibles, les irrésolutions de la vie des autres. La complexité, les contradictions, de sorte que, dans ce désordre, elle pourra un jour se poster à sa fenêtre et contempler le boulevard Raspail sans même avoir conscience du bruit de fond, du tumulte insistant des existences qui entrent en collision avec la sienne. Ça fera juste partie du paysage.

Elle revient sur ses pas, ravie de prendre part à cette merveilleuse journée. D'avoir de l'air dans les poumons, du sable dans les chaussures et des années de chemises à user devant elle. Bola couvre la distance qui les sépare en quelques souples foulées et lui sourit largement, plus enjoué qu'à son habitude. Tout en courant sur place, il lui annonce que les papiers sont arrivés pour sa fille. Elle sera là le mois prochain avec sa sœur. Ça ne marchera peut-être pas, ajoute-t-il en haussant les épaules, mais peut-être que si. C'est une bonne journée, note-t-il en levant les yeux vers le lavis bleu du ciel. Ce sera le pays de sa fille maintenant. Au moment où il s'apprête à repartir, Nell l'arrête et fourre sa main dans la poche de sa veste. Elle en sort la pierre brune qu'elle a ramassée près du lac le matin où ils ont trouvé Grace et referme dessus les doigts de Bola. Il la regarde avec curiosité, mais ne pose aucune question.

« Pour votre fille, dit-elle. Que ce soit la première pierre de mémoire. Dans son nouveau pays. »

Elle s'éloigne. Heureuse d'avoir connu des moments de rare et saisissante beauté, et de savoir que d'autres restent possibles à l'avenir. Heureuse, aussi, que la vie ait ses côtés moches, sales, qui rendent la perfection plus supportable.

Ouvrage composé par Entrelignes (64).
Achevé d'imprimer
sur Roto-Page
par l'Imprimerie Floch
à Mayenne, le 8 avril 2009.
Dépôt légal : avril 2009.
Numéro d'imprimeur : 73632.

ISBN 978-2-07-078999-3 / Imprimé en France.

139486